A JUDICIALIZAÇÃO DA VIDA
E o papel do Supremo Tribunal Federal

LUÍS ROBERTO BARROSO

A JUDICIALIZAÇÃO DA VIDA
E o papel do Supremo Tribunal Federal

3ª reimpressão

Belo Horizonte

2024

2018 1ª reimpressão
2021 2ª Reimpressão
2024 3ª Reimpressão

FÓRUM
CONHECIMENTO JURÍDICO
Luís Cláudio Rodrigues Ferreira
Presidente e Editor

Coordenação editorial: Leonardo Eustáquio Siqueira Araújo

Rua Paulo Ribeiro Bastos, 211 – Jardim Atlântico – CEP 31710-430
Belo Horizonte – Minas Gerais – Tel.: (31) 99412.0131
www.editoraforum.com.br – editoraforum@editoraforum.com.br

Técnica. Empenho. Zelo. Esses foram alguns dos cuidados aplicados na edição desta obra. No entanto, podem ocorrer erros de impressão, digitação ou mesmo restar alguma dúvida conceitual. Caso se constate algo assim, solicitamos a gentileza de nos comunicar através do *e-mail* editorial@editoraforum.com.br para que possamos esclarecer, no que couber. A sua contribuição é muito importante para mantermos a excelência editorial. A Editora Fórum agradece a sua contribuição.

B268j Barroso, Luís Roberto

A judicialização da vida e o papel do Supremo Tribunal Federal / Luís Roberto Barroso. – 3. Reimpressão – Belo Horizonte : Fórum, 2018.

290 p.

ISBN: 978-85-450-0404-2

1. Direito Constitucional. 2. Supremo Tribunal Federal (Brasil). I. Título.

CDD 342.1
CDU 342

Informação bibliográfica deste livro, conforme a NBR 6023:2002 da Associação Brasileira de Normas Técnicas (ABNT):

BARROSO, Luís Roberto. *A judicialização da vida e o papel do Supremo Tribunal Federal*. 3. Reimpr. Belo Horizonte: Fórum, 2018. 290 p. ISBN 978-85-450-0404-2.

Para Renata Saraiva, Patricia Campos Mello,
Aline Osório e Cristina Telles,
Que me ajudam a viver muitas vidas em uma só.

Para Tereza, Luna e Bernardo, amor, paz e alegria.

SUMÁRIO

I O livro e suas ideias centrais

O livro que se segue está dividido em uma introdução e duas partes. Trata-se de um esforço para compreender o fenômeno da hiper-judicialização da vida no Brasil e da fronteira tênue e móvel que hoje separa o direito da política entre nós. Os tempos não têm sido fáceis nem banais por aqui.

Na Introdução, procuro apresentar uma fotografia do momento atual brasileiro, em que a judicialização de todas as grandes questões no país, que já vem de algum tempo, se embaralha com o combate à corrupção, intensificado mais recentemente. Esta combinação terminou por conferir ao Poder Judiciário ainda maior destaque na vida nacional, jogando-o, de certo modo, no universo das paixões desordenadas que movem a política. As recentes e ostensivas tensões entre os três Poderes – Legislativo, Executivo e Judiciário – não encontram paralelo em nenhum outro período democrático brasileiro.

A corrupção no Brasil não foi produto de falhas individuais e isoladas, nem de pequenas fraquezas humanas. Foi (e ainda é) um fenômeno sistêmico, generalizado, envolvendo empresas estatais, empresas privadas, agentes públicos e privados, partidos políticos, membros do Executivo, do Legislativo, e até mesmo do Judiciário e do Ministério Público, ainda que de forma menos intensa nestes dois últimos. É impossível não sentir vergonha pelo que aconteceu por aqui. Ainda assim, reações às mudanças indispensáveis para superar esse problema endêmico do país têm vindo de toda parte, como assinalei no texto:

> Como seria de se esperar, o enfrentamento à corrupção tem encontrado resistências diversas, ostensivas ou dissimuladas. Há os que não querem ser responsabilizados por delitos cometidos e há os que não querem ficar honestos nem daqui para frente. Triste como seja, os dois grupos têm aliados em toda parte: em postos chaves da República, na imprensa, nos Poderes e mesmo onde menos seria de se esperar. Têm a seu favor, também, a cultura da desigualdade, privilégio e compadrio que sempre predominou no Brasil. O Judiciário tem procurado, ele próprio, sair desse círculo vicioso e romper o pacto oligárquico que uniu grande

número de empresários, políticos e burocratas no saque ao país. Mas parte da elite brasileira ainda milita no tropicalismo equívoco de que corrupção ruim é a dos outros, a dos adversários. E que a dos amigos, a dos companheiros de mesa e de salões, esta seria tolerável.

Na Parte I, são três os capítulos que pretendem trazer uma reflexão teórica e crítica sobre o fenômeno da judicialização. O primeiro deles, intitulado "Constituição, democracia e supremacia judicial: direito e política no Brasil contemporâneo", traz um esforço de compreensão da ascensão do Poder Judiciário no Brasil e no mundo, explora as dificuldades na demarcação da fronteira entre direito e política e faz uma investigação acerca dos fatores que influenciam uma decisão judicial, além do material jurídico. Quanto a este último ponto, ao analisar as relações entre justiça e opinião pública, registrei:

> No constitucionalismo democrático, o exercício do poder envolve a interação entre as cortes judiciais e o sentimento social, manifestado por via da opinião pública ou das instâncias representativas. A participação e o engajamento popular influenciam e legitimam as decisões judiciais, e é bom que seja assim. Dentro de limites, naturalmente. O mérito de uma decisão judicial não deve ser aferido em pesquisa de opinião pública. Mas isso não diminui a importância de o Judiciário, no conjunto de sua atuação, ser compreendido, respeitado e acatado pela população. A opinião pública é *um* fator extrajurídico relevante no processo de tomada de decisões por juízes e tribunais. Mas não é o único e, mais que isso, nem sempre é singela a tarefa de captá-la com fidelidade.

O segundo capítulo – "A razão sem voto: O Supremo Tribunal Federal e o governo da maioria" – discute a evolução da teoria constitucional no Brasil, do constitucionalismo chapa branca, do regime militar ao neoconstitucionalismo, que colocou o Judiciário no centro do cenário político e transformou a proteção dos direitos fundamentais e da democracia na sua grande missão. À medida que as sociedades vão se tornando mais complexas, a Constituição e as leis vão perdendo sua capacidade de regular previamente as múltiplas situações da vida, aumentando, assim, a discricionariedade de juízes e tribunais, que se tornam, em ampla medida, coparticipantes do processo de criação do direito. Esse é um fato inexorável da realidade contemporânea, para desalento de muitos. Mas de nada adianta quebrar o espelho por não gostar da imagem. Porém, juízes e tribunais têm sua criatividade limitada pelas possibilidades semânticas da Constituição e das leis, bem como pelo uso apropriado das categorias jurídicas:

> O juiz não faz escolhas livres nem suas decisões são estritamente políticas. Esta é uma das distinções mais cruciais entre o positivismo e o não

> positivismo. Pela concepção não positivista aqui sustentada, (...) o direito é informado por uma pretensão de *correção moral*, pela busca de justiça, da solução constitucionalmente adequada. Essa ideia de justiça, em sentido amplo, é delimitada por coordenadas específicas, que incluem a justiça do caso concreto, a segurança jurídica e a dignidade humana. Vale dizer: juízes não fazem escolhas livres, pois são pautados por esses valores, todos eles com lastro constitucional. (...) O juiz constitucional não está autorizado a impor as suas próprias convicções. Pautado pelo material jurídico relevante (normas, conceitos, precedentes), pelos princípios constitucionais e pelos valores civilizatórios, cabe-lhe interpretar o sentimento social, o espírito de seu tempo e o sentido da história. Com a dose certa de prudência e de ousadia.

O terceiro capítulo chama-se "Contramajoritário, representativo e iluminista: os papéis das supremas cortes e tribunais constitucionais nas democracias contemporâneas". Embora apresente diversos exemplos da experiência constitucional americana, o texto procura analisar o fenômeno dentro da perspectiva de um constitucionalismo global, trabalhando categorias que se tornaram correntes nas principais democracias do mundo. Como observo na narrativa apresentada, supremas cortes desempenham três papéis diversos: *contramajoritário*, quando invalidam atos dos outros Poderes; *representativo*, quando atendem demandas sociais não satisfeitas pelas instâncias políticas; e *iluminista*, quando promovem determinados avanços sociais que ainda não conquistaram adesão majoritária, mas são uma imposição do processo civilizatório. Isso não quer dizer que suas decisões sejam sempre acertadas e revestidas de uma legitimação *a priori*, como procuro advertir:

> Cada um desses papéis pode padecer do vício da desmedida ou do excesso: o papel contramajoritário pode degenerar em excesso de intervenção no espaço da política, dando lugar a uma indesejável ditadura do Judiciário; o papel representativo pode desandar em populismo judicial, que é tão ruim quanto qualquer outro; e a função iluminista tem como antípoda o desempenho eventual de um papel obscurantista, em que a suprema corte ou tribunal constitucional, em lugar de empurrar, atrasa a história.

Na Parte II do livro, reúno cinco votos em questões emblemáticas apreciadas pelo Supremo Tribunal Federal. A teoria aplicada na prática. São eles os relativos a:

(i) *foro privilegiado*, figura constitucional que se tornou símbolo de ineficiência e impunidade, e que traz desgaste e desprestígio ao STF;

(ii) *aborto*, em que procuro enfrentar o tabu da interrupção voluntária da gestação nos primeiros meses da gestação, que não é tratada como crime em praticamente nenhuma democracia relevante do mundo;

(iii) *execução penal após condenação em segundo grau*, fórmula necessária para superar a procrastinação indefinida, a impunidade ou a punição excessivamente tardia, que caracterizam o processo penal brasileiro, sobretudo em relação à criminalidade do colarinho branco;

(iv) *descriminalização da maconha*, em que a legalização regulada e monitorada é cogitada como uma alternativa à guerra às drogas que fracassou dramaticamente; e

(v) *indulto de José Dirceu*, decisão na qual procuro discutir abertamente o modo como o direito brasileiro trata a execução penal e a percepção social de leniência do modelo vigente.

II Um pouco de perspectiva histórica

A construção democrática do direito constitucional e das instituições políticas e jurídicas brasileiras remontam ao início da década de 80 do século passado. O primeiro desafio da nossa geração, naquele final de regime militar, era construir uma ordem institucional efetiva, com uma Constituição que fosse para valer. Esse foi o tema do meu primeiro trabalho acadêmico relevante, no qual defendia que a própria Constituição de 1967-69 possuía dispositivos libertários e progressistas, e que era papel dos advogados e dos operadores jurídicos em geral cobrarem uma postura mais proativa do Poder Judiciário na concretização da Constituição e dos direitos fundamentais nele previstos.[1] Ali tinha início o movimento doutrinário que veio a ser conhecido como *doutrina brasileira da efetividade*.[2] Mais do que uma escola teórica, o constitucionalismo da efetividade representou uma mudança de mentalidade dos operadores jurídicos em geral em relação ao papel

---

[1] Luís Roberto Barroso, Efetividade das normas constitucionais: por que não uma Constituição para valer? V. Anais do Congresso, publicado em volume intitulado *XIII Congresso Nacional de Procuradores do Estado. Teses*. Brasília, 1987. E minha tese de livre docência depositada em 1988, publicada comercialmente como *O direito constitucional e a efetividade de suas normas*, 1990.

[2] A expressão que veio a identificar tal movimento doutrinário foi utilizada por Cláudio Pereira de Souza Neto, Fundamentação e normatividade dos direitos fundamentais: uma reconstrução teórica à luz do princípio democrático. In: Luís Roberto Barroso (org.), *A nova interpretação constitucional: ponderação, direitos fundamentais e relações privadas*, 2003.

da Constituição. Éramos poucos no começo.[3] A verdade, porém, é que em menos de uma geração o direito constitucional se libertou do papel subalterno de legitimar uma ditadura, e o Supremo Tribunal Federal se transformou em um efetivo guardião da Constituição.

Nos anos 90, a agenda acadêmica se deslocou para o tema da interpretação constitucional.[4] Conquistada a efetividade da Constituição, reconhecida a sua força normativa e o papel decisivo do Judiciário na sua concretização, tornou-se indispensável incorporar à prática jurisprudencial brasileira uma discussão mais sofisticada sobre os princípios e métodos de interpretação constitucional praticados no mundo. Já não bastavam os elementos tradicionais de hermenêutica jurídica – literal, histórico, sistemático e teleológico – para dar conta da concretização da Constituição em um mundo que se tornara complexo e no qual não era possível pré-formular soluções para todos os problemas da vida em textos normativos prontos e acabados. Nem tudo poderia ser resolvido com produtos encontráveis em uma prateleira de enlatados jurídicos. Juízes começaram a ter reconhecido o seu papel criativo. Foi o momento da ascensão dos princípios entre nós, ao lado das regras.

Nos anos 2000, esse conjunto de transformações, oriundos de causas e circunstâncias diferentes, se agrupou sob a designação genérica de neoconstitucionalismo, novo direito constitucional, constitucionalismo de direitos ou nova ordem constitucional.[5] O rótulo não é importante. O relevante é que, no Brasil e em diversas partes do mundo, o direito constitucional passou a se identificar com constituições mais analíticas, catálogos densos de direitos fundamentais, tribunais dispostos a assegurá-los e métodos interpretativos menos formalistas e mecânicos. Foram imposições dos novos tempos e de novas realidades. A Constituição, progressivamente, passou para o centro do sistema jurídico, de onde foi deslocado o bom e velho Código Civil, depois efetivamente substituído por um novo. A centralidade da Constituição trouxe a constitucionalização do direito – isto é, a leitura de todo o ordenamento infraconstitucional através da lente da Constituição – e uma judicialização abrangente.

---

[3] O constitucionalismo da efetividade beneficiou-se de trabalhos anteriores, de autores como J. H. Meirelles Teixeira, José Afonso da Silva e Celso Antonio Bandeira de Mello. Merece registro, no desenvolvimento do tema, Clèmerson Merlin Clève, que reuniu diversos dos seus textos nessa matéria no livro *Para uma dogmática constitucional emancipatória*, 2012. E, também, a contribuição trazida, um pouco mais à frente, por Ingo Wolfgang Sarlet, com o livro *Eficácia dos direitos fundamentais*, cuja 1ª edição é de 1998.

[4] O tema da minha tese de titularidade, escrita em 1994 e defendida em 1995, era *Interpretação e aplicação da Constituição*.

[5] Sobre o tema, v. meu artigo Neoconstitucionalismo e constitucionalização do direito: o triunfo tardio do direito constitucional no Brasil. *Revista de Direito Administrativo* 240:1, 2005.

Assim, nos anos 2010, o tema dominante tem sido a judicialização e os limites e possibilidades de atuação legítima dos tribunais. Este livro se insere neste ambiente. Cortes constitucionais alternam os comportamentos que devem desempenhar: por vezes precisam ser ousadas, outras vezes prudentes. Em certos casos devem ser proativas, em outros autocontidas. Muitos fatores são determinantes para a dosagem adequada dessas atitudes, e não há uma regra universal e permanente. Mais que outros, esse é um caminho que se faz ao andar. Os países vivem diferentes momentos históricos e estão sujeitos a variadas exigências sociais. Muitas vezes, o que foi bom para a Alemanha, não funcionará no Chile. O que produziu bons resultados nos Estados Unidos, não dará certo na Polônia. Cada país traça a sua própria trajetória. A vida não é um destino que se cumpre, mas um caminho que se escolhe.

Tendo sido um defensor ardoroso da efetividade plena da Constituição e da ampliação do papel do Judiciário na sua concretização, tenho me dedicado nos últimos anos a procurar demarcar os espaços próprios da judicialização, bem como a controlar o ativismo judicial, para que não degenere em voluntarismos e, em última análise, em arbítrio. Sem neutralizar, todavia, seu papel de realização do ideário progressista inscrito na Constituição. No geral, devo dizer, avanços importantes na democracia brasileira foram conquistados por intermédio do Poder Judiciário, da vedação ao nepotismo, ao casamento de pessoas do mesmo sexo, passando pelo combate à corrupção e à proteção das regras democráticas. Mas, inegavelmente, há intervenções problemáticas, de que é exemplo a judicialização da saúde. Muitas das ideias que defendo neste livro, embora contem com largo apoio na academia, também sofreram críticas de autores respeitáveis. No tópico seguinte, enfrento algumas dessas críticas.

III Resposta a algumas críticas

Em debates públicos com colegas de academia em diferentes lugares, tive oportunidade de ouvir preocupações, objeções e críticas à minha visão sobre os papéis – contramajoritário, representativo e iluminista – desempenhados pelo Judiciário e, mais especificamente, pelo Supremo Tribunal Federal no Brasil contemporâneo.[6] Muitas delas foram absorvidas e se refletiram no modo como hoje penso a jurisdição

[6] Um desses debates foi organizado pelo Professor Oscar Vilhena Vieira, na Escola de Direito GV São Paulo, com duas dezenas de juristas de primeira linha, realizado em agosto de 2015. Os três blocos de críticas respondidas a seguir foram tabuladas naquele evento.

constitucional. Outras, conquanto bem embasadas, não foram acolhidas, mas merecem ser enfrentadas com seriedade e rigor científico. Destaquei três delas para rebater brevemente:

1. a de que forneço uma legitimação móvel e apriorística para qualquer atuação do Supremo Tribunal Federal;
2. o risco democrático de o STF se arvorar em representante da sociedade; e
3. a impossibilidade de prestação de uma jurisdição constitucional de qualidade, à vista do volume de processos apreciados pelo Tribunal.

A *primeira crítica* é a de que meus argumentos transformariam o STF em um alvo móvel, que nunca poderia ser atingido pela crítica democrática, já que eu lhe teria conferido uma legitimidade apriorística. Nessa linha, segue o argumento, se o Tribunal age contramajoritariamente – *i.e.*, contra o Congresso –, ele está legitimado pela defesa, por exemplo, dos direitos fundamentais. Por outro lado, se ele age no vácuo do Congresso, mas com apoio da sociedade, está legitimado por sua função representativa. Por fim, se ele age contra o Congresso e a opinião pública, mas em nome de um avanço civilizatório, está legitimado por seu papel iluminista. Em suma, não erraria nunca. O argumento é engenhoso, mas a defesa da minha posição é simples. Esses papéis – contramajoritário, representativo e iluminista – não são fungíveis. Se o Tribunal desempenhar um deles, quando deveria desempenhar o outro, sua atuação será ilegítima.

Assim, se o Tribunal for contramajoritário quando deveria ter sido deferente, sua linha de conduta não será defensável. Se ele se arvorar em ser representativo quando não haja omissão do Congresso em atender determinada demanda social, sua ingerência será imprópria. Ou se tiver a pretensão de ser iluminista fora das situações excepcionais em que deva, por exceção, se imbuir do papel de agente da história e antecipar conquistas civilizatórias, não haverá como validar seu comportamento. Para que não haja dúvida: sem armas nem a chave do cofre, legitimado apenas por sua autoridade moral, se embaralhar seus papéis ou se os exercer atrabiliariamente, o Tribunal viverá o seu ocaso político. Quem quiser se debruçar sobre um *case* de prestígio mal-exercido, de capital político malbaratado, basta olhar o que se passou com as Forças Armadas no Brasil de 1964 a 1985. E quantos anos no sereno e com comportamento exemplar têm sido necessários para a recuperação da própria imagem.

A *segunda crítica* é referente ao risco democrático. Não deixa de ser curioso que a teoria constitucional tenha superado suas angústias em relação à dificuldade contramajoritária das cortes constitucionais, mas que veja maiores problemas em uma atuação representativa. Aqui cabem duas observações importantes. A primeira é que o Tribunal não pode se investir de uma pretensão de representação metafísica da sociedade, qual um Oráculo de Delfos fora de época, com as respostas certas para todas as aflições. É necessário que estejam presentes condições concretas e socialmente controláveis de demanda social não atendida pelo processo político majoritário para justificar uma intervenção. A segunda é que esse papel representativo – a representação argumentativa da sociedade, na terminologia de Robert Alexy – é eventual e necessariamente subsidiário. Por evidente, o órgão de representação popular por excelência é o Legislativo. Portanto, aprimorar o sistema representativo é a prioridade número um. Somente nas suas falhas mais graves é que se justifica a representação supletiva pelo Supremo. Não há troca de papéis. E mais: juízes constitucionais não são os reis filósofos da República de Platão, portadores da virtude e da verdade. Seu único poder é o do convencimento racional e moral. Se falharem nesse propósito, nada os salvará.

A *terceira crítica* diz respeito à impossibilidade de prestação de uma jurisdição de qualidade, à vista do volume de processos. Essa talvez seja a crítica mais difícil de responder. Até porque, desde que ingressei no Tribunal, venho insistindo, em conversas internas e em manifestações públicas, na necessidade de se fazerem mudanças profundas, revolucionárias, no modo como o Supremo Tribunal Federal atua. A mais radical é a de que o STF não pode admitir mais recursos extraordinários com repercussão geral do que possa julgar em um ano. Tudo o mais, que não tenha sido selecionado, transitaria em julgado. Também tenho proposto que a seleção dos recursos com repercussão geral seja feita por semestre, por um critério comparativo. Feita a escolha, designa-se a data de julgamento daquele processo. Também é procedente a crítica de que o volume astronômico transforma o processo decisório do Tribunal, em mais de 90% dos casos, em uma Corte de decisões monocráticas. Por isso mesmo, no primeiro semestre de 2017, encaminhei à Presidência do Tribunal proposta de emenda regimental que permite que o relator proponha, em Plenário Virtual, com decisão sumariamente motivada, a negativa de repercussão geral, com efeitos limitados ao caso concreto.

Na vida real, o que acontece é que os ministros e o presidente fazem, de modo individual e improvisado, o que no resto do mundo é feito de maneira institucional. Cada ministro, com seu gabinete, seleciona o que vai levar a Plenário, cabendo ao presidente fazer a pauta. De modo que julgamentos efetivos em Plenário são cerca 100 ou 200 processos por ano (julgamentos em lista não contam), o que não destoa quantitativamente de outros países. Mas, de fato, o volume de processos e a pouca antecedência da pauta compromete a qualidade da atuação do Tribunal e motivam os controvertidos pedidos de vista, apelidados, em alguns casos com justa razão, de "perdidos de vista". De modo que os que professam essa crítica podem se juntar a mim no esforço de transformar o Tribunal, reduzindo a voracidade terceiro-mundista de tudo julgar, na crença equivocada de que competência é poder, mesmo que mal exercida.

IV As três dimensões da democracia contemporânea

Minha concepção da jurisdição constitucional – e, portanto, da atuação das supremas cortes e tribunais constitucionais – é coerente com a visão que tenho de democracia, que se apresenta em três dimensões: representativa, constitucional e deliberativa. Na sua dimensão de *democracia representativa*, o elemento essencial é o *voto*, e os protagonistas são o Congresso Nacional e o Presidente da República. Há problemas diversos na dimensão representativa da democracia brasileira, sobretudo no tocante à eleição para a Câmara dos Deputados. Nela, um sistema eleitoral proporcional e de lista aberta cria um modelo em que mais de 90% dos deputados não são eleitos com votação própria, mas mediante transferência de voto partidário. Nessa fórmula, o eleitor não sabe exatamente quem elegeu e o parlamentar não sabe exatamente por quem foi eleito. Como consequência, eleitores não têm de quem cobrar e os eleitos não sabem a quem prestar contas. Não há legitimidade democrática que possa ser adequadamente satisfeita por uma equação como essa.[7]

A segunda dimensão é a da *democracia constitucional*. Para além do componente puramente representativo/majoritário, a democracia é feita também, e sobretudo, do respeito aos *direitos fundamentais*. São eles pré-condições para que as pessoas sejam livres e iguais, e possam participar como parceiros em um projeto de autogoverno coletivo. Tivemos muitos avanços nessa área: liberdade de expressão, de associação e de reunião assinalam a paisagem institucional brasileira, ainda que com algumas resistências. Ao lado delas, foram agregadas conquistas

---

[7] De longa data sou defensor do sistema eleitoral denominado de *distrital misto*, em que o eleitor exerce dois votos: um no seu distrito e outro no partido de sua preferência.

importantes em temas de direitos sociais, como educação e saúde, e avanços nas liberdades existenciais, com o reforço na proteção dos direitos de mulheres, negros e homossexuais. O protagonista dessa dimensão da democracia é o Judiciário e, particularmente, o *Supremo Tribunal Federal*.

A terceira dimensão da democracia contemporânea identifica a *democracia deliberativa*, cujo componente essencial é a apresentação de *razões*, tendo por protagonista a *sociedade civil*. A democracia já não se limita ao momento do voto periódico, mas é feita de um debate público contínuo que deve acompanhar as decisões políticas. Participam desse debate todas as instâncias da sociedade, o que inclui o movimento social, imprensa, universidades, sindicatos, associações, cidadãos comuns, autoridades, etc. A democracia deliberativa significa a troca de argumentos, o oferecimento de razões e a justificação das decisões que afetem a coletividade. A motivação, a argumentação e o oferecimento de razões suficientes e adequadas constituem, também, matéria-prima da atuação judicial e fonte de legitimação de suas decisões.

V Conclusão

Está feita, assim, a apresentação do livro. Cabe enfatizar, ao concluir, que o constitucionalismo democrático foi a ideologia vitoriosa da nossa geração. Nele se condensam as grandes promessas da modernidade: soberania popular, poder limitado, dignidade da pessoa humana, proteção dos direitos fundamentais e – quem sabe? – até felicidade. Trata-se de uma fé racional, que ajuda a acreditar no bem e na justiça, mesmo quando não estejam ao alcance da vista. O Estado democrático de direito significa o ponto de equilíbrio entre o governo da maioria, o respeito às regras do jogo democrático e a promoção dos direitos fundamentais. Naturalmente, se em uma sala houver seis cristãos e três muçulmanos, os cristãos não podem deliberar jogar os muçulmanos pela janela. A maioria pode muito, mas não pode tudo.

A judicialização das relações políticas e sociais – que é inevitável em algum grau – não pode, no entanto, suprimir o espaço da política, eliminar o governo da maioria. O Judiciário não pode presumir demais de si mesmo. Na frase feliz de Gilberto Amado: "Querer ser mais do que se é, é ser menos". É preciso buscar, permanentemente, o equilíbrio adequado entre supremacia constitucional, interpretação judicial da Constituição e processo político majoritário. A vida institucional, assim como a vida social e a vida individual, é uma busca permanente por equilíbrio. Viver é fazer a travessia contínua de uma corda bamba. Ora se inclina um pouco para um lado, ora para o outro, e segue-se em frente. Por vezes, o público poderá ter a ilusão de que o equilibrista está voando. Não há problema nisso. A vida é feita de certas ilusões. Mas o equilibrista tem de saber que não está voando. Porque se ele acreditar nisso, se ele presumir ser mais do que pode ser, não haverá salvação. Ele irá cair. A jurisdição constitucional exercida pelo Supremo Tribunal Federal deve ser prestada do mesmo modo que a vida deve ser vivida: com valores, com determinação, com a leveza possível e com humildade.

JUDICIALIZAÇÃO, SUPREMO TRIBUNAL E COMBATE À CORRUPÇÃO: UMA FOTOGRAFIA DO MOMENTO ATUAL

I A judicialização no Brasil

Nos últimos tempos, a vida brasileira se judicializou extensa e profundamente em todos os domínios relevantes. Não é difícil ilustrar esta constatação. No plano ético e dos *costumes*, juízes e tribunais foram chamados a decidir, por exemplo: (i) se é legítimo o casamento entre pessoas do mesmo sexo; (ii) se uma mulher deve ter reconhecido o seu direito de interromper gestação indesejada durante o primeiro trimestre de gravidez; (iii) se a lei pode autorizar pesquisas com células-tronco embrionárias, o que importa na destruição de embriões congelados que sobraram dos procedimentos de fertilização *in vitro*. Em matéria *econômica*, igualmente, questões complexas e de grande impacto chegaram às portas do Judiciário, como as que envolvem saber: (i) se os titulares de caderneta de poupança têm direito à reposição de perdas que teriam sofrido por ocasião da mudança do padrão monetário decorrente do Plano Real; (ii) se os juros devidos pelos Estados da Federação na renegociação de suas dívidas com a União são simples ou compostos. Em temas de natureza *social*, a lista também é longa e inclui temas controvertidos e delicados, como os que demandam respostas às seguintes perguntas: (i) é compatível com a Constituição o estabelecimento de cotas raciais para ingresso em universidades? (ii) E a reserva de um percentual de vagas em concursos públicos para candidatos negros?

Mas não é só. Para além dessas questões transcendentes, existem outras tantas que fazem parte da rotina da vida e que terminam em pronunciamentos judiciais. Pequenas ou grandes atribulações do dia a dia. Alguns casos ilustrativos, que inundam juízos e tribunais: *bancos* têm o dever de indenizar seus correntistas em caso de (i) inscrição indevida em órgão de proteção de crédito; (ii) devolução equivocada de cheque; e (iii) constrangimento em porta dotada de detector de metais na agência. Também já se pacificou que *companhias aéreas* estão obrigadas a reparar danos sofridos por seus clientes devido a (i) *overbooking*; (ii) atraso que resulte na perda de compromisso relevante; e (iii) extravio de bagagem. Na mesma linha, *companhias telefônicas* ou *de eletricidade* são responsáveis pelos prejuízos causados em razão de interrupção do serviço de telefonia celular ou de fornecimento de energia elétrica. A enunciação seria interminável.

Não há um dia sequer, no Brasil, em que alguma das principais manchetes do noticiário não envolva matéria decidida por algum tribunal. Às vezes é pela importância geral do caso: esposa e companheira em união estável devem ter os mesmos direitos sucessórios? A definição é decisiva para um terço dos casais brasileiros, que não são casados formalmente. Outras vezes, o interesse decorre do caráter dramático da discussão: pais que desaparecem da vida dos filhos devem indenizá-los por "abandono afetivo"? A polêmica mobilizou o Superior Tribunal de Justiça e a opinião pública há alguns anos. Em certos casos, ainda, é a natureza anedótica que dá visibilidade à discussão, como o acórdão que estabeleceu que a espuma do chope, conhecida como colarinho, deve ser considerada parte integrante do produto, sendo nula a multa aplicada pelo órgão de fiscalização. Enfim, o Poder Judiciário, os tribunais superiores e o Supremo Tribunal Federal entraram com destaque na paisagem política e no imaginário social. Embora a ascensão institucional de juízes e tribunais seja um fenômeno até certo ponto mundial – como demonstram os textos deste livro –, existem algumas características muito particulares na intensidade do fenômeno no Brasil. Entre nós, tem se verificado uma impressionante judicialização da vida, tanto do ponto de vista quantitativo quanto qualitativo.

1 A judicialização quantitativa

O termo judicialização tem sido utilizado para identificar duas situações diferentes. Existe, em primeiro lugar, uma judicialização *quantitativa*. Nesse sentido, a expressão judicialização da vida se refere a uma certa explosão de litigiosidade no país, que se manifesta na existência de um número espantoso de ações judiciais em curso. Conforme a época, o critério e a origem da pesquisa, as estatísticas oscilam entre 70 a 100 milhões de processos em tramitação. É quase como se cada brasileiro adulto tivesse uma ação em juízo. Essa judicialização vertiginosa exibe uma ou outra faceta positiva.

A primeira delas é a de revelar uma sociedade civil que foi progressivamente se tornando mais consciente de seus direitos e de sua cidadania. O segundo aspecto favorável é o de que as instituições judiciais, em uma época de ceticismo generalizado, ainda despertam algum grau de confiança e de credibilidade. Mas a verdade é que os aspectos negativos são mais proeminentes. O primeiro e mais óbvio deles decorre da circunstância de que a judicialização pressupõe um litígio, um conflito, uma disputa que não pode ser solucionada amigavelmente, de maneira negociada ou administrativa. O excesso de litigiosidade documenta, portanto, (i) o reiterado descumprimento de deveres e obrigações por parte de grande número de pessoas ou (ii) grande espírito de emulação por parte de outras tantas. Ou, possivelmente, uma combinação de ambas as possibilidades. Em qualquer caso, não é bom.

A litigiosidade de massa revela, ademais, que o sistema de justiça tem um conjunto de clientes preferenciais que consomem boa parte do tempo e dos recursos. Esses clientes fidelizados, réus em mais da metade da totalidade das demandas, são liderados pelo Poder Público, em seus diferentes níveis, começando pelo INSS, recordista de ações. No setor privado, instituições financeiras e empresas de telefonia são igualmente responsáveis por uma fatia desproporcional dos escaninhos judiciais. Como o sistema não consegue dar vazão com celeridade a toda a demanda, torna-se moroso e ineficiente. Ou seja: acaba premiando quem não tem razão e consegue procrastinar longamente o desfecho do processo.

2 A judicialização qualitativa

Fenômeno diverso é a judicialização *qualitativa*. A expressão designa o fato de que boa parte das grandes questões nacionais – políticas, econômicas, sociais e éticas – passaram a ter o seu último capítulo perante os tribunais. *Impeachment*, planos econômicos, ensino religioso em escolas públicas, direito ao esquecimento, direito de greve de servidores públicos, prisão após a condenação em segundo grau, processo legislativo, fidelidade partidária, inelegibilidades, crise fiscal dos Estados, ações afirmativas, foro privilegiado, descriminalização de drogas, limites da colaboração premiada... Enfim, não há tema relevante que não tenha chegado ao Judiciário.

Também aqui é possível identificar uma ou outra faceta positiva. As grandes questões nacionais terminam sendo judicializadas quando não são resolvidas a tempo e a hora pelas instâncias políticas tradicionais. O lado bom é que exista o Judiciário para atender demandas sociais que não foram satisfeitas pelos outros Poderes. O lado ruim é que a judicialização de questões políticas em sentido amplo significa que elas não estão sendo equacionadas por quem deveria fazê-lo. A judicialização evidencia, assim, uma deficiência grave no funcionamento da política majoritária, que é aquela conduzida pelos órgãos eletivos – Legislativo e Executivo.

Como os diferentes capítulos deste livro procuram demonstrar, há uma distinção importante entre judicialização e ativismo. *Judicialização* identifica a possibilidade de ingressar em juízo para debater qualquer direito ou pretensão; *ativismo,* por outro lado, designa um modo proativo e expansivo de atuação judicial. O contrário do ativismo é a autocontenção. Em linha com as ideias defendidas neste livro, o Judiciário deve ser autocontido quando estejam em discussão temas referentes à economia, à Administração Pública e a escolhas políticas em geral. Regulação econômica, regime jurídico de servidores, escolha de Ministros ou demarcação de terras indígenas são bons exemplos de situações em que o Judiciário deve se ater a verificar se houve devido processo legal, evitando interferir no mérito das decisões. De outra parte, temas envolvendo direitos fundamentais (*e.g.*, liberdade de expressão, proteção de minorias), moralidade administrativa (*e.g.*, proibição do nepotismo) ou defesa da democracia (*e.g.*, definir previamente o procedimento a ser observado no *impeachment*) podem legitimar um comportamento mais ativista.

Um comentário a mais. O cenário de judicialização ampla não significa que o Judiciário e o próprio Supremo Tribunal Federal acertem sempre. Ao contrário, também eles padecem de vicissitudes e cometem erros. Para além da lentidão e de uma certa dificuldade gerencial, a justiça, que muitas vezes tarda, também falha. Uma futura antologia dos grandes equívocos judiciais certamente deverá incluir a venda de ilusões, pela determinação da distribuição compulsória da fosfoetanolamina. Conhecida como "pílula do câncer", teve sua dispensação ordenada em milhares de ações, a despeito da ausência de pesquisas clínicas comprobatórias de sua eficácia ou de registro na ANVISA. No embalo da fantasia, houve até mesmo lei federal autorizando a produção e o uso da poção mágica. Após idas e vindas, a lei veio a ser suspensa pelo Supremo Tribunal Federal, pondo fim ao amadorismo legislativo e judicial no tratamento das questões de saúde.

Duas outras decisões disputam o pódio de pronunciamentos judiciais de efeitos gravemente negativos ou em falta de sintonia com o seu tempo. A primeira delas foi a que declarou a inconstitucionalidade da cláusula de barreira, que restringia a atuação parlamentar de partidos políticos que não preenchessem patamares mínimos de votação em diferentes estados. A decisão trouxe como consequência a multiplicação metastática de partidos políticos, que hoje excedem as três dezenas, a maioria sem representatividade nem mínima autenticidade programática. A segunda concorrente é a decisão que manteve o monopólio postal da Empresa Brasileira de Correios e Telégrafos – ECT na era da internet e do correio eletrônico. É mais ou menos como aparar o vento com as mãos. Porém, no geral, o Supremo Tribunal Federal tem servido à causa da democracia e dos direitos fundamentais, como documentam as doze decisões emblemáticas destacadas adiante.

Os textos reunidos neste livro exploram, sobretudo, a questão da judicialização qualitativa, isto é, a transferência significativa de poder das instituições políticas tradicionais – isto é, o Legislativo e o Executivo – para o Poder Judiciário. Há dois pontos a acrescentar, antes do fecho deste tópico. O primeiro: há uma discussão ampla no Brasil sobre judicialização, mas há um debate largamente negligenciado que deveria precedê-la: é o que diz respeito ao orçamento. É na lei orçamentária que as sociedades democráticas definem suas prioridades, realizam suas opções políticas e fazem suas escolhas trágicas. Esse é o momento em que se deve discutir quanto vai para a educação, para a saúde, para a previdência, para o funcionalismo público, para o transporte, para a publicidade institucional... Maior transparência na elaboração e apresentação do orçamento à sociedade, bem como melhor controle na sua execução poderiam impor ao Judiciário maior grau de autocontenção. Penso que isso seria especialmente verdadeiro ao se lidar com o fenômeno identificado como *judicialização da saúde*.

A segunda e última reflexão é a seguinte: o descrédito da política, nas últimas décadas – possivelmente desde o regime militar – afastou da vida eleitoral a maior parte dos jovens idealistas e com vocação para a causa pública. Muitos deles optaram por carreiras jurídicas, no Ministério Público ou na Magistratura. Essa é uma das causas do ímpeto transformador que tem vindo do Judiciário, tanto em questões sociais como criminais. É preciso ter consciência, todavia, que juízes e tribunais têm possibilidades e limites próprios e intransponíveis. Transformações profundas e duradouras têm de vir da política. Que, todavia, precisa se autotransformar para recuperar o espaço perdido.

No tópico seguinte encontra-se listada uma dúzia de decisões históricas do Supremo Tribunal Federal que ilustram e documentam o fenômeno da judicialização qualitativa aqui exposto. Cada uma delas vai acompanhada de uma descrição sumária do caso.

II Doze decisões históricas do Supremo Tribunal Federal

As decisões que se seguem cobrem temas variados da atuação do Supremo Tribunal Federal, no cumprimento de sua missão institucional, que consiste na salvaguarda dos valores constitucionais, na concretização dos direitos fundamentais e na proteção da democracia. Os julgamentos estão apresentados em ordem cronológica, em função da data de sua conclusão.

1 Proibição do nepotismo nos três Poderes (ADC nº 12, Rel. Min. Carlos Ayres Britto; e RE nº 579.951, Rel. Ricardo Lewandowski)

Em medida cautelar concedida em 16 de fevereiro de 2006, o Plenário do STF declarou a constitucionalidade de resolução do Conselho Nacional de Justiça que proibia a nomeação de parentes dos membros do Poder Judiciário, até o terceiro grau, para cargos em comissão e funções gratificadas. A cautelar foi confirmada em julgamento definitivo em 20 de agosto de 2008. Nessa mesma data, o Tribunal estendeu a vedação aos Poderes Legislativo e Executivo, aprovando a Súmula Vinculante nº 13. Abolia-se uma prática patrimonialista que vinha desde o descobrimento. A maioria dos Ministros entendeu que a proibição do nepotismo não exigia lei formal, por decorrer diretamente dos princípios constitucionais da moralidade e da impessoalidade.

2 Constitucionalidade da lei que autorizou pesquisas com células-tronco embrionárias (ADI nº 3.510, Rel. Min. Carlos Ayres Britto)

Com julgamento concluído em 29 de março de 2008, esse foi um dos primeiros casos em que se confrontaram a visão secular e a visão religiosa da vida. O Plenário do STF, por 6 votos a 5, considerou constitucional o dispositivo da Lei de Biossegurança, que autorizava e disciplinava as pesquisas científicas com embriões humanos resultantes dos procedimentos de fertilização *in vitro*, desde que inviáveis ou congelados há mais de três anos. Parte das células encontradas em embriões até o 14º dia após a fecundação podem se diferenciar em qualquer dos 216 tecidos que compõem o corpo humano, constituindo uma importante fronteira da pesquisa médica e oferecendo perspectiva de cura para doenças que vão das lesões medulares até o diabetes, passando pelas distrofias musculares e o mal de Parkinson. O Tribunal entendeu que a destruição de embriões nessa hipótese – embriões que seriam, de todo modo, descartados em algum momento – não violava o direito à vida, nem tampouco o princípio da dignidade da pessoa humana.

3 Incompatibilidade entre a Lei de Imprensa do regime militar e a Constituição de 1988 (ADPF nº 130, Rel. Min. Carlos Ayres Britto)

O Plenário do Tribunal, por maioria, considerou que a Lei nº 5.250, de 1967, instituída para "regular a liberdade de manifestação do pensamento e da informação", no governo do Marechal Castelo Branco, era incompatível, na sua integralidade, com os valores e princípios da Constituição de 1988. De acordo com esse entendimento, o espírito autoritário da lei não poderia conviver com os padrões de liberdade de expressão e de liberdade de imprensa exigidos em um regime democrático. Segundo o voto do relator, nenhuma modalidade de censura prévia é aceitável e nem mesmo a lei poderia instituí-la.

4 Equiparação das uniões homoafetivas às uniões estáveis heteroafetivas (ADPF nº 132 e ADI nº 4.277, Rel. Min. Carlos Ayres Britto)

Em julgamento concluído em 5 de maio de 2011, o Plenário do STF ajudou a derrotar séculos de preconceito e assegurou aos casais homoafetivos os mesmos direitos dos casais heteroafetivos que viviam em união estável. Segundo o entendimento adotado enfaticamente pelo STF, a exclusão baseada na orientação sexual seria incompatível com o direito à busca da felicidade, com o princípio da igualdade, com a proibição do preconceito, com a cláusula geral de liberdade – da qual decorre a proteção à autonomia privada – e com a própria dignidade da pessoa humana, que impede o Estado de negar a autodeterminação individual e de impor determinada visão do que seja a vida boa. Pouco mais à frente, em 14 de maio de 2013, o Conselho Nacional de Justiça, em desdobramento dessa decisão, assegurou o direito ao casamento entre pessoas do mesmo sexo, vedando aos juízos do registro civil a recusa na respectiva celebração.

5 Legitimidade das cotas raciais em favor de negros para ingresso em universidades públicas (ADPF nº 186, Rel. Min. Ricardo Lewandowski) e em cargos públicos (ADC nº 41, Rel. Min. Luís Roberto Barroso)

O Plenário do STF concluiu, em 26 de abril de 2012, o julgamento pelo qual considerou constitucional o sistema de reserva de vagas com base em critério étnico-racial (cota de 20%), adotado pela Universidade de Brasília – UnB. O Tribunal entendeu que a política de ação afirmativa em favor de grupos sociais historicamente discriminados não viola – antes, prestigia – o princípio da igualdade, pelo tempo que perdurar o quadro de exclusão social. Em outra decisão, proferida em 8 de junho 2017, o STF também considerou legítima a reserva de 20% das vagas em concurso público para candidatos negros, como uma questão de igualdade e um dever de reparação histórica decorrente da escravidão e do racismo estrutural existente na sociedade brasileira.

6 Julgamento da Ação Penal conhecida como *Mensalão* (AP nº 470, Rel. Min. Joaquim Barbosa)

O julgamento do denominado *Escândalo do Mensalão* teve início em 2 de agosto de 2012 e foi concluído em 13 de março de 2014, após quase 70 sessões plenárias. O Tribunal entendeu comprovada a existência de um esquema de compra de votos no Congresso Nacional, com recursos provenientes de desvios de dinheiro público e empréstimos fraudulentos. Dos 38 réus cujas denúncias foram recebidas, 24 foram condenados, sendo que 20 deles à pena de prisão pelos crimes de corrupção ativa, corrupção passiva, peculato, lavagem de dinheiro e gestão fraudulenta de instituição financeira. A condenação de duas dezenas de empresários e políticos rompeu com o paradigma de impunidade que sempre vigorara em relação à criminalidade do colarinho branco, sobretudo quando associada ao universo político.

7 Inexigibilidade de prévia autorização para divulgação de biografias (ADI nº 4.815, Rel. Min. Cármen Lúcia)

Em julgamento concluído em 10 de junho de 2015, o Plenário considerou inconstitucional a interpretação que vinha sendo dada aos arts. 20 e 21 do Código Civil no sentido de ser exigível autorização dos biografados ou de seus familiares para a divulgação de obras biográficas ou audiovisuais. O Tribunal conferiu interpretação conforme a Constituição aos referidos dispositivos para reconhecer que a exigência de autorização prévia para a publicação de biografias, com a possibilidade de proibição judicial da sua divulgação, constitui censura prévia particular incompatível com a Constituição, em violação aos direitos fundamentais à liberdade de expressão e informação.

8 Proibição do financiamento eleitoral por empresas privadas (ADI nº 4.650, Rel. Min. Luiz Fux)

Por maioria, em julgamento concluído em 17 de setembro de 2015, o Plenário do STF declarou a inconstitucionalidade das normas que regulavam o financiamento de campanhas eleitorais por empresas. Não ficou totalmente claro se a maioria considerava ilegítimo o financiamento por empresas em qualquer caso ou naquele modelo existente, que permitia condutas moralmente inaceitáveis. Tais práticas incluíam, por exemplo, a possibilidade de: (i) tomar empréstimos no BNDES e utilizar o dinheiro para financiar candidatos; (ii) doar para todos os candidatos com chance de vitória, revelando que a empresa estava comprando favores futuros ou sendo achacada; e (iii) a empresa doadora ser contratada pelo Poder Público após as eleições, permitindo que o favor privado fosse pago com dinheiro público. Os desdobramentos da Operação Lava Jato confirmaram, de maneira inequívoca, que boa parte da corrupção no país estava associada ao financiamento eleitoral por empresas que contratavam com a Administração Pública.

9 Rito do procedimento de *impeachment* da Presidente Dilma Roussef (ADPF nº 378, Rel. Min. Luís Roberto Barroso)

Em sessão realizada em 18 de dezembro de 2015, o Plenário do STF concluiu o julgamento em que invalidou atos praticados na Câmara dos Deputados, no processamento do *impeachment* da Presidente Dilma Rousseff. O Tribunal determinou que fosse seguido o mesmo rito adotado em 1992, quando do *impeachment* do Presidente Collor, que havia sido delineado pelo próprio STF e aprovado pelo Senado. A maioria considerou que a destituição de um Presidente da República por crime de responsabilidade era um procedimento extremamente grave, que deveria ter regras pré-definidas, e não uma condução errática, ao sabor de conveniências e objetivos imediatos do Presidente da Câmara.

10 Afastamento de parlamentar do mandato de deputado federal e da presidência da Câmara dos Deputados (AC nº 4.070, Rel. Min. Teori Zavascki)

Em 5 de maio de 2016, o Plenário do STF confirmou, por unanimidade, liminar concedida pelo relator suspendendo o Deputado Federal Eduardo Cunha do mandato parlamentar e da presidência da Câmara dos Deputados. O parlamentar, que virou réu no Supremo Tribunal Federal após o recebimento de denúncia por corrupção passiva, foi afastado sob a acusação de que utilizava o cargo e o mandato para atrapalhar as investigações, bem como para ameaçar e intimidar pessoas que interferissem com seus interesses. A gravidade dos fatos imputados ao parlamentar e os fortes indícios de autoria e materialidade justificaram essa drástica intervenção do Judiciário em outro Poder.

11 Possibilidade de execução da condenação penal após o julgamento em segundo grau (HC nº 126.292, Rel. Min. Teori Zavascki; ADCs nºs 43 e 44 MC, Rel. Min. Marco Aurélio; ARE nºs 964.246 RG, Rel. Min. Teori Zavascki)

Em três julgamentos concluídos ao longo do ano de 2016 – em 17 de fevereiro, 5 de outubro e 11 de novembro –, a maioria do Plenário decidiu que a Constituição admite a prisão de réu condenado após a decisão de segundo grau (*i.e.*, por Tribunal de Justiça ou Tribunal Regional Federal), independentemente do trânsito em julgado da decisão (*i.e.*, quando ainda pendentes recurso especial e extraordinário). O Tribunal entendeu que após a condenação em segundo grau, o peso do princípio da presunção de inocência ou da não culpabilidade é superado pela necessidade de efetividade da persecução penal, que protege bens jurídicos valiosos para o ordenamento constitucional, como a vida, a propriedade, a integridade física das pessoas e a probidade administrativa. Foi realçado pela corrente majoritária, igualmente, a circunstância de que, nos tribunais superiores, como regra, não se discute autoria ou materialidade, ante a impossibilidade de revolvimento de fatos e provas. O novo entendimento afetou os interesses de políticos influentes, muitos acusados de corrupção e outros crimes de colarinho branco. No segundo semestre de 2017, havia risco real de que o *lobby* dos acusados pudesse virar a jurisprudência do STF.

12 Inconstitucionalidade da criminalização da interrupção voluntária da gestação durante o primeiro trimestre (HC nº 124.306, Rel. Min. Luís Roberto Barroso)

Por maioria, a Primeira Turma do STF entendeu ser incompatível com a Constituição a criminalização da interrupção da gestação durante o primeiro trimestre. A punição do aborto nessa situação viola direitos fundamentais da mulher, como os direitos sexuais e reprodutivos, a autonomia, a integridade física e psíquica e a igualdade. Também se afirmou que a criminalização produz impacto desproporcionalmente grave sobre as mulheres pobres, que ficam impedidas de utilizar o sistema público de saúde. Enfatizou-se, por fim, que praticamente nenhum país democrático e desenvolvido do mundo criminaliza a interrupção da gestação no primeiro trimestre.

No tópico seguinte, com o qual se conclui esta breve Introdução, discute-se o tema do combate **à** corrupção e **à** criminalidade do colarinho branco pelo Poder Judiciário. No contexto brasileiro contemporâneo, uma das razões que tem dado visibilidade e centralidade aos juízes e tribunais **é** a sua atuação no enfrentamento de disfunções históricas brasileiras, associadas ao patrimonialismo, ao oficialismo e **à** cultura da desigualdade. A atuação desassombrada de magistrados, procuradores e policiais federais, em alguns espaços da vida brasileira, tem contribuído para o esforço hercúleo de mudança no patamar **ético** brasileiro. Daí a importância da reflexão final que aqui se faz.

III O Judiciário e o combate à corrupção

O Poder Judiciário, ou pelo menos parte dele, tem sido identificado pela sociedade como elemento decisivo para o tardio e árduo enfrentamento da corrupção no Brasil. Isso não significa que a atuação de juízes e tribunais venha sendo homogênea e linear. Pelo contrário, ela é frequentemente errática, com idas e vindas. A cultura ancestral de leniência e impunidade com a criminalidade do colarinho branco tem representantes em toda parte. Ainda assim, tem cabido aos juízes e tribunais, em conjunto com o Ministério Público e a Polícia Federal, os esforços mais bem-sucedidos nessa área. O combate à corrupção e o papel do sistema penal nesse processo exigem alguma reflexão. É o que se faz a seguir.

Corrupção significa levar vantagem indevida para fazer ou deixar de fazer alguma coisa. Ela se disseminou no Brasil em níveis espantosos, endêmicos. Não foram falhas pontuais, individuais. Foi um fenômeno generalizado, sistêmico e plural, que envolveu empresas estatais, empresas privadas, agentes públicos, agentes privados, partidos políticos, membros do Executivo e do Legislativo. Havia esquemas profissionais de arrecadação e distribuição de dinheiros desviados mediante superfaturamento e outros esquemas.

Não se muda o Brasil nem o mundo com direito penal, processos e prisões. A construção de um país fundado em justiça, liberdades individuais e igualdade exige:

a) *educação de qualidade* desde a pré-escola, para permitir que as pessoas tenham igualdade de oportunidades e possam fazer escolhas esclarecidas na vida;
b) *distribuição adequada de riquezas*, poder e bem-estar, para que as pessoas possam ser verdadeiramente livres e iguais, e se sentirem integrantes de uma comunidade política que as trata com respeito e consideração; e
c) *debate público democrático e de qualidade*, no qual a livre circulação de ideias e de opiniões permita a busca das melhores soluções para as necessidades e angústias da coletividade.

Dentro dessa perspectiva, o sistema punitivo está longe de figurar no topo da lista dos instrumentos mais importantes para realizar o ideário constitucional de igualdade, pluralismo e tolerância. Talvez por isso mesmo, ele tenha sido largamente negligenciado no Brasil desde a redemocratização. A verdade, porém, é que no atual estágio da condição humana o bem nem sempre consegue se impor por si próprio. A ética, o ideal de vida boa precisa de um impulso externo também. Entre nós, no entanto, um direito penal seletivo e absolutamente ineficiente em relação à criminalidade de colarinho branco criou um país de ricos delinquentes. O país da fraude em licitações, da corrupção ativa, da corrupção passiva, do peculato, da lavagem de dinheiro sujo.

O sistema punitivo deixou de cumprir o seu papel principal, que é o de funcionar como *prevenção geral*: o temor da punição inibe os comportamentos criminosos. As pessoas na vida tomam decisões baseadas em incentivos e riscos. Se há incentivos para a conduta ilícita – como o ganho fácil e farto – e não há grandes riscos de punição, a sociedade experimenta índices elevados de criminalidade. Em passagem que se tornou clássica, Cesare Beccaria assentou que é a certeza da punição, mais do que a intensidade da pena, o grande fator de prevenção da criminalidade. Não é necessário o excesso de tipificações nem tampouco a exacerbação desmedida da pena. O sistema punitivo pode e deve ser moderado. Mas tem que ser sério.

Ninguém deseja um Estado policial, uma sociedade punitiva, um direito penal onipresente. É preciso assegurar o direito de defesa e o devido processo legal. Mas não um sistema em que processos nunca chegam ao fim e no qual ninguém que ganhe mais do que cinco salários mínimos jamais seja punido. O país precisa de um Estado de justiça. Uma sociedade justa não pode conviver com a empresa que ganha a licitação porque deu propina para o administrador que conduzia o certame. Ou com o político que exige vantagem indevida do empresário como condição para não interferir negativamente na sua atividade econômica. Ou com o banqueiro que ganha no mercado financeiro porque tem *inside information*. Ou com o fiscal que achaca o contribuinte, ameaçando-o com injusta autuação. Ou com o fundo de pensão de empresa estatal que torra o dinheiro dos seus segurados em projetos inviáveis, porque o dirigente recebeu uma vantagem. Este não é um país justo. Este é um país triste e desonesto.

1 Mudanças de atitude, da legislação e da jurisprudência

O combate à criminalidade do colarinho branco, especialmente da corrupção, tem exigido mudanças de atitude na sociedade e nas instituições; mudanças na legislação; e mudanças na jurisprudência dos tribunais. No tocante à mudança geral de atitude – de aceitação passiva do inaceitável, como se fora uma inevitabilidade –, o julgamento da Ação Penal nº 470, conhecida como *Mensalão*, foi um marco emblemático. A sociedade demonstrou de forma ativa a sua rejeição a práticas promíscuas entre o setor privado e o Poder Público, historicamente presentes na vida nacional. E o Supremo Tribunal Federal foi capaz de interpretar esse sentimento e, num ponto fora da curva – que veio a mudar a curva – decretou a condenação de mais de duas dezenas de pessoas, entre empresários, políticos e servidores públicos, por delitos como corrupção ativa e passiva, peculato, lavagem de dinheiro, evasão de divisas e gestão fraudulenta de instituição financeira.

Na sequência, a magistratura, o Ministério Público e a Polícia Federal conduziram a chamada Operação Lava Jato, o mais extenso e profundo processo de enfrentamento da corrupção na história do país. Talvez do mundo. Utilizando técnicas de investigação modernas, processamento de megadata e colaborações premiadas, a Operação desvendou um pacto oligárquico de saque ao Estado brasileiro, celebrado por empresários, políticos e burocratas. Em meados de 2017, já havia em torno de 140 condenações em primeiro grau de jurisdição. A verdade é que poucos países no mundo tiveram a capacidade de abrir suas entranhas e expor desmandos atávicos como o Brasil.

Ao longo dos anos, lenta, mas progressivamente, também houve mudanças importantes na legislação, com foco na criminalidade do colarinho branco. Vejam-se, ilustrativamente: Lei dos Crimes contra o Sistema Financeiro (Lei nº 7.492/86); Lei dos Crimes contra a Ordem Tributária (Lei nº 8.137/90); Agravamento da pena por Corrupção Ativa e Corrupção Passiva (Lei nº 10.763/2003); Lei de Lavagem e Ocultação de Bens, Direitos e Valores (Lei nº 9.613/98, aperfeiçoada pela Lei nº 12.683/2012). E, embora a possibilidade de colaboração premiada já existisse, de modo incipiente, desde a Lei de Crimes Hediondos (Lei nº 8.072/90) e tenha sido reforçada com a Lei da Lavagem referida acima, foi a Lei nº 12.850/2013 ("Define organização criminosa e dispõe sobre a investigação criminal") que veio a detalhá-la melhor. Merece menção, ainda, a chamada Lei Anticorrupção (Lei nº 12.846/2013), que permitiu a responsabilização objetiva de pessoas jurídicas e o chamado acordo de leniência. Na mesma onda de combate à corrupção e à improbidade, sobreveio a Lei Complementar nº 135/2010, conhecida como Lei da Ficha Limpa, pela qual quem foi condenado por órgão colegiado por crimes graves não pode concorrer a cargos eletivos. Uma medida importante em favor da moralidade administrativa e da decência política. Muita gente é contra. Paciência. Nós não somos atrasados por acaso. Somos atrasados porque o atraso é bem defendido.

Por fim, houve alterações ou movimentos significativos trazidos pela jurisprudência do próprio Supremo Tribunal Federal. A mais importante delas, sem dúvida, foi a possibilidade de execução de decisões penais condenatórias após o julgamento em segundo grau, fechando a porta pela qual processos criminais se eternizavam até a prescrição. Também merece destaque a declaração de inconstitucionalidade do modelo de financiamento eleitoral por empresas, que produziu as práticas mafiosas desveladas pela Operação Lava Jato. Igualmente, insere-se nesta tendência de maior seriedade penal a validação das investigações conduzidas pelo Ministério Público. E, no âmbito da execução das penas do *Mensalão*, ficou estabelecido que a progressão de regime prisional dependia da devolução do dinheiro desviado, em caso de peculato, e do pagamento da multa condenatória, nas condenações em geral.

Ainda não foi concluído o julgamento pelo qual se propôs a redução drástica do foro por prerrogativa de função, pejorativa e apropriadamente apelidado de foro privilegiado. Trata-se do conjunto de regras constitucionais que atribui ao Supremo Tribunal Federal o julgamento, por crimes comuns, de um conjunto amplo de autoridades, aí incluídos todos os parlamentares. Quando suspenso o julgamento, em 1º de junho de 2017, já havia quatro votos no sentido de restringir a competência do STF aos fatos praticados no exercício do cargo e quando diretamente relacionados ao seu exercício. O sistema até aqui vigente é extremamente disfuncional, gerando demora, sobe e desce de processos e prescrições.

Uma parte relevante da corrupção no Brasil está associada ao custo das eleições e ao financiamento eleitoral. Portanto, uma reforma política capaz de baratear as disputas eleitorais poderá ter impacto significativo sobre essa disfunção crônica da vida brasileira. Isso depende do Congresso Nacional e cabe à sociedade pressionar para que essa agenda avance. Outro elemento de fomento à corrupção é o que se vem discutindo aqui: a impunidade. Sempre lembrando que ela deve ser enfrentada com seriedade, mas com moderação e proporcionalidade, respeitando os direitos da defesa, sem caça às bruxas ou vingadores mascarados. Não se trata de uma expedição punitiva, mas de uma jornada de incentivo ao bem. É preciso mudar o Brasil dentro da legalidade democrática e do respeito aos direitos humanos. O enfrentamento da corrupção e da impunidade produzirá uma transformação cultural importante: a valorização dos *bons* em lugar dos *espertos*. Quem tiver talento para produzir uma inovação relevante capaz de baixar custos será mais importante do que quem conhece a autoridade administrativa que paga qualquer preço, desde que receba vantagem.[8] Essa talvez seja uma das maiores conquistas que poderá vir de um novo paradigma de decência e seriedade.

2 Os riscos da criminalização da política

Em uma democracia, política é gênero de primeira necessidade. Seria um equívoco pretender demonizá-la e, mais ainda, criminalizá-la. A vida política nem sempre tem a racionalidade e a linearidade que uma certa ânsia por avanços sociais e civilizatórios exige. Mas é assim em todo o mundo democrático: progresso e retrocesso, idas e vindas, vencedores e vencidos. E uma dose inelutável de facciosismo. Assim é, porque sempre foi, desde as primeiras experiências, com as divisões entre esquerda e direita na Assembleia Nacional francesa e entre

---

[8] Sobre esse ponto, denunciando o círculo vicioso que premia os piores, v. Míriam Leitão, *História do futuro*, 2015, p. 177-78.

republicanos e federalistas – Madison x Hamilton – nos primórdios da política americana.

O mundo e o Brasil viveram experiências históricas devastadoras com tentativas de governar sem política, com a ajuda de militares, tecnocratas e da polícia política. Nenhuma delas foi mais bem sucedida do que a democracia, a despeito se suas agruras. A propósito, nos trinta e poucos anos de poder civil e constitucionalismo democrático no país, há importantes vitórias a celebrar, que incluem o mais longo período de estabilidade institucional da República, a conquista de estabilidade monetária e uma expressiva inclusão social de milhões de pessoas que superaram a linha da pobreza extrema. Porém, assim como não se deve criminalizar a política, não se deve politizar o crime. Não há delito por opiniões, palavras e votos. Nessas matérias, a imunidade é plena. No entanto, o parlamentar que vende dispositivos em medidas provisórias, cobra participação em desonerações tributárias ou canaliza emendas orçamentárias para instituições fantasmas (e embolsa o dinheiro), comete um crime mesmo. Não há como "glamourizar" a desonestidade.

3 As resistências às mudanças

Como seria de se esperar, o enfrentamento à corrupção tem encontrado resistências diversas, ostensivas ou dissimuladas. Em primeiro lugar, as denúncias, processos e condenações têm atingido pessoas que historicamente não eram alcançadas pelo direito penal. Supondo-se imunes e inatingíveis, praticaram uma quantidade inimaginável de delitos. Tem-se, assim, a segunda situação: muitas dessas pessoas, ocupantes de cargos relevantes na estrutura de poder vigente, querem escapar de qualquer tipo de responsabilização penal. O refrão repetido é o de que sempre foi assim. Agora que a história mudou de mão, consideram-se vítimas de um atropelamento injusto. A verdade é que não dá para a história voltar para a contramão. Por outro lado, outros tantos, como os fatos insistem em comprovar, não desejam ficar honestos nem daqui para frente. Sem serem capazes de captar o espírito do tempo, trabalham para que tudo continue como sempre foi.

Pior: poderosos como são, ambos os grupos – o dos que não querem ser punidos e o dos que não querem ficar honestos nem daqui para frente – têm aliados em toda parte: em postos-chaves da República, na imprensa, nos Poderes e mesmo onde menos seria de se esperar. Têm a seu favor, também, a cultura da desigualdade, privilégio e compadrio que sempre predominou no Brasil. O Judiciário tem procurado, ele próprio, sair desse círculo vicioso e romper o pacto oligárquico referido acima. Mas parte da elite brasileira ainda milita no tropicalismo equívoco de que corrupção ruim é a dos outros, a dos adversários. E que a dos amigos, a dos companheiros de mesa e de salões, esta seria tolerável.

Com isso retardam a consolidação de uma cultura do bem e da honestidade. Uma sociedade democrática pode conviver, alternadamente, com projetos liberais, conservadores ou progressistas de país. Mas não com projetos de apropriação privada do espaço público e de desonestidade. Não deveria ser difícil difundir essa crença. Mas basta olhar para o Brasil de hoje para ver que não é bem assim. O mal é persistente e a desonestidade se dissimula em muitas roupagens.

PARTE I

A JUDICIALIZAÇÃO DA VIDA E DA POLÍTICA: REFLEXÃO CRÍTICA

CONSTITUIÇÃO, DEMOCRACIA E SUPREMACIA JUDICIAL: DIREITO E POLÍTICA NO BRASIL CONTEMPORÂNEO

I Introdução

O estudo que se segue está dividido em três partes. Na primeira, narra-se a ascensão institucional do Judiciário nos últimos anos, no Brasil e no mundo. São apresentados, assim, os fenômenos da jurisdição constitucional, da judicialização e do ativismo judicial, bem como as críticas à expansão do Judiciário na vida brasileira. O tópico se encerra com a demonstração da importância e dos limites da jurisdição constitucional nas democracias contemporâneas. A segunda parte é dedicada à concepção tradicional das relações entre direito e política, fundada na separação plena entre os dois domínios.[1] A Constituição faz a interface entre o universo político e o jurídico, instituindo o Estado de direito, os poderes constituídos e fazendo a distinção entre legislar, administrar e julgar. A atuação de juízes e tribunais é preservada do contágio político por meio da independência do Judiciário em relação aos demais Poderes e por sua vinculação ao direito, que constitui um mundo autônomo, tanto do ponto de vista normativo quanto doutrinário. Essa visão, inspirada pelo formalismo jurídico, apresenta inúmeras insuficiências teóricas e enfrenta boa quantidade de objeções, em uma era marcada

[1] É da tradição da doutrina brasileira grafar a palavra direito com letra maiúscula, em certos contextos. Nesse trabalho, todavia, em que o termo é empregado em sua relação com a política, o uso da maiúscula poderia passar a impressão de uma hierarquização entre os dois domínios, o que não é minha intenção. Restaria a alternativa de grafar política com maiúscula. Mas também não me pareceu ser o caso.

pela complexidade da interpretação jurídica e por forte interação do Judiciário com outros atores políticos relevantes.

A terceira parte introduz uma questão relativamente nova no debate jurídico brasileiro: o modelo *real* das relações entre direito e política. Uma análise sobre o que, de fato, ocorre no exercício da prestação jurisdicional e na interpretação das normas jurídicas, e não um discurso convencional sobre como elas deveriam ser. Trata-se de uma especulação acerca dos elementos e circunstâncias que motivam e influenciam um juiz, para além da boa aplicação do direito. Com isso, procura-se superar a persistente negação com que os juristas tradicionalmente lidam com o tema, proclamando uma independência que não é desse mundo. Na construção do argumento, examinam-se algumas hipóteses que produzem os chamados *casos difíceis*, que exigem a atuação criativa de juízes e tribunais; e faz-se, igualmente, uma reflexão acerca dos diferentes métodos de interpretação e sua utilização em função do resultado a que se quer chegar. Por fim, são identificados diversos fatores extrajurídicos relevantes, capazes de repercutir em maior ou menor medida sobre um julgamento, como os valores pessoais do juiz, as relações do Judiciário com outros atores políticos e a opinião pública, entre outros.

Entre o ceticismo do realismo jurídico e da teoria crítica, que equiparam o direito ao voluntarismo e à política, e a visão idealizada do formalismo jurídico, com sua crença na existência de um muro divisório entre ambos, o presente estudo irá demonstrar o que já se afigurava intuitivo: no mundo real, não vigora nem a equiparação nem a separação plena. Na concretização das normas jurídicas, sobretudo as normas constitucionais, direito e política convivem e se influenciam reciprocamente, numa interação que tem complexidades, sutilezas e variações.[2] Em múltiplas hipóteses, não poderá o intérprete fundar-se em elementos de pura razão e objetividade, como é a ambição do direito. Nem por isso, recairá na discricionariedade e na subjetividade, presentes nas decisões políticas. Entre os dois extremos, existe um espaço em que a vontade é exercida dentro de parâmetros de razoabilidade e de legitimidade, que podem ser controlados pela comunidade jurídica e pela sociedade. Vale dizer: o que se *quer* é balizado pelo que se *pode* e pelo que se *deve* fazer.

---

[2] O termo "política" é utilizado nesse trabalho em uma acepção ampla, que transcende uma conotação partidária ou de luta pelo poder. Na acepção aqui empregada, "política" abrange qualquer influência extrajurídica capaz de afetar o resultado de um julgamento.

Parte I
A ascensão institucional do Judiciário[3]

II A jurisdição constitucional

O Estado constitucional de direito se consolida, na Europa continental, a partir do final da II Guerra Mundial. Até então, vigorava um modelo identificado, por vezes, como Estado legislativo de direito.[4] Nele, a Constituição era compreendida, essencialmente, como um documento político, cujas normas não eram aplicáveis diretamente, ficando na dependência de desenvolvimento pelo legislador ou pelo administrador. Tampouco existia o controle de constitucionalidade das leis pelo Judiciário – ou, onde existia, era tímido e pouco relevante. Nesse ambiente, vigorava a centralidade da lei e a supremacia do parlamento. No Estado constitucional de direito, a Constituição passa a valer como norma jurídica. A partir daí, ela não apenas disciplina o modo de produção das leis e atos normativos, como estabelece determinados limites para o seu conteúdo, além de impor deveres de atuação ao Estado. Nesse novo modelo, vigora a centralidade da Constituição e a supremacia judicial, como tal entendida a primazia de um tribunal constitucional ou suprema corte na interpretação final e vinculante das normas constitucionais.

A expressão jurisdição constitucional designa a interpretação e aplicação da Constituição por órgãos judiciais. No caso brasileiro, essa competência é exercida por todos os juízes e tribunais, situando-se o Supremo Tribunal Federal no topo do sistema. A jurisdição constitucional compreende duas atuações particulares. A primeira, de aplicação direta da Constituição às situações nela contempladas. Por exemplo, o reconhecimento de que determinada competência é do Estado, não da União; ou do direito do contribuinte a uma imunidade tributária; ou do direito à liberdade de expressão, sem censura ou licença prévia. A segunda atuação envolve a aplicação indireta da Constituição, que se dá quando o intérprete a utiliza como parâmetro para aferir a validade de uma norma infraconstitucional (controle de constitucionalidade) ou

---

[3] A Parte I deste trabalho, especialmente os tópicos II e III, beneficia-se da pesquisa e de algumas passagens de texto anterior de minha autoria, "Judicialização, ativismo judicial e legitimidade democrática", publicado na *Revista de Direito do Estado 13*:71, 2009.

[4] V. Luigi Ferrajoli, Pasado y futuro del Estado de derecho. In: Miguel Carbonell (org.), *Neoconstitucionalismo(s)*, 2003, p. 14-17; e Gustavo Zagrebelsky, *El derecho dúctil*: ley, derechos, justicia, 2005, p. 21-41.

para atribuir a ela o melhor sentido, em meio a diferentes possibilidades (interpretação conforme a Constituição). Em suma: a jurisdição constitucional compreende o poder exercido por juízes e tribunais na aplicação direta da Constituição, no desempenho do controle de constitucionalidade das leis e dos atos do Poder Público em geral e na interpretação do ordenamento infraconstitucional conforme a Constituição.

III A judicialização da política e das relações sociais[5]

Judicialização significa que questões relevantes do ponto de vista político, social ou moral estão sendo decididas, em caráter final, pelo Poder Judiciário. Trata-se, como intuitivo, de uma transferência de poder para as instituições judiciais, em detrimento das instâncias políticas tradicionais, que são o Legislativo e o Executivo. Essa expansão da jurisdição e do discurso jurídico constitui uma mudança drástica no modo de se pensar e de se praticar o direito no mundo romano-germânico.[6] Fruto da conjugação de circunstâncias diversas,[7] o fenômeno é mundial, alcançando até mesmo países que tradicionalmente seguiram o modelo inglês – a chamada democracia ao estilo de Westminster –,

---

[5] Sobre o tema, v. o trabalho pioneiro de Luiz Werneck Vianna, Maria Alice Resende de Carvalho, Manuel Palacios Cunha Melo e Marcelo Baumann Burgos, *A judicialização da política e das relações sociais no Brasil*, 1999. V. tb., Giselle Cittadino, Judicialização da política, constitucionalismo democrático e separação de Poderes. In: Luiz Werneck Vianna (org.), *A democracia e os três Poderes no Brasil*, 2002. Vejam-se, ainda: Luiz Werneck Vianna, Marcelo Baumann Burgos e Paula Martins Salles, Dezessete anos de judicialização da política, *Tempo Social 19*:39, 2007; Ernani Carvalho, Judicialização da política no Brasil: controlo de constitucionalidade e racionalidade política, *Análise Social 44*:315, 2009, e Em busca da judicialização da política no Brasil: apontamentos para uma nova abordagem, *Revista de Sociologia Política 23*:115, 2004; Rogério Bastos Arantes, Judiciário: entre a justiça e a política, In: http://academico.direito-rio.fgv.br/ccmw/images/9/9d/Arantes.pdf, e Constitutionalism, the expansion of justice and the judicialization of politics in Brazil. In: Rachel Sieder, Line Schjolden e Alan Angell, *The judicialization of politics in Latin America*, 2005, p. 231-62; Martonio Mont'Alverne Barreto Lima, Judicialização da política e comissões parlamentares de inquérito – um problema da teoria constitucional da democracia, *Revista Jurídica da FIC 7*:9, 2006; Luciano da Ros, Tribunais como árbitros ou como instrumentos de oposição: uma tipologia a partir dos estudos recentes sobre judicialização da política com aplicação ao caso brasileiro contemporâneo, *Direito, Estado e Sociedade 31*:86, 2007; e Thais Florencio de Aguiar, A judicialização da política ou o rearranjo da democracia liberal, *Ponto e Vírgula 2*:142, 2007.

[6] V. Alec Stone Sweet, *Governing with judges: constitutional politics in Europe*, 2000, p. 35-36 e 130. A visão prevalecente nas democracias parlamentares tradicionais de ser necessário evitar um "governo de juízes", reservando ao Judiciário apenas uma atuação como legislador negativo, já não corresponde à prática política atual. Tal compreensão da separação de Poderes encontra-se em "crise profunda" na Europa continental.

[7] Para uma análise das condições para o surgimento e consolidação da judicialização, v. C. Neal Tate e Torbjörn Vallinder (eds.), *The global expansion of judicial power*, 1995, p. 117.

com soberania parlamentar e ausência de controle de constitucionalidade.[8] Exemplos numerosos e inequívocos de judicialização ilustram a fluidez da fronteira entre política e justiça no mundo contemporâneo, documentando que nem sempre é nítida a linha que divide a criação e a interpretação do direito. Os precedentes podem ser encontrados em países diversos e distantes entre si, como Canadá,[9] Estados Unidos,[10] Israel,[11] Turquia,[12] Hungria[13] e Coreia,[14] entre muitos outros. No início de 2010, uma decisão do Conselho Constitucional francês e outra da Suprema Corte americana produziram controvérsia e a reação política dos dois presidentes.[15] Na América Latina,[16] o caso da Colômbia é um dos mais significativos.[17]

Há causas de naturezas diversas para o fenômeno. A primeira delas é o reconhecimento da importância de um Judiciário forte e independente, como elemento essencial para as democracias modernas.

---

8 V. Ran Hirschl, The new constitutionalism and the judicialization of pure politics worldwide, *Fordham Law Review 75*:721, 2006-2007, p. 721. A referência envolve países como Canadá, Israel, Nova Zelândia e o próprio Reino Unido.

9 Decisão da Suprema Corte sobre a constitucionalidade de os Estados Unidos fazerem testes com mísseis em solo canadense. Este exemplo e os seguintes vêm descritos em maior detalhe em Ran Hirschl, The judicialization of politics. In: Whittington, Kelemen e Caldeira (eds.), *The Oxford handbook of law and politics*, 2008, p. 124-5.

10 Decisão da Suprema Corte que definiu a eleição de 2000, em *Bush v. Gore*.

11 Decisão da Suprema Corte sobre a compatibilidade, com a Constituição e com os atos internacionais, da construção de um muro na fronteira com o território palestino.

12 Decisões da Suprema Corte destinadas a preservar o Estado laico contra o avanço do fundamentalismo islâmico.

13 Decisão da Corte Constitucional sobre a validade de plano econômico de grande repercussão sobre a sociedade.

14 Decisão da Corte Constitucional restituindo o mandato de presidente destituído por *impeachment*.

15 Na França, foi anulado o imposto do carbono, que incidiria sobre o consumo e a emissão de gases poluentes, com forte reação do governo. V. *Le Monde*, 12 jan. 2010, http://www.lemonde.fr/politique/article/2010/01/12/m-devedjian-je-souhaite-que-le-conseil-constitutionnel-soit-a-l-abri-des-soupcons_1290457_823448.html. Nos Estados Unidos, a decisão em *Citizens United v. Federal Election Commission*, invalidando os limites à participação financeira das empresas em campanhas eleitorais, foi duramente criticada pelo Presidente Barak Obama. V. *New York Times*, 24 jan. 2010, p. A-20.

16 Sobre o fenômeno na América Latina, v. Rachel Sieder, Line Schjolden e Alan Angell, *The judicialization of politics in Latin America*, 2005.

17 De acordo com Rodrigo Uprimny Yepes, Judicialization of politics in Colombia, *International Journal on Human Rights 6*:49, 2007, p. 50, algumas das mais importantes hipóteses de judicialização da política na Colômbia envolveram: a) luta contra a corrupção e para mudança das práticas políticas; b) contenção do abuso das autoridades governamentais, especialmente em relação à declaração do estado de emergência ou estado de exceção; c) proteção das minoriais, assim como a autonomia individual; d) proteção das populações estigmatizadas ou aqueles em situação de fraqueza política; e e) interferência com políticas econômicas, em virtude da proteção judicial de direitos sociais.

Como consequência, operou-se uma vertiginosa ascensão institucional de juízes e tribunais, assim na Europa como em países da América Latina, particularmente no Brasil. A segunda causa envolve certa desilusão com a política majoritária, em razão da crise de representatividade e de funcionalidade dos parlamentos em geral. Há uma terceira: atores políticos, muitas vezes, preferem que o Judiciário seja a instância decisória de certas questões polêmicas, em relação às quais exista desacordo moral razoável na sociedade. Com isso, evitam o próprio desgaste na deliberação de temas divisivos, como uniões homoafetivas, interrupção de gestação ou demarcação de terras indígenas.[18] No Brasil, o fenômeno assumiu proporção ainda maior, em razão da constitucionalização abrangente e analítica – constitucionalizar é, em última análise, retirar um tema do debate político e trazê-lo para o universo das pretensões judicializáveis – e do sistema de controle de constitucionalidade vigente entre nós, em que é amplo o acesso ao Supremo Tribunal Federal por via de ações diretas.

Como consequência, quase todas as questões de relevância política, social ou moral foram discutidas ou já estão postas em sede judicial, especialmente perante o Supremo Tribunal Federal. A enunciação que se segue, meramente exemplificativa, serve como boa ilustração dos temas judicializados: (i) instituição de contribuição dos inativos na Reforma da Previdência (ADI nº 3.105/DF); (ii) criação do Conselho Nacional de Justiça na Reforma do Judiciário (ADI nº 3.367); (iii) pesquisas com células-tronco embrionárias (ADI nº 3.510/DF); (iv) liberdade de expressão e racismo (HC nº 82424/RS – caso Ellwanger); (v) interrupção da gestação de fetos anencefálicos (ADPF nº 54/DF); (vi) restrição ao uso de algemas (HC nº 91952/SP e Súmula Vinculante nº 11); (vii) demarcação da reserva indígena Raposa Serra do Sol (Pet nº 3388/RR); (viii) legitimidade de ações afirmativas e quotas sociais e raciais (ADI nº 3.330); (ix) vedação ao nepotismo (ADC nº 12/DF e Súmula nº 13); (x) não recepção da Lei de Imprensa (ADPF nº 130/DF).

---

[18] V. Rodrigo Uprimny Yepes, Judicialization of politics in Colombia, *International Journal on Human Rights* 6:49, mimeografado, 2007, p. 57. V. tb. José Ribas Vieira, Margarida Maria Lacombe Camargo e Alexandre Garrido Silva, O Supremo Tribunal Federal como arquiteto institucional: a judicialização da política e o ativismo judicial. In: *Anais do I Fórum de Grupos de Pesquisa em direito Constitucional e Teoria dos direitos*, 2009, p. 44: "Em casos politicamente custosos, os poderes Legislativo e Executivo podem, de um modo estratégico, por meio de uma inércia deliberada, abrir um espaço para a atuação ativista dos tribunais. Temas profundamente controvertidos, sem perspectiva de consenso na sociedade, tais como a abertura dos arquivos da ditadura militar, uniões homoafetivas, aborto, entre outros, têm os seus custos políticos estrategicamente repassados para os tribunais, cujos integrantes não precisam passar pelo crivo do voto popular após suas decisões".

A lista poderia prosseguir indefinidamente, com a identificação de casos de grande visibilidade e repercussão, como a extradição do militante italiano Cesare Battisti (Ext nº 1.085/Itália e MS nº 27875/DF), a questão da importação de pneus usados (ADPF nº 101/DF) ou da proibição do uso do amianto (ADI nº 3.937/SP). Merece destaque a realização de diversas audiências públicas, perante o STF, para debater a questão da judicialização de prestações de saúde, notadamente o fornecimento de medicamentos e de tratamentos fora das listas e dos protocolos do Sistema Único de Saúde (SUS).[19]

Uma observação final relevante dentro deste tópico. No Brasil, como assinalado, a judicialização decorre, sobretudo, de dois fatores: o modelo de constitucionalização abrangente e analítica adotado; e o sistema de controle de constitucionalidade vigente entre nós, que combina a matriz americana – em que todo juiz e tribunal pode pronunciar a invalidade de uma norma no caso concreto – e a matriz europeia, que admite ações diretas ajuizáveis perante a corte constitucional. Nesse segundo caso, a validade constitucional de leis e atos normativos é discutida em tese, perante o Supremo Tribunal Federal, fora de uma situação concreta de litígio. Essa fórmula foi maximizada no sistema brasileiro pela admissão de uma variedade de ações diretas e pela previsão constitucional de amplo direito de propositura. Nesse contexto, a judicialização constitui um *fato* inelutável, uma circunstância decorrente do desenho institucional vigente, e não uma opção política do Judiciário. Juízes e tribunais, uma vez provocados pela via processual adequada, não têm a alternativa de se pronunciarem ou não sobre a questão. Todavia, o modo como venham a exercer essa competência é que vai determinar a existência ou não de ativismo judicial.

IV O ativismo judicial

Ativismo judicial é uma expressão cunhada nos Estados Unidos[20] e que foi empregada, sobretudo, como rótulo para qualificar a atuação da

---

[19] V. http://www.stf.jus.br/portal/cms/verTexto.asp?servico=processoAudienciaPublicaSaude.

[20] A locução "ativismo judicial" foi utilizada, pela primeira vez, em artigo de um historiador sobre a Suprema Corte americana no período do *New Deal*, publicado em revista de circulação ampla. V. Arthur M. Schlesinger, Jr., The Supreme Court: 1947, *Fortune*, jan. 1947, p. 208, *apud* Keenan D. Kmiec, The origin and current meanings of 'judicial activism', *California Law Review* 92:1441, 2004, p. 1446. A descrição feita por Schlesinger da divisão existente na Suprema Corte, à época, é digna de transcrição, por sua atualidade no debate contemporâneo: "Esse conflito pode ser descrito de diferentes maneiras. O grupo de Black e de Douglas acredita que a Suprema Corte pode desempenhar um papel afirmativo na promoção do bem-estar

Suprema Corte durante os anos em que foi presidida por Earl Warren, entre 1954 e 1969.[21] Ao longo desse período, ocorreu uma revolução profunda e silenciosa em relação a inúmeras práticas políticas nos Estados Unidos, conduzida por uma jurisprudência progressista em matéria de direitos fundamentais.[22] Todas essas transformações foram efetivadas sem qualquer ato do Congresso ou decreto presidencial.[23] A partir daí, por força de uma intensa reação conservadora, a expressão ativismo judicial assumiu, nos Estados Unidos, uma conotação negativa, depreciativa, equiparada ao exercício impróprio do poder judicial.[24] Todavia, depurada dessa crítica ideológica – até porque pode ser progressista ou conservadora[25] –, a ideia de ativismo judicial está associada a

---

social; o grupo de Frankfurter e Jackson defende uma postura de autocontenção judicial. Um grupo está mais preocupado com a utilização do poder judicial em favor de sua própria concepção do bem social; o outro, com a expansão da esfera de atuação do Legislativo, mesmo que isso signifique a defesa de pontos de vista que eles pessoalmente condenam. Um grupo vê a Corte como instrumento para a obtenção de resultados socialmente desejáveis; o segundo, como um instrumento para permitir que os outros Poderes realizem a vontade popular, seja ela melhor ou pior. Em suma, Black-Douglas e seus seguidores parecem estar mais voltados para a solução de casos particulares de acordo com suas próprias concepções sociais; Frankfurter-Jackson e seus seguidores, com a preservação do Judiciário na sua posição relevante, mas limitada, dentro do sistema americano".

[21] Sobre o tema, em língua portuguesa, v. Luís Roberto Barroso, A americanização do direito constitucional e seus paradoxos. In: *Temas de direito constitucional*, t. IV, p. 144 e s. (O legado de Warren: ativismo judicial e proteção dos direitos fundamentais). Para uma interessante biografia de Warren, bem como um denso relato do período, v. Jim Newton, *Justice for all*: Earl Warren and the Nation he made, 2006.

[22] Alguns exemplos representativos: considerou-se ilegítima a segregação racial nas escolas (*Brown v. Board of Education*, 1954); foram assegurados aos acusados em processo criminal o direito de defesa por advogado (*Gideon v. Wainwright*, 1963) e o direito à não-auto-incriminação (*Miranda v. Arizona*, 1966); e de privacidade, sendo vedado ao Poder Público a invasão do quarto de um casal para reprimir o uso de contraceptivos (*Griswold v. Connecticut*, 1965). Houve decisões marcantes, igualmente, no tocante à liberdade de imprensa (*New York Times v. Sullivan*, 1964) e a direitos políticos (*Baker v. Carr*, 1962). Em 1973, já sob a presidência de Warren Burger, a Suprema Corte reconheceu direitos de igualdade às mulheres (*Richardson v. Frontiero*, 1973), assim como em favor dos seus direitos reprodutivos, vedando a criminalização do aborto até o terceiro mês de gestação (*Roe v. Wade*).

[23] Jim Newton, *Justice for all*: Earl Warren and the Nation he made, 2006, p. 405.

[24] V. Randy E. Barnett, Constitututional clichês, *Capital University Law Review 36*:493, 2007, p. 495: "Normalmente, no entanto, 'ativismo judicial' é empregado para criticar uma prática judicial que deve ser evitada pelos juízes e que merece a oposição do público". Keenan D. Kmiec, The origin and current meanings of 'judicial activism', *California Law Review 92*:1441, 2004, p. 1463 e s. afirma que não se trata de um conceito monolítico e aponta cinco sentidos em que o termo tem sido empregado no debate americano, no geral com uma conotação negativa: a) declaração de inconstitucionalidade de atos de outros Poderes que não sejam claramente inconstitucionais; b) ignorar precedentes aplicáveis; c) legislação pelo Judiciário; d) distanciamento das metodologias de interpretação normalmente aplicadas e aceitas; e e) julgamentos em função dos resultados.

[25] Como assinalado no texto, a expressão ativismo judicial foi amplamente utilizada para estigmatizar a jurisprudência progressista da Corte Warren. É bem de ver, no entanto, que

uma participação mais ampla e intensa do Judiciário na concretização dos valores e fins constitucionais, com maior interferência no espaço de atuação dos outros dois Poderes. Em muitas situações, sequer há confronto, mas mera ocupação de espaços vazios.

No Brasil, há diversos precedentes de postura ativista do STF, manifestada por diferentes linhas de decisão. Entre elas se incluem: a) a aplicação direta da Constituição a situações não expressamente contempladas em seu texto e independentemente de manifestação do legislador ordinário, como se passou em casos como o da imposição de fidelidade partidária e o da vedação do nepotismo; b) a declaração de inconstitucionalidade de atos normativos emanados do legislador, com base em critérios menos rígidos que os de patente e ostensiva violação da Constituição, de que são exemplos as decisões referentes à verticalização das coligações partidárias e à cláusula de barreira; c) a imposição de condutas ou de abstenções ao Poder Público, tanto em caso de inércia do legislador – como no precedente sobre greve no serviço público ou sobre criação de município – como no de políticas públicas insuficientes, de que têm sido exemplo as decisões sobre direito à saúde. Todas essas hipóteses distanciam juízes e tribunais de sua função típica de aplicação do direito vigente e os aproximam de uma função que mais se assemelha à de criação do próprio direito.

A judicialização, como demonstrado anteriormente, é um fato, uma circunstância do desenho institucional brasileiro. Já o ativismo é uma atitude, a escolha de um modo específico e proativo de interpretar a Constituição, expandindo o seu sentido e alcance. Normalmente, ele se instala – e este é o caso do Brasil – em situações de retração do Poder Legislativo, de um certo descolamento entre a classe política e a sociedade civil, impedindo que determinadas demandas sociais sejam

o ativismo judicial precedeu a criação do termo e, nas suas origens, era essencialmente conservador. De fato, foi na atuação proativa da Suprema Corte que os setores mais reacionários encontraram amparo para a segregação racial (*Dred Scott v. Sanford*, 1857) e para a invalidação das leis sociais em geral (Era *Lochner*, 1905-1937), culminando no confronto entre o Presidente Roosevelt e a Corte, com a mudança da orientação jurisprudencial contrária ao intervencionismo estatal (*West Coast v. Parrish*, 1937). A situação se inverteu no período que foi de meados da década de 50 a meados da década de 70 do século passado. Todavia, depois da guinada conservadora da Suprema Corte, notadamente no período da presidência de William Rehnquist (1986-2005), coube aos progressistas a crítica severa ao ativismo judicial que passou a desempenhar. V. Frank B. Cross e Stefanie A. Lindquistt, The scientific study of judicial activism, *Minnesota Law Review 91*:1752, 2006-2007, p. 1753 e 1757-8; Cass Sunstein, Tilting the scales rightward, *New York Times*, 26 abr. 2001 ("um notável período de ativismo judicial direitista") e Erwin Chemerinsky, Perspective on Justice: and federal law got narrower, narrower, *Los Angeles Times*, 18 mai. 2000 ("ativismo judicial agressivo e conservador").

atendidas de maneira efetiva. O oposto do ativismo é a *autocontenção judicial*, conduta pela qual o Judiciário procura reduzir sua interferência nas ações dos outros Poderes.[26] A principal diferença metodológica entre as duas posições está em que, em princípio, o ativismo judicial legitimamente exercido procura extrair o máximo das potencialidades do texto constitucional, inclusive e especialmente construindo regras específicas de conduta a partir de enunciados vagos (princípios, conceitos jurídicos indeterminados). Por sua vez, a autocontenção se caracteriza justamente por abrir mais espaço à atuação dos Poderes políticos, tendo por nota fundamental a forte deferência em relação às ações e omissões desses últimos.

V Críticas à expansão da intervenção judicial na vida brasileira

Diversas objeções têm sido opostas, ao longo do tempo, à expansão do Poder Judiciário nos Estados constitucionais contemporâneos. Identificam-se aqui três delas. Tais críticas não infirmam a importância do papel desempenhado por juízes e tribunais nas democracias modernas, mas merecem consideração séria. O modo de investidura dos juízes e membros de tribunais, sua formação específica e o tipo de discurso que utilizam são aspectos que exigem reflexão. Ninguém deseja o Judiciário como instância hegemônica, e a interpretação constitucional não pode se transformar em usurpação da função legislativa. Aqui, como em quase tudo mais, impõem-se as virtudes da prudência e da moderação.[27]

1 Crítica político-ideológica

Juízes e membros dos tribunais não são agentes públicos eleitos. Sua investidura não tem o batismo da vontade popular. Nada obstante isso, quando invalida atos do Legislativo ou do Executivo ou impõe-lhes deveres de atuação, o Judiciário desempenha um papel que é

---

[26] Por essa linha, juízes e tribunais (i) evitam aplicar diretamente a Constituição a situações que não estejam no seu âmbito de incidência expressa, aguardando o pronunciamento do legislador ordinário; (ii) utilizam critérios rígidos e conservadores para a declaração de inconstitucionalidade de leis e atos normativos; e (iii) abstêm-se de interferir na definição das políticas públicas.

[27] V. Aristóteles, *Ética a Nicômaco*, 2007, p. 70 e 77: "Em primeiro lugar, temos que observar que as qualidades morais são de tal modo constituídas que são destruídas pelo excesso e pela deficiência. (...) [O] excesso e a deficiência são uma marca do vício e a observância da mediania uma marca da virtude...".

inequivocamente político. Essa possibilidade de as instâncias judiciais sobreporem suas decisões às dos agentes políticos eleitos gera aquilo que em teoria constitucional foi denominado de *dificuldade contra-majoritária*.[28] A jurisdição constitucional e a atuação expansiva do Judiciário têm recebido, historicamente, críticas de natureza política, que questionam sua legitimidade democrática e sua suposta maior eficiência na proteção dos direitos fundamentais.[29] Ao lado dessas, há, igualmente, críticas de cunho ideológico, que veem no Judiciário uma instância tradicionalmente conservadora das distribuições de poder e de riqueza na sociedade. Nessa perspectiva, a judicialização funcionaria como uma reação das elites tradicionais contra a democratização, um antídoto contra a participação popular e a política majoritária.[30]

2 Crítica quanto à capacidade institucional

Cabe aos três Poderes interpretar a Constituição e pautar sua atuação com base nela. Mas, em caso de divergência, a palavra final é do Judiciário. Essa primazia não significa, porém, que toda e qualquer matéria deva ser decidida em um tribunal. Para evitar que o Judiciário

---

[28] Alexander Bickel, *The least dangerous branch*, 1986, p. 16-23: "A questão mais profunda é que o controle de constitucionalidade (*judicial review*) é uma força contramajoritária em nosso sistema. (...) [Q]uando a Suprema Corte declara inconstitucional um ato legislativo ou um ato de um membro eleito do Executivo, ela se opõe à vontade de representantes do povo, o povo que está aqui e agora; ela exerce um controle, não em nome da maioria dominante, mas contra ela. (...) O controle de constitucionalidade, no entanto, é o poder de aplicar e interpretar a Constituição, em matérias de grande relevância, contra a vontade da maioria legislativa, que, por sua vez, é impotente para se opor à decisão judicial".

[29] Um dos principais representantes dessa corrente é Jeremy Waldron, autor de *Law and disagreement*, 1999, e The core of the case against judicial review, *Yale Law Journal 115*:1346, 2006. Sua tese central é a de que nas sociedades democráticas nas quais o Legislativo não seja "disfuncional", as divergências acerca dos direitos devem ser resolvidas no âmbito do processo legislativo e não do processo judicial.

[30] V. Ran Hirschl, *Towrds juristocracy:* the origins and consequences of the new constitutionalism, 2004. Após analisar as experiências de Canadá, Nova Zelândia, Israel e África do Sul, o autor conclui que o aumento do poder judicial por via da constitucionalização é, no geral, "um pacto estratégico entre três partes: as elites políticas hegemônicas (e crescentemente ameaçadas) que pretendem proteger suas preferências políticas contra as vicissitudes da política democrática; as elites econômicas que comungam da crença no livre mercado e da antipatia em relação ao governo; e cortes supremas que buscar fortalecer seu poder simbólico e sua posição institucional" (p. 214). Nos Estados Unidos, em linha análoga, uma corrente de pensamento referida como "constitucionalismo popular" também critica a ideia de supremacia judicial. V., dentre muitos, Mark Tushnet, *Taking the constitution away from the courts*, 1999, p. 177, onde escreveu: "Os liberais (progressistas) de hoje parecem ter um profundo medo do processo eleitoral. Cultivam um entusiasmo no controle judicial que não se justifica, diante das experiências recentes. Tudo porque têm medo do que o povo pode fazer".

se transforme em uma indesejável instância hegemônica,[31] a doutrina constitucional tem explorado duas ideias destinadas a limitar a ingerência judicial: a de capacidade institucional e a de efeitos sistêmicos.[32] *Capacidade institucional* envolve a determinação de qual Poder está mais habilitado a produzir a melhor decisão em determinada matéria. Temas envolvendo aspectos técnicos ou científicos de grande complexidade podem não ter no juiz de direito o árbitro mais qualificado, por falta de informação ou de conhecimento específico.[33] Também o risco de *efeitos sistêmicos* imprevisíveis e indesejáveis pode recomendar uma posição de cautela e de deferência por parte do Judiciário. O juiz, por vocação e treinamento, normalmente estará preparado para realizar a justiça do caso concreto, a microjustiça,[34] sem condições, muitas vezes, de avaliar o impacto de suas decisões sobre um segmento econômico ou sobre a prestação de um serviço público.[35]

3 Crítica quanto à limitação do debate

O mundo do direito tem categorias, discurso e métodos próprios de argumentação. O domínio desse instrumental exige conhecimento técnico e treinamento específico, não acessíveis à generalidade das

---

[31] A expressão é do Ministro Celso de Mello. V. STF, *DJ*, 12 maio 2000, MS nº 23.452/RJ, Rel. Min. Celso de Mello.

[32] V. Cass Sunstein e Adrian Vermeulle, Intepretation and institutions, *Public Law and Legal Theory Working Paper No. 28*, 2002: "Ao chamarmos atenção para as capacidades institucionais e para os efeitos sistêmicos, estamos sugerindo a necessidade de um tipo de virada institucional no estudo das questões de interpretação jurídicas" (p. 2). Sobre o tema, v. tb. Adrian Vermeule, Foreword: system effects and the constitution, *Harvard Law Review 123*:4, 2009.

[33] Por exemplo: em questões como demarcação de terras indígenas ou transposição de rios, em que tenha havido estudos técnicos e científicos adequados, a questão da capacidade institucional deve ser sopesada de maneira criteriosa.

[34] Ana Paula de Barcellos, Constitucionalização das políticas públicas em matéria de direitos fundamentais: o controle político-social e o controle jurídico no espaço democrático, *Revista de direito do Estado 3*:17, 2006, p. 34. Também sobre o tema, v. Daniel Sarmento, Interpretação constitucional, pré-compreensão e capacidades institucionais do intérprete. In: Cláudio Pereira de Souza Neto, Daniel Sarmento e Gustavo Binenbojm (coords.), *Vinte anos da Constituição Federal de 1988*, 2008, p. 317: "[U]ma teoria hermenêutica construída a partir de uma imagem romântica do juiz pode produzir resultados desastrosos quando manejada por magistrados de carne e osso que não correspondam àquela idealização...".

[35] Exemplo emblemático nessa matéria tem sido o setor de saúde. Ao lado de intervenções necessárias e meritórias, tem havido uma profusão de decisões extravagantes ou emocionais em matéria de medicamentos e terapias, que põem em risco a própria continuidade das políticas públicas de saúde, desorganizando a atividade administrativa e comprometendo a alocação dos escassos recursos públicos. Sobre o tema, v. Luís Roberto Barroso, Da falta de efetividade à constitucionalização excessiva: direito à saúde, fornecimento gratuito de medicamentos e parâmetros para a atuação judicial. In: *Temas de direito constitucional*, tomo IV, 2009.

pessoas. A primeira consequência drástica da judicialização é a elitização do debate e a exclusão dos que não dominam a linguagem nem têm acesso aos *loci* de discussão jurídica.[36] Institutos como audiências públicas, *amicus curiae* e direito de propositura de ações diretas por entidades da sociedade civil atenuam, mas não eliminam esse problema. Surge, assim, o perigo de se produzir uma apatia nas forças sociais, que passariam a ficar à espera de juízes providenciais.[37] Na outra face da moeda, a transferência do debate público para o Judiciário traz uma dose excessiva de politização dos tribunais, dando lugar a paixões em um ambiente que deve ser presidido pela razão.[38] No movimento seguinte, processos passam a tramitar nas manchetes de jornais – e não na imprensa oficial – e juízes trocam a racionalidade plácida da argumentação jurídica por embates próprios da discussão parlamentar, movida por visões políticas contrapostas e concorrentes.[39]

VI Importância e limites da jurisdição constitucional nas democracias contemporâneas

A jurisdição constitucional pode não ser um componente indispensável do constitucionalismo democrático, mas tem servido bem à causa, de uma maneira geral.[40] Ela é um espaço de legitimação discursiva

---

[36] V. Jeremy Waldron, The core case against judicial review, *The Yale Law Journal 115:*1346, p. 133: "A judicialização tende a mudar o foco da discussão pública, que passa de um ambiente onde as razões podem ser postas de maneira aberta e abrangente para um outro altamente técnico e formal, tendo por objeto textos e ideias acerca de interpretação" (tradução livre e ligeiramente editada).

[37] Rodrigo Uprimny Yepes, Judicialization of politics in Colombia, *International Journal on Human Rights 6:*49, 2007, p. 63: "O uso de argumentos jurídicos para resolver problemas sociais complexos pode dar a impressão de que a solução para muitos problemas políticos não exige engajamento democrático, mas em vez disso juízes e agentes públicos providenciais".

[38] Exemplo emblemático de debate apaixonado foi o que envolveu o processo de extradição do ex-militante da esquerda italiana Cesare Battisti. Na ocasião, assinalou o Ministro Eros Grau: "Parece que não há condições no tribunal de um ouvir o outro, dada a paixão que tem presidido o julgamento deste caso". Sobre o ponto, v. Felipe Recondo e Mariângela Galluci, Caso Battisti expõe crise no STF. In: *Estado de São Paulo,* 22.11.2009.

[39] Em 22 abr. 2009, diferentes visões sobre a relação Judiciário, mídia e sociedade levaram a uma ríspida discussão entre os Ministros Gilmar Mendes e Joaquim Barbosa. V. http://oglobo.globo.com/pais/noblat/posts/2009/04/22/na-integra-bate-boca-entre-joaquim-barbosa-mendes-179585.asp.

[40] V. Dieter Grimm, Jurisdição constitucional e democracia, *Revista de Direito do Estado 4:*3, 2006, p. 9: "A jurisdição constitucional não é nem incompatível nem indispensável à democracia. (...) [Há] suficientes provas históricas de que um estado democrático pode dispensar o controle de constitucionalidade. (...) Ninguém duvidaria do caráter democrático de Estados como o Reino Unido e a Holanda, que não adotam o controle de constitucionalidade". Sobre o tema, inclusive com uma reflexão acerca da posição de Dieter Grimm aplicada ao Brasil,

ou argumentativa das decisões políticas, que coexiste com a legitimação majoritária, servindo-lhe de "contraponto e complemento".[41] Isso se torna especialmente verdadeiro em países de redemocratização mais recente, como o Brasil, onde o amadurecimento institucional ainda se encontra em curso, enfrentando uma tradição de hegemonia do Executivo e uma persistente fragilidade do sistema representativo.[42] As constituições contemporâneas, como já se assinalou, desempenham dois grandes papéis: (i) o de condensar os valores políticos nucleares da sociedade, os consensos mínimos quanto a suas instituições e quanto aos direitos fundamentais nela consagrados; e (ii) o de disciplinar o processo político democrático, propiciando o governo da maioria, a participação da minoria e a alternância no poder.[43] Pois este é o grande papel de um tribunal constitucional, do Supremo Tribunal Federal, no caso brasileiro: proteger e promover os direitos fundamentais, bem como resguardar as regras do jogo democrático. Eventual atuação contramajoritária do Judiciário em defesa dos elementos essenciais da Constituição se dará a favor, e não contra a democracia.[44]

Nas demais situações – isto é, quando não estejam em jogo os direitos fundamentais ou os procedimentos democráticos –, juízes e tribunais devem acatar as escolhas legítimas feitas pelo legislador, assim como ser deferentes com o exercício razoável de discricionariedade pelo

---

v. Thiago Magalhães Pires, Crônicas do subdesenvolvimento: jurisdição constitucional e democracia no Brasil, *Revista de direito do Estado 12*:181, 2009, p. 194 e s.

41 Eduardo Bastos de Mendonça, A *constitucionalização da política*: entre o inevitável e o excessivo, p. 10. Artigo inédito, gentilmente cedido pelo autor. Para uma defesa do ponto de vista de que as cortes constitucionais devem servir como "instâncias de fortalecimento da representação política", v. Thamy Pogrebinschi, Entre judicialização e representação. O papel político do Supremo Tribunal Federal e o experimentalismo democrático brasileiro, mimeografado, 2009.

42 Um dos principais críticos da *judicial review*, isto é, à possibilidade de cortes de justiça declararem a inconstitucionalidade de atos normativos, Jeremy Waldron, no entanto, reconhece que ela pode ser necessária para enfrentar patologias específicas, em um ambiente em que certas características políticas e institucionais das democracias liberais não estejam totalmente presentes. V. Jeremy Waldron, The core case against judicial review, *The Yale Law Journal 115*:1346, p. 1359 e s.

43 Luís Roberto Barroso, *Curso de direito constitucional contemporâneo*, 2009, p. 89-90.

44 Para uma crítica da visão do Judiciário como instância de proteção das minorias e de defesa das regras democráticas, v. Luciano da Ros, Tribunais como árbitros ou como instrumentos de oposição: uma tipologia a partir dos estudos recentes sobre judicialização da política com aplicação ao caso brasileiro contemporâneo, *Direito, Estado e Sociedade 31*:86, 2007, p. 100-1, onde averbou: "Pode-se afirmar que tribunais são instituições que operam rigorosamente dentro dos limites que a dinâmica das outras forças políticas e institucionais lhes impõem, raramente decidindo fora do círculo de preferências dos atores políticos. A idéia de que tribunais salvaguardam a democracia e a Constituição contra tudo e contra todos, como muitas vezes se veicula nos círculos acadêmicos, pode ser considerada ingênua".

administrador, abstendo-se de sobrepor-lhes sua própria valoração política.[45] Isso deve ser feito não só por razões ligadas à legitimidade democrática, como também em atenção às capacidades institucionais dos órgãos judiciários e sua impossibilidade de prever e administrar os efeitos sistêmicos das decisões proferidas em casos individuais. Os membros do Judiciário não devem presumir demais de si próprios – como ninguém deve, aliás, nessa vida –, supondo-se *experts* em todas as matérias. Por fim, o fato de a última palavra acerca da interpretação da Constituição ser do Judiciário não o transforma no único – nem no principal – foro de debate e de reconhecimento da vontade constitucional a cada tempo. A jurisdição constitucional não deve suprimir nem oprimir a voz das ruas, o movimento social, os canais de expressão da sociedade. Nunca é demais lembrar que o poder emana do *povo*, não dos juízes.

Parte II
Direito e política: a concepção tradicional

I Notas sobre a distinção entre direito e política

A separação entre direito e política tem sido considerada como essencial no Estado constitucional democrático. Na política, vigoram a soberania popular e o princípio majoritário. O domínio da vontade. No direito, vigora o primado da lei (*the rule of law*) e do respeito aos direitos fundamentais. O domínio da razão. A crença mitológica nessa distinção tem resistido ao tempo e às evidências. Ainda hoje, já avançado o século XXI, mantém-se a divisão tradicional entre o espaço da política e o espaço do direito.[46] No plano de sua *criação*, não há como o direito ser separado da política, na medida em que é produto do processo constituinte ou do processo legislativo, isto é, da vontade das maiorias. O direito é, na verdade, um dos principais produtos da

---

[45] Na jurisprudência norte-americana, o caso *Chevron* é o grande precedente da teoria da *deferência administrativa* em relação à *interpretação razoável* dada pela Administração. De fato, em *Chevron USA Inc. vs. National Resources Defense Council Inc.* (467 U.S. 837 [1984]) ficou estabelecido que, havendo ambiguidade ou delegação legislativa para a agência, o Judiciário somente deve intervir se a Administração (no caso, uma agência reguladora) tiver atuado *contra legem* ou de maneira irrazoável.

[46] V. Larry Kramer, *The people themselves*: popular constitutionalism and judicial review, 2004, p. 7.

política, o troféu pelo qual muitas batalhas são disputadas.[47] Em um Estado de direito, a Constituição e as leis, a um só tempo, legitimam e limitam o poder político.

Já no plano da *aplicação* do direito, sua separação da política é tida como possível e desejável. Tal pretensão se realiza, sobretudo, por mecanismos destinados a evitar a ingerência do poder político sobre a atuação judicial. Isso inclui limitações ao próprio legislador, que não pode editar leis retroativas, destinadas a atingir situações concretas.[48] Essa separação é potencializada por uma visão tradicional e formalista do fenômeno jurídico. Nela se cultivam crenças como a da neutralidade científica, da completude do direito e a da interpretação judicial como um processo puramente mecânico de concretização das normas jurídicas, em valorações estritamente técnicas.[49] Tal perspectiva esteve sob fogo cerrado ao longo de boa parte do século passado, tendo sido criticada por tratar questões políticas como se fossem linguísticas e por ocultar escolhas entre diferentes possibilidades interpretativas por trás do discurso da única solução possível.[50] Mais recentemente, autores diversos têm procurado resgatar o formalismo jurídico, em uma versão requalificada, cuja ênfase é a valorização das regras e a contenção da discricionariedade judicial.[51]

---

[47] V. Keith E. Whittington, R. Daniel Kelemen e Gregory A. Caldeira (eds.), *The Oxford handbook of law and politics*, 2008, p. 3.

[48] Dieter Grimm, *Constituição e política*, 2006, p. 13.

[49] O termo *formalismo* é empregado aqui para identificar posições que exerceram grande influência em todo o mundo, como a da Escola da Exegese, na França, a Jurisprudência dos Conceitos, na Alemanha, e o Formalismo Jurídico, nos Estados Unidos, cuja marca essencial era a da concepção mecanicista do direito, com ênfase na lógica formal e grande desconfiança em relação à interpretação judicial.

[50] Para Brian Z. Tamahana, *Beyond the formalist-realist divide*: the role of politics in judging, 2010, a existência do formalismo jurídico, com as características que lhe são atribuídas, não corresponde à realidade histórica. Segundo ele, ao menos nos Estados Unidos, essa foi uma invenção de alguns realistas jurídicos, que se apresentaram para combater uma concepção que jamais existiu, ao menos não com tais características: autonomia e completude do direito, soluções únicas e interpretação mecânica. A tese refoge ao conhecimento convencional e certamente suscitará polêmica.

[51] V. Frederick Schauer, Formalism: legal, constitutional, judicial. In: Keith E. Whittington, R. Daniel Kelemen e Gregory A. Caldeira (eds.), *The Oxford handbook of law and politics*, 2008, p. 428-36; e Noel Struchiner, Posturas interpretativas e modelagem institucional: a dignidade (contingente) do formalismo jurídico. In: Daniel Sarmento (coord.), *Filosofia e teoria constitucional contemporânea*, 2009, p. 463-82. Sobre as ambiguidades do termo *formalismo*, v. Martin Stone, verbete "formalismo". In: Jules Coleman e Scott Shapiro (Eds), *The Oxford handbook of jurisprudence and philosophy of law*, 2002, p. 166-205.

II Constituição e poderes constituídos

A Constituição é o primeiro e principal elemento na interface entre política e direito. Cabe a ela transformar o poder constituinte originário – energia política em estado quase puro, emanada da soberania popular – em poder constituído, que são as instituições do Estado, sujeitas à legalidade jurídica, à *rule of law*. É a Constituição que institui os Poderes do Estado, distribuindo-lhes competências diversas.[52] Dois deles recebem atribuições essencialmente políticas: o Legislativo e o Executivo. Ao Legislativo toca, precipuamente, a criação do direito positivo.[53] Já o Executivo, no sistema presidencialista brasileiro, concentra as funções de chefe de Estado e de chefe de governo, conduzindo com razoável proeminência a política interna e externa. Legislativo e Executivo são o espaço por excelência do processo político majoritário, feito de campanhas eleitorais, debate público e escolhas discricionárias. Um universo no qual o título principal de acesso é o voto: o que elege, reelege ou deixa de fora.

Já ao Poder Judiciário são reservadas atribuições tidas como fundamentalmente técnicas. Ao contrário do chefe do Executivo e dos parlamentares, seus membros não são eleitos. Como regra geral, juízes ingressam na carreira no primeiro grau de jurisdição, mediante concurso público. O acesso aos tribunais de segundo grau se dá por via de promoção, conduzida pelo órgão de cúpula do próprio tribunal.[54] No tocante aos tribunais superiores, a investidura de seus membros sofre maior influência política, mas, ainda assim, está sujeita a parâmetros constitucionais.[55] A atribuição típica do Poder Judiciário consiste na

---

[52] O poder constituinte, titularizado pelo povo, elabora a Constituição. A Constituição tem por propósito submeter a política ao direito, impondo a ela regras procedimentais e determinados valores substantivos. Isso não significa, todavia, quer a judicialização plena quer a supressão da política, mas a mera existência de limites, de uma "moldura", como referido por Dieter Grimm, que acrescentou: "[U]ma política totalmente judicializada estaria no fundo despida de seu caráter político e por fim reduzida à administração" (*Constituição e política*, 2006, p. 10).

[53] Note-se que no âmbito da atuação política do Legislativo inclui-se, com destaque, a fiscalização do governo e da administração pública. Importante ressaltar, igualmente, que nos países presidencialistas – e no Brasil, especialmente –, o chefe do Executivo tem participação destacada no processo legislativo, seja pela iniciativa seja pelo poder de sanção ou veto. Sobre o tema, v. Clèmerson Merlin Clève, *A atividade legislativa do Poder Executivo*, 2000, p. 99-118.

[54] Salvo no tocante ao chamado quinto constitucional, em que há participação do chefe do Executivo na designação de advogados e membros do Ministério Público para o tribunal (CF, art. 94).

[55] Nos tribunais superiores – Superior Tribunal de Justiça, Tribunal Superior Eleitoral, Tribunal Superior do Trabalho e Superior Tribunal Militar –, a indicação de seus ministros é feita pelo

aplicação do direito a situações em que tenha surgido uma disputa, um litígio entre partes. Ao decidir a controvérsia – esse o entendimento tradicional –, o juiz faz prevalecer, no caso concreto, a solução abstratamente prevista na lei. Desempenharia, assim, uma função técnica de conhecimento, de mera declaração de um resultado já previsto, e não uma atividade criativa, suscetível de influência política.[56] Mesmo nos casos de controle de constitucionalidade em tese – isto é, de discussão acerca da validade abstrata de uma lei –, o Judiciário estaria fazendo prevalecer a vontade superior da Constituição sobre a decisão política majoritária do Legislativo.

III A pretensão de autonomia do Judiciário e do direito em relação à política

A maior parte dos Estados democráticos do mundo reserva uma parcela de poder político para ser exercido pelo Judiciário, isto é, por agentes públicos que não são eleitos. Quando os órgãos judiciais resolvem disputas entre particulares, determinando, por exemplo, o pagamento de uma indenização por quem causou um acidente, decretando um divórcio ou o despejo de um imóvel, não há muita polêmica sobre a legitimidade do poder que exerce. A Constituição confere a ele competência para solucionar os litígios em geral e é disso que se trata. A questão ganha em complexidade, todavia, quando o Judiciário atua em disputas que envolvem a validade de atos estatais ou nas quais o Estado – isto é, outros órgãos de Poder – seja parte. É o que ocorre quando declara inconstitucional a cobrança de um tributo, suspende a execução de uma obra pública por questões ambientais ou determina a um hospital público que realize tratamento experimental em paciente que solicitou tal providência em juízo. Nesses casos, juízes e tribunais sobrepõem sua vontade à de agentes públicos de outros Poderes, eleitos ou nomeados para o fim específico de fazerem leis, construírem estradas ou definirem as políticas de saúde.

Presidente da República, com aprovação do Senado Federal (exceto no caso do TSE). Ainda assim, existem balizamentos constitucionais, que incluem, conforme o caso, exigências de notório saber jurídico e reputação ilibada, idade e origem funcional. V. CF, arts. 101, 104, 119, 111-A e 123.

[56] Sobre a interpretação jurídica como mera função técnica de conhecimento, v. Michel Troper, verbete "Interprétation". In: Denis Alland e Stéphane Rials *Dictionnaire de la culture juridique*, 2003, p. 843.

Para blindar a atuação judicial da influência imprópria da política, a cultura jurídica tradicional sempre se utilizou de dois grandes instrumentos: a independência do Judiciário em relação aos órgãos propriamente políticos de governo; e a vinculação ao direito, pela qual juízes e tribunais têm sua atuação determinada pela Constituição e pelas leis. Órgãos judiciais, ensina o conhecimento convencional, não exercem vontade própria, mas concretizam a vontade política majoritária manifestada pelo constituinte ou pelo legislador. A atividade de interpretar e aplicar normas jurídicas é regida por um conjunto de princípios, regras, convenções, conceitos e práticas que dão especificidade à ciência do direito ou dogmática jurídica. Este, portanto, o discurso padrão: juízes são independentes da política e limitam-se a aplicar o direito vigente, de acordo com critérios aceitos pela comunidade jurídica.

1 Independência do Judiciário

A independência do Judiciário é um dos dogmas das democracias contemporâneas. Em todos os países que emergiram de regimes autoritários, um dos tópicos essenciais do receituário para a reconstrução do Estado de direito é a organização de um Judiciário que esteja protegido de pressões políticas e que possa interpretar e aplicar a lei com isenção, baseado em técnicas e princípios aceitos pela comunidade jurídica. Independência e imparcialidade como condições para um *governo de leis*, e não de homens. De leis, e não de *juízes*, fique bem entendido.[57] Para assegurar que assim seja, a Constituição brasileira, por exemplo, confere à magistratura garantias institucionais – que incluem autonomia administrativa e financeira – e funcionais, como a vitaliciedade, inamovibilidade e irredutibilidade de remuneração.[58] Naturalmente, para resguardar a harmonia com outros Poderes, o Judiciário está sujeito a *checks and balances* e, desde a Emenda Constitucional nº 45, de 2004, ao controle administrativo, financeiro e disciplinar do Conselho Nacional de Justiça. Em uma democracia, todo poder é representativo, o que significa que deve ser transparente e prestar contas à sociedade. Nenhum poder

---

[57] Registre-se a aguda observação de Dieter Grimm, ex-juiz da Corte Constitucional alemã: "A garantia constitucional de independência judicial protege os juízes da política, mas não protege o sistema constitucional e a sociedade de juízes que, por razões distintas da pressão política direta, estão dispostos a desobedecer ou distorcer a lei" (Dieter Grimm, Constitutions, constitutional courts and constitutional interpretation at the interface of law and politics. In: Bogdan Iancu (ed.), *The law/politics distinction in contemporary public law adjudication*, 2009, p. 26).

[58] V. Constituição Federal, arts. 95 e 99. Sobre o tema, v. Luís Roberto Barroso, Constitucionalidade e legitimidade da criação do Conselho Nacional de Justiça, *Interesse Público 30*:13, 2005.

pode estar fora do controle social, sob pena de se tornar um fim em si mesmo, prestando-se ao abuso e a distorções diversas.[59]

2 Vinculação ao direito posto e à dogmática jurídica

O mundo do direito tem suas fronteiras demarcadas pela Constituição e seus caminhos determinados pelas leis. Além disso, tem valores, categorias e procedimentos próprios, que pautam e limitam a atuação dos agentes jurídicos, sejam juízes, advogados ou membros do Ministério Público. Pois bem: juízes não inventam o direito do nada. Seu papel é o de aplicar normas que foram positivadas pelo constituinte ou pelo legislador. Ainda quando desempenhem uma função criativa do direito para o caso concreto, deverão fazê-lo à luz dos valores compartilhados pela comunidade a cada tempo. Seu trabalho, portanto, não inclui escolhas livres, arbitrárias ou caprichosas. Seus limites são a vontade majoritária e os valores compartilhados. Na imagem recorrente, juízes de direito são como árbitros desportivos: cabe-lhes valorar fatos, assinalar faltas, validar gols ou pontos, marcar o tempo regulamentar, enfim, assegurar que todos cumpram as regras e que o jogo seja justo. Mas não lhes cabe formular as regras.[60] A metáfora já teve mais prestígio, mas é possível aceitar, para não antecipar a discussão do próximo tópico, que ela seja válida para qualificar a rotina da atividade judicial, embora não as grandes questões constitucionais.

Não está em questão, portanto, que as escolhas políticas devem ser feitas, como regra geral, pelos órgãos eleitos, isto é, pelo Congresso e pelo Presidente. Os tribunais desempenham um papel importante na vida democrática, mas não o papel principal. Dois autores contemporâneos utilizaram expressões que se tornaram emblemáticas para

---

[59] Em texto escrito anteriormente à criação do Conselho Nacional de Justiça, e tendo como pano de fundo disputas politizadas ligadas à privatização e aos planos econômicos, escreveu Carlos Santiso, Economic reform and judicial governance in Brazil: balancing independence with accountability. In: Siri Gloppen, Roberto Gargarella e Elin Skaar, *Democratization and the judiciary*, 2004, p. 172 e 177: "Excessiva independência tende a gerar incentivos perversos e insular o Judiciário do contexto político e econômico mais amplo, convertendo-o em uma instituição autárquica, incapaz de responder às demandas sociais. (...) Independência sem responsabilidade política (*accountability*) pode ser parte do problema e não da solução".

[60] Em uma das audiências que antecederam sua confirmação como Presidente da Suprema Corte americana, em setembro de 2005, John G. Roberts Jr. voltou a empregar essa metáfora frequente: "Juízes são como árbitros desportivos (*umpires*). Eles não fazem as regras; eles as aplicam. O papel de um árbitro, assim como o de um juiz, é muito importante. Eles asseguram que todos joguem de acordo com as regras. Mas é um papel limitado". A passagem está reproduzida em Week in review, *New York Times*, 12 jul. 2009. V. a íntegra do depoimento em http://www.gpoaccess.gov/congress/senate/judiciary/sh109-158/55-56.pdf.

demarcar o papel das cortes constitucionais. Ronald Dworkin referiu-se a "fórum de princípios". Em uma sociedade democrática, algumas questões decisivas devem ser tratadas como questões de princípios – morais ou políticos – e não como uma questão de poder político, de vontade majoritária. São elas as que envolvem direitos fundamentais das pessoas, e não escolhas gerais sobre como promover o bem-estar social.[61] Já John Rawls explorou a ideia de "razão pública". Em uma democracia pluralista, a razão pública consiste na justificação das decisões políticas sobre questões constitucionais essenciais e sobre questões de justiça básica, como os direitos fundamentais. Ela expressa os argumentos que pessoas com formação política e moral diversa podem acatar, o que exclui, portanto, o emprego de doutrinas abrangentes, como as de caráter religioso ou ideológico.[62] Em suma: questões de princípio devem ser decididas, em última instância, por cortes constitucionais, bom base em argumentos de razão pública.

3 Limites da separação entre direito e política

Direito é, certamente, diferente da política. Mas não é possível ignorar que a linha divisória entre ambos, que existe inquestionavelmente, nem sempre é nítida, e certamente não é fixa.[63] Do ponto de vista da teoria jurídica, tem escassa adesão, nos dias que correm, a crença de que as normas jurídicas tragam sempre em si um sentido único, objetivo, válido para todas as situações sobre as quais incidem. E que, assim, caberia ao intérprete uma atividade de mera revelação do conteúdo preexistente na norma, sem desempenhar qualquer papel

---

[61] V. Ronald Dworkin, *A matter of principle*, 1985, p. 69-71. "A fiscalização judicial assegura que as questões mais fundamentais de moralidade política serão apresentadas e debatidas como questões de princípio, e não apenas de poder político. Essa é uma transformação que não poderá jamais ser integralmente bem-sucedida apenas no âmbito do Legislativo". Por exemplo: a igualdade racial, a igualdade de gênero, a orientação sexual, os direitos reprodutivos, o direito do acusado ao devido processo legal, dentre outras, são questões de princípio, e não de política.

[62] John Rawls, *Political liberalism*, 1996, p. 212 e s., especialmente p. 231-40. Nas suas próprias palavras: "(A razão pública) se aplica também, e de forma especial, ao Judiciário e, acima de tudo, à suprema corte, onde haja uma democracia constitucional com controle de constitucionalidade. Isso porque os Ministros têm que explicar e justificar suas decisões, baseadas na sua compreensão da Constituição e das leis e precedentes relevantes. Como os atos do Legislativo e do Executivo não precisam ser justificados dessa forma, o papel especial da Corte a torna um caso exemplar de razão pública". Para uma crítica da visão de Rawls, v. Jeremy Waldron, Public reason and 'justification' in the courtroom, *Journal of Law, Philosophy and Culture* 1:108, 2007.

[63] V. Eduardo Mendonça, A inserção da jurisdição constitucional na democracia: algum lugar entre o direito e a política, *Revista de direito do Estado* 13:211, 2009, p. 212.

criativo na sua concretização. Há praticamente consenso, na doutrina contemporânea, de que a interpretação e aplicação do direito envolvem elementos cognitivos e volitivos. Do ponto de vista funcional, é bem de ver que esse papel de intérprete final e definitivo, em caso de controvérsia, é desempenhado por juízes e tribunais. De modo que o Poder Judiciário e, notadamente, o Supremo Tribunal Federal, desfruta de uma posição de primazia na determinação do sentido e do alcance da Constituição e das leis, pois lhe cabe dar a palavra final, que vinculará os demais Poderes. Essa *supremacia judicial* quanto à determinação do que é o direito envolve, por evidente, o exercício de um poder político, com todas as suas implicações para a legitimidade democrática.[64]

Parte III
Direito e política: o modelo real

I Os laços inevitáveis: a lei e sua interpretação como atos de vontade

No mundo romano-germânico, é comum fazer-se referência ao direito como uma ciência. A afirmação pode ser aceita, ainda que com reserva, se o termo ciência for tomado no sentido de um conjunto organizado de conhecimentos, que guarda uma lógica interna e tem princípios, conceitos e categorias específicos, unificados em uma terminologia própria. Mas é intuitiva a distinção a ser feita em relação às ciências da natureza. Essas últimas são domínios que lidam com fenômenos que se ordenam independentemente da vontade humana, seja o legislador, o público em geral ou o intérprete. São ciências que se destinam a explicar o que lá já está. Sem pretender subestimar complexidades epistemológicas, são domínios em que o anseio científico por objetividade e comprovação imparcial se realiza mais intensamente. Já o direito se insere no campo das ciências sociais e tem, sobretudo, uma pretensão prescritiva: ele procura moldar a vida de acordo com suas normas. E normas jurídicas não são reveladas, mas, sim, criadas por decisões e escolhas políticas, tendo em vista determinadas circunstâncias e visando determinados fins. E, por terem caráter prospectivo, precisarão ser interpretadas no futuro, tendo em conta fatos e casos concretos.

---

64 Sobre o conceito de legitimidade e sua evolução, v. Diogo de Figueiredo Moreira Neto, 2008, *Quatro paradigmas do direito administrativo pós-moderno*, p. 33-47.

Como consequência, tanto a criação quanto a aplicação do direito dependem da atuação de um sujeito, seja o legislador ou o intérprete. A legislação, como ato de vontade humana, expressará os interesses dominantes – ou, se se preferir, o interesse público, tal como compreendido pela maioria, em um dado momento e lugar. E a jurisdição, que é a interpretação final do direito aplicável, expressará, em maior ou menor intensidade, a compreensão particular do juiz ou do tribunal acerca do sentido das normas. Diante de tais premissas, é possível extrair uma conclusão parcial bastante óbvia, ainda que frequentemente encoberta: o mantra repetido pela comunidade jurídica mais tradicional de que o direito é diverso da política exige um complemento. É distinto, sim, e por certo; mas não é isolado dela. Suas órbitas se cruzam e, nos momentos mais dramáticos, chocam-se, produzindo vítimas de um ou dos dois lados: a justiça e a segurança jurídica, que movem o direito; ou a soberania popular e a legitimidade democrática, que devem conduzir a política. A seguir se exploram diferentes aspectos dessa relação. Alguns deles são ligados à teoria do direito e da interpretação, e outros às circunstâncias dos juízes e órgãos julgadores.

II A interpretação jurídica e suas complexidades: o encontro não marcado entre o direito e a política

1 A linguagem aberta dos textos jurídicos

A linguagem jurídica, como a linguagem em geral, utiliza-se de signos que precisam ser interpretados. Tais signos, muitas vezes, possuem determinados sentidos consensuais ou de baixo grau de controvérsia. Embora nem sempre as coisas sejam simples como parecem, há pouca dúvida do que signifique município, orçamento ou previdência complementar. Mas a Constituição se utiliza, igualmente, de inúmeras cláusulas abertas, que incluem conceitos jurídicos indeterminados e princípios. Calamidade pública, relevância e urgência ou crime político são conceitos que transmitem uma ideia inicial de sentido, mas que precisam ser integrados à luz dos elementos do caso concreto. E, em relação a eles, embora possam existir certezas positivas e negativas sobre o que significam ou deixam de significar, é indiscutível que há uma ampla área de penumbra que se presta a valorações que não poderão refugir a algum grau de subjetividade. O fenômeno se repete com maior intensidade quando se trate de princípios constitucionais, com sua intensa carga axiológica, como dignidade da pessoa humana, moralidade administrativa ou solidariedade social. Também aqui será impossível falar em sentidos claros e unívocos. Na interpretação de normas cuja linguagem é aberta e elástica, o direito perde muito da sua objetividade e abre espaço para valorações do intérprete. O fato de existir consenso de que ao atribuir sentido a conceitos indeterminados e a princípios não deve o juiz utilizar-se dos seus próprios valores morais e políticos não elimina riscos e complexidades, funcionando como uma bússola de papel.

2 Os desacordos morais razoáveis

Além dos problemas de ambiguidade da linguagem, que envolvem a determinação semântica de sentido da norma, existem, também, em uma sociedade pluralista e diversificada, o que se tem denominado de desacordo moral razoável.[65] Pessoas bem intencionadas e esclarecidas, em relação a múltiplas matérias, pensam de maneira radicalmente contrária, sem conciliação possível. Cláusulas constitucionais como direito à vida, dignidade da pessoa humana ou igualdade dão margem a construções hermenêuticas distintas, por vezes contrapostas, de acordo com a pré-compreensão do intérprete. Esse fenômeno se revela em questões que são controvertidas em todo o mundo, inclusive no Brasil, como, por exemplo, interrupção de gestação, pesquisas com células-tronco embrionárias, eutanásia/ortotanásia, uniões homoafetivas, em meio a inúmeras outras. Nessas matérias, como regra geral, o papel do direito e do Estado deve ser o de assegurar que cada pessoa possa viver sua autonomia da vontade e suas crenças. Ainda assim, inúmeras complexidades surgem, motivadas por visões filosóficas e religiosas diversas.

3 As colisões de normas constitucionais

Constituições são documentos dialéticos e compromissórios, que consagram valores e interesses diversos, que eventualmente entram em rota de colisão. Essas colisões podem se dar, em primeiro lugar, entre princípios ou interesses constitucionalmente protegidos. É o caso, por exemplo, da tensão entre desenvolvimento nacional e proteção do meio-ambiente ou entre livre-iniciativa e repressão ao abuso do poder econômico. Também é possível a colisão entre direitos fundamentais, como a liberdade de expressão e o direito de privacidade, ou entre a

---

[65] Sobre o tema, na literatura mais recente, v. Christopher McMahon, *Reasonable disagreement: a theory of political morality*, 2009; e Folke Tersman, *Moral disagreement*, 2006.

liberdade de reunião e o direito de ir e vir (no caso, imagine-se, de uma passeata que bloqueie integralmente uma via de trânsito essencial). Por fim, é possível cogitar de colisão de direitos fundamentais com certos princípios ou interesses constitucionalmente protegidos, como o caso da liberdade individual, de um lado, e a segurança pública e a persecução penal, de outro. Em todos esses exemplos, à vista do princípio da unidade da Constituição, o intérprete não pode escolher arbitrariamente um dos lados, já que não há hierarquia entre normas constitucionais. De modo que ele precisará demonstrar, argumentativamente, à luz dos elementos do caso concreto, mediante ponderação e uso da proporcionalidade, que determinada solução realiza mais adequadamente a vontade da Constituição, naquela situação específica.

Todas essas hipóteses referidas anteriormente – ambiguidade da linguagem, desacordo moral e colisões de normas – recaem em uma categoria geral que tem sido referida como casos difíceis (*hard cases*).[66] Nos casos fáceis, a identificação do efeito jurídico decorrente da incidência da norma sobre os fatos relevantes envolve uma operação simples, de mera subsunção. O proprietário de um imóvel urbano deve pagar imposto predial. A Constituição não permite ao Chefe do Executivo um terceiro mandato. Já os casos difíceis envolvem situações para as quais não existe uma solução acabada no ordenamento jurídico. Ela precisa ser construída argumentativamente, por não resultar do mero enquadramento do fato à norma. Pode um artista, em nome do direito de privacidade, impedir a divulgação de sua biografia, escrita por um pesquisador? Pode o autor de uma ação de investigação de paternidade exigir que o indigitado pai se submeta coativamente a exame de DNA? Em ambos os casos, que envolvem questões constitucionais – privacidade, liberdade de expressão, direitos da personalidade, liberdade individual –, a solução para a disputa não é encontrável pré-pronta no sistema jurídico: ela precisa ser desenvolvida justificadamente pelo intérprete.

4 A interpretação constitucional e seus métodos

Em todas as hipóteses referidas anteriormente, envolvendo casos difíceis, o sentido da norma precisará ser fixado pelo juiz. Como se registrou, são situações em que a solução não estará pronta em uma prateleira jurídica e, portanto, exigirá uma atuação criativa do intérprete,

[66] Sobre o tema, v. Ronald Dworkin, *Taking rights seriiusly*, 1997, p. 81 e s.; e Aharon Barak, *The judge in a democracy*, 2006, p. xiii e s.

que deverá argumentativamente justificar seu itinerário lógico e suas escolhas. Se a solução não está integralmente na norma, o juiz terá de recorrer a elementos externos ao direito posto, em busca do justo, do bem, do legítimo. Ou seja, sua atuação terá de se valer da filosofia moral e da filosofia política. Mesmo admitida esta premissa – a de que o juiz, ao menos em certos casos, precisa recorrer a elementos extrajurídicos –, ainda assim se vai verificar que diferentes juízes adotam diferentes métodos de interpretação. Há juízes que pretendem extrair da Constituição suas melhores potencialidades, realizando na maior extensão possível os princípios e direitos fundamentais. Há outros que entendem mais adequado não ler na Constituição o que nela não está de modo claro ou expresso, prestando maior deferência ao legislador ordinário.[67] Uma pesquisa empírica revelará, sem surpresa, que os mesmos juízes nem sempre adotam os mesmos métodos de interpretação.[68] Seu método ou filosofia judicial é mera racionalização da decisão que tomou por outras razões.[69] E aí surge uma nova variável: o resultado baseado não no princípio, mas no fim, no resultado.[70]

---

[67] Cass Sunstein, *Radicals in robes*, 2005, identifica quatro abordagens no debate constitucional: perfeccionismo, majoritarianismo, minimalismo e fundamentalismo. O perfeccionismo, adotado por muitos juristas progressistas, quer fazer da Constituição "o melhor que ela possa ser". O majoritarianismo pretende diminuir o papel da Suprema Corte e favorecer o processo político democrático, cujo centro de gravidade estaria no Legislativo. O minimalismo é cético acerca de teorias interpretativas e acredita em decisões menos abrangentes, focadas no caso concreto e não em proposições amplas. O fundamentalismo procura interpretar a Constituição dando-lhe o sentido que tinha quando foi ratificada. Para uma dura crítica ao minimalismo defendido por Sunstein, v. Ronald Dworkin, Looking for Cass Sunstein, *The New York Review of Books 56*, 30 abr. 2009 (também disponível em http://www.nybooks.com/articles/22636).

[68] Sobre o ponto, v. Alexandre Garrido da Silva, Minimalismo, democracia e *expertise*: o Supremo Tribunal Federal diante de questões políticas e científicas complexas, *Revista de direito do Estado 12*:107, p. 139: "É importante destacar que não há um magistrado que em sua prática jurisdicional seja sempre minimalista ou perfeccionista. Nos casos da fidelidade partidária, da cláusula de barreira e da inelegibilidade, por exemplo, o Min. Eros Grau assumiu um posicionamento nitidamente minimalista e formalista, ao passo que no caso do amianto aproximou-se, conforme foi visto, do modelo perfeccionista".

[69] Para essa visão cética, v. Richard A. Posner, *How judges think*, 2008, p. 13, onde registrou que as filosofias judiciais "são ou racionalizações para decisões tomadas por outros fundamentos ou armas retóricas".

[70] V., ainda uma vez, Alexandre Garrido da Silva, Minimalismo, democracia e *expertise*: o Supremo Tribunal Federal diante de questões políticas e científicas complexas, *Revista de Direito do Estado 12*:107, p. 139: "Frequentemente, os juízes tendem a fazer um uso estratégico dos modelos anteriormente descritos tendo em vista fins previamente escolhidos, ou seja, optam pragmaticamente pelo modelo mais adequado para a resolução do problema enfrentado no caso concreto". Sobre o consequencialismo – isto é, o processo decisório fundado no resultado –, v. Diego Werneck Arguelles, *Deuses pragmáticos, mortais formalistas:* a justificação consequencialista das decisões judiciais, dissertação de mestrado apresentada

Nesse ponto, impossível não registrar a tentação de se abrir espaço para o debate acerca de uma das principais correntes filosóficas do direito contemporâneo: o *pragmatismo jurídico*, com seu elemento constitutivo essencial, que é o consequencialismo. Para essa concepção, as consequências e resultados práticos das decisões judiciais, assim em relação ao caso concreto como ao sistema como um todo, devem ser o fator decisivo na atuação dos juízes e tribunais.[71] O pragmatismo jurídico se afasta do debate filosófico em geral, seja moral ou político – inclusive o que mobilizou jusnaturalistas e positivistas em torno da resposta à pergunta "o que é o direito?" – e se alinha a um empreendimento teórico distinto, cuja indagação central é: "como os juízes devem decidir?".[72] Não é o caso, aqui, de se objetar que uma coisa não exclui a outra. A realidade incontornável, na circunstância presente, é que o desvio que conduz ao debate sobre o pragmatismo jurídico não poderá ser feito no âmbito desse trabalho. E isso não apenas por afastá-lo do seu eixo central, como também pela complexidade da tarefa de qualificar o que seja pragmatismo jurídico e de sistematizar as diferentes correntes que reivindicam o rótulo.

III O juiz e suas circunstâncias: influências políticas em um julgamento[73]

No modelo idealizado, o direito é imune às influências da política, por força de diferentes institutos e mecanismos. Basicamente, eles consistiriam: na independência do Judiciário e na vinculação do juiz ao sistema jurídico. A independência se manifesta, como assinalado, em

---

ao Programa de Pós-Graduação em direito Público da Universidade do Estado do Rio de Janeiro – UERJ, mimeografado, 2006.

71 Sobre o pragmatismo filosófico, v. Richard Rorty, *Consequences of pragmatism*, 1982. Sobre o pragmatismo jurídico, no debate norte-americano, vejam-se, dentre muitos: Richard Posner, *Law, pragmatism and democracy*, 2003; e Jules Coleman, *The practice of principle: in defence of a pragmatic approach to legal theory*, 2001. Em língua portuguesa, v. Diego Werneck Arguelhes e Fernando Leal, Pragmatismo como [meta] teoria normativa da decisão judicial: caracterização, estratégia e implicações. In: Daniel Sarmento (coord.), *Filosofia e teoria constitucional contemporânea*, 2009; Thamy Pogrebinschi, *Pragmatismo:* teoria social e política, 2005; e Cláudio Pereira de Souza Neto, A interpretação constitucional contemporânea entre o construtivismo e o pragmatismo. In: Maia, Melo, Cittadino e Pogrebinschi (orgs.), *Perspectivas atuais da filosofia do direito*, 2005.

72 Sobre esse ponto específico, v. Diego Werneck Arguelhes e Fernando Leal, Pragmatismo como [meta] teoria normativa da decisão judicial: caracterização, estratégia e implicações. In: Daniel Sarmento (coord.), *Filosofia e teoria constitucional contemporânea*, 2009, p. 175 e 187.

73 As ideias que se seguem beneficiaram-se, intensamente, das formulações contidas em Barry Friedman, The politics of judicial review, *Texas Law Review 84*:257, 2005.

garantias institucionais – como a autonomia administrativa e financeira – e garantias funcionais dos juízes, como a vitaliciedade, a inamovibilidade e a irredutibilidade de subsídios. Como regra geral, a investidura e a ascensão na carreira da magistratura se dá por critérios técnicos ou por valorações *interna corporis*. Nos casos em que há participação política na nomeação de magistrados para tribunais, ela se esgota após a posse, pois a permanência vitalícia do magistrado no cargo já não dependerá de qualquer novo juízo político. A autonomia e especificidade do universo jurídico, por sua vez, consistem em um conjunto de doutrinas, categorias e princípios próprios, manejados por juristas em geral – aí incluídos juízes, advogados, membros do Ministério Público e demais participantes do processo jurídico e judicial – que não se confundem com os da política. Trata-se de um discurso e de um código de relação diferenciados. Julgar é distinto de legislar e de administrar. Juízes não criam o direito nem definem as ações administrativas. Seu papel é aplicar a Constituição e as leis, valendo-se de um conjunto de institutos consolidados de longa data, sendo que a jurisprudência desempenha, crescentemente, um papel limitador dessa atuação, pela vinculação aos precedentes. Direito e política, nessa visão, constituem mundos apartados.

Há um modelo oposto a esse, que se poderia denominar de modelo cético, que descrê da autonomia do direito em relação à política e aos fenômenos sociais em geral. Esse é o ponto de vista professado por movimentos teóricos de expressão, como o realismo jurídico, a teoria crítica e boa parte das ciências sociais contemporâneas. Todos eles procuram descrever o mundo jurídico e as decisões judiciais como são, e não como deveriam ser. Afirmam, assim, que a crença na objetividade do direito e a existência de soluções prontas no ordenamento jurídico não passam de mitos. Não é verdade que o direito seja um sistema de regras e de princípios harmônicos, de onde um juiz imparcial e apolítico colhe as soluções adequadas para os problemas, livre de influências externas. Essa é uma fantasia do formalismo jurídico. Decisões judiciais refletem as preferências pessoais dos juízes, proclama o realismo jurídico; são essencialmente políticas, verbera a teoria crítica; são influenciadas por inúmeros fatores extrajurídicos, registram os cientistas sociais. Todo *caso difícil* pode ter mais de uma solução razoável construída pelo intérprete, e a solução que ele produzirá será, em última análise, aquela que melhor atenda a suas preferências pessoais, sua ideologia ou outros fatores externos, como os de natureza institucional. Ele sempre agirá assim, tenha ou não consciência do que está fazendo.

O modelo real, como não é difícil de intuir, terá uma dose razoável de cada uma das visões extremas descritas acima. O direito pode e deve ter uma vigorosa pretensão de autonomia em relação à política. Isso é essencial para a subsistência do conceito de Estado de direito e para a confiança da sociedade nas instituições judiciais. A realidade, contudo, revela que essa autonomia será sempre relativa. Existem razões institucionais, funcionais e humanas para que seja assim. Decisões judiciais, com frequência, refletirão fatores extrajurídicos. Entre eles incluem-se os valores pessoais e ideológicos do juiz, assim como outros elementos de natureza política e institucional. Por longo tempo, a teoria do direito procurou negar esse fato, a despeito das muitas evidências. Pois bem: a energia despendida na construção de um muro de separação entre o direito e a política deve voltar-se agora para outra empreitada.[74] Cuida-se de entender melhor os mecanismos dessa relação intensa e inevitável, com o propósito relevante de preservar, no que é essencial, a especificidade e, sobretudo, a integridade do direito.[75] Pois é justamente este o objetivo do presente tópico: analisar alguns desses elementos metajurídicos que influenciam ou podem influenciar as decisões judiciais. Confira-se a sistematização a seguir.

1 Valores e ideologia do juiz

Como assinalado, o realismo jurídico, um dos mais importantes movimentos teóricos do direito no século XX, contribuiu decisivamente para a superação do formalismo jurídico e da crença de que a atividade judicial seria mecânica, acrítica e unívoca. Enfatizando que o direito tem ambiguidades e contradições, o realismo sustentava que a lei não é o único – e, em muitos casos, sequer o mais importante – fator a influenciar uma decisão judicial. Em uma multiplicidade de hipóteses, é o juiz que faz a escolha do resultado, à luz de suas intuições, personalidade, preferências e preconceitos.[76] Em linha análoga, mas

---

[74] V. Barry Friedman, The politics of judicial review, *Texas Law Review 84*:257, 2005, p. 267 e p. 269, onde averbou: "Se, como os juristas vêm crescentemente reconhecendo, direito e política não podem ser mantidos separados, ainda precisamos de uma teoria que possa integrá-los, sem abrir mão dos compromissos com o Estado de direito que esta sociedade tanto preza".

[75] Sobre a ideia de direito como integridade, v. Ronald Dworkin, *O império do direito*, 1999, p. 271-331.

[76] Sobre o tema, v. William W. Fisher III et al. (eds.), *American Legal realism*, 1993, 164-5; Oliver Wendel Holmes, Jr., The path of the law, *Harvard Law Review 10*:457, 1897; Karl Llewellyn, Some realism about realism – responding to Dean Pound, *Harvard Law Review 44*: 1222, 1931; e Jerome Frank, What courts do in fact, *Illinois Law Review 26*:645, 1932. Para uma análise da incorporação de ideias do realismo jurídico americano no Brasil, sua "assimilação antropofágica", v. Paulo Macedo Garcia Neto, *A influência do realismo jurídico americano*

dando proeminência absoluta ao elemento político, a teoria crítica,[77] no mundo romano-germânico, e os *critical legal studies*, nos Estados Unidos, sustentaram que decisões judiciais não passam de escolhas políticas, encobertas por um discurso que procura exibir neutralidade.[78] Tanto o realismo quanto a teoria crítica refluíram drasticamente nas últimas décadas, mas deixaram uma marca indelével no pensamento jurídico contemporâneo.[79] Mais recentemente, um conjunto de estudos empíricos, oriundos, sobretudo, da ciência política, recolocaram no centro do debate jurídico o tema dos valores, preferências e ideologia do juiz na determinação do resultado de casos judiciais.[80]

Há, de fato, quem sustente ser mais fácil saber um voto ou uma decisão pelo nome do juiz do que pela tese jurídica aplicável.[81] Essa visão cética acarreta duas consequências negativas: deslegitima a função judicial e libera os juízes para fazerem o que quiserem.[82] Há uma razão subjetiva e outra objetiva que se pode opor a esse ponto de vista. A primeira: é possível assumir, como regra geral, que juízes verdadeiramente vocacionados têm como motivação primária e principal a interpretação adequada do direito vigente, com a valoração imparcial dos elementos fáticos e jurídicos relevantes.[83] Não se deve minimizar esse sentido de dever que move as pessoas de bem em uma sociedade civilizada. Em segundo lugar, o direito – a Constituição, as leis, a jurisprudência, os elementos e métodos de interpretação – sempre desempenhará uma função limitadora. O discurso normativo e a dogmática jurídica são autônomos em relação às preferências pessoais do julgador. Por exemplo: o desejo de punir uma determinada conduta não é capaz de superar a ocorrência de prescrição. O ímpeto de conhecer

---

no direito constitucional brasileiro, mimeografado, dissertação de mestrado apresentada na Universidade de São Paulo, sob orientação do Professor José Reinaldo Lima Lopes.

[77] V. Michel Miaille, *Introdução crítica ao direito*, 1989; Carlos Maria Cárcova, *Teorías jurídicas alternativas:* escritos sobre derecho y política, 1993; e Luiz Fernando Coelho, *Teoria crítica do direito*, 1991.

[78] V. Duncan Kennedy, Legal education and the reproduction of hierarchy, *Journal of Legal Education 32*:591, 1982; Mark Tushnet, Critical legal studies: a political history, *Yale Law Journal 100*:1515, 1991.

[79] V. Jeremy Waldron, Public reason and 'justification' in the courtroom, *Journal of Law, Philosophy and Culture 1*:107, 2007, p. 127: "A maioria dos juristas contemporâneos não aceita a visão crítica do realismo jurídico".

[80] V. Cass Sunstein, David Schkade, Lisa M. Ellman e Andres Sawicki, *Are judges political? An empirical analysis of the Federal Judiciary*, 2006; e Thomas J. Miles e Cass Sunstein, The new legal realism. *Public Law and Legal Theory Working Paper nº 191*, dezembro de 2007. V. sítio http://ssrn.com/abstract_id=1070283, acesso em 16 ago. 2009.

[81] Robert H. Bork, *Coercing virtue:* the worldwide rule of judges, 2003, p. 9.

[82] Michael Dorf, *No litmus test:* Law versus politics in the twentieth century, 2006, xix.

[83] Barry Friedman, The politics of judicial review. *Texas Law Review 84*:257, 2005, p. 270.

e julgar uma causa não muda a regra sobre legitimação ativa ou sobre prejudicialidade.[84] De modo que o sentimento pessoal de cumprir o próprio dever e a força vinculante do direito são elementos decisivos na atuação judicial. Mas há que se reconhecer que não são únicos.

Com efeito, a observação atenta, a prática política e pesquisas empíricas confirmam o que sempre foi possível intuir: os valores pessoais e a ideologia dos juízes influenciam, em certos casos de maneira decisiva, o resultado dos julgamentos. Por exemplo: na apreciação da constitucionalidade das pesquisas com células-tronco embrionárias, a posição contrária à lei que as autorizava foi liderada por Ministro ligado historicamente ao pensamento e à militância católica,[85] sendo certo que a Igreja se opõe às investigações científicas dessa natureza.[86] Nos Estados Unidos, fez parte da estratégia conservadora, iniciada com a posse de Ronald Reagan, em 1981, nomear para a Suprema Corte Ministros que pudessem reverter decisões judiciais consideradas progressistas, em temas como ações afirmativas, aborto e direitos dos acusados em processos criminais.[87] Inúmeras pesquisas, no Brasil[88] e nos Estados Unidos,[89] confirmam que as preferências políticas dos juízes constituem uma das variáveis mais relevantes para as decisões judiciais,

---

[84] Foi o que ocorreu, por exemplo, em ação direta de inconstitucionalidade em que se questionava lei que, supostamente, impediria o reconhecimento das uniões estáveis homoafetivas como entidade familiar. O Ministro Relator, claramente contrariado, viu-se na contingência de extinguir a ação, pois a superveniência do novo Código Civil revogou a lei impugnada (STF, *DJ* 9 fev. 2006, ADI nº 3.300 MC/DF, Rel. Min. Celso de Mello, decisão monocrática). O mesmo se passou em *habeas corpus* no qual se discutia a legitimidade da interrupção da gestação na hipótese de feto anencefálico. O Relator chegou a divulgar o seu voto favorável ao direito de escolha da mulher, mas a ocorrência do parto, seguido do óbito, anteriormente ao julgamento, impediu a sua realização (STF, *DJ* 25 jun. 2004, HC nº 84.025-6/RJ, Rel. Min. Joaquim Barbosa).

[85] A referência é ao saudoso Ministro Carlos Alberto Menezes Direito, falecido em setembro de 2009.

[86] Na Adin nº 3.510, na qual se questionou a constitucionalidade do dispositivo legal que autorizava as pesquisas, a Conferência Nacional dos Bispos do Brasil, representada pelo Professor Ives Gandra da Silva Martins, foi admitida como *amicus curiae* e pediu a procedência da ação.

[87] Robert Post e Reva Siegel,. Roe rage: democratic constitutionalism and backlash, *Harvard Civil Rigts-Civil Liberties Law Review* 42:373, 2007, p. 9: "É bem documentado que o Departamento de Justiça, durante o Governo Reagan, de maneira pré-ordenada e bem-sucedida utilizou as nomeações de juízes para alterar as práticas então predominantes em termos de interpretação constitucional".

[88] Alexandre Garrido da Silva, Minimalismo, democracia e *expertise*: o Supremo Tribunal Federal diante de questões políticas e científicas complexas, *Revista de Direito do Estado 12*:107, 2008.

[89] Theodore W. Ruger, Pauline T. Kim, Andrew D. Martin e Kevin M. Quinn, The Supreme Court Forecasting Project: legal and political science approaches to predicting Supreme Courte decision making, *Columbia Law Review 104*:1150, 2004.

notadamente nos casos difíceis. É de se registrar que o processo psicológico que conduz a uma decisão pode ser consciente ou inconsciente.[90]

Note-se que no Brasil, ao contrário dos Estados Unidos, o carimbo político é menos relevante ou, no mínimo, menos visível, na medida em que a maior parte dos cargos no Judiciário é preenchida mediante concurso público e promoções internas.[91] Mas não é este o caso das nomeações para o Supremo Tribunal Federal, em que os parâmetros constitucionais são vagos – reputação ilibada e notável saber jurídico – e a escolha pessoal do Presidente é o fator mais importante, sem embargo da aprovação pelo Senado Federal. Na literatura norte-americana, tem sido destacada a importância do gênero e da raça na determinação de certos padrões decisórios do juiz. No caso brasileiro, em tribunais superiores, em geral, e no STF, em particular, a origem profissional do Ministro imprime características perceptíveis na sua atuação judicial: Ministros que vêm da Magistratura, do Ministério Público, da advocacia privada, da advocacia pública ou da academia tendem a refletir, no exercício da jurisdição, a influência de experiências pretéritas.[92] Note-se, todavia, em desfecho do tópico, que eventuais preferências políticas do juiz são contidas não apenas por sua subordinação aos sentidos mínimos das normas constitucionais e legais, como também por fatores extrajudiciais, dentre os quais se podem destacar: a interação com outros atores políticos e institucionais, a perspectiva de cumprimento efetivo da decisão, as circunstâncias internas dos órgãos colegiados e a opinião pública.

2 Interação com outros atores políticos e institucionais

Como se vem enfatizando até aqui, decisões judiciais são influenciadas por fatores múltiplos. Tribunais não são guardiães de um direito

---

[90] Ao produzir uma decisão, o juiz atua dentro de um universo cognitivo próprio, que inclui sua formação moral e intelectual, suas experiências passadas, sua visão de mundo e suas crenças. Tais fatores podem levá-lo, inconscientemente, a desejar um resultado e procurar realizá-lo. Tal fenômeno é diverso do que se manifesta na vontade consciente e deliberada de produzir determinado resultado, ainda que não seja o que se considera juridicamente melhor, com o propósito de agradar a quem quer que seja ou para a satisfação de sentimento pessoal. Nessa segunda hipótese, como intuitivo, a conduta não será legítima. Sobre o ponto, v. Brian Z. Tamanaha, *Beyond the formalist-realist divide*: the role of politics in judging, 2010, p. 187-8.

[91] Nos EUA, os juízes federais são indicados pelo Presidente da República e aprovados pelo Senado. No plano estadual, muitos são eleitos e outros são nomeados.

[92] Um exemplo, colhido na composição atual do STF: Ministros que têm sua origem funcional no Ministério Público – como os Ministros Joaquim Barbosa e Ellen Gracie – têm uma visão mais rígida em matéria penal do que os que vêm da advocacia privada ou da academia, como Carlos Ayres Britto e Eros Grau.

que não sofre o influxo da realidade, das maiorias políticas e dos múltiplos atores de uma sociedade plural. Órgãos, entidades e pessoas que se mobilizam, atuam e reagem. Entre eles é possível mencionar, exemplificativamente, os Poderes Legislativo e Executivo, o Ministério Público, os Estados da Federação e entidades da sociedade civil. Todos eles se manifestam, nos autos ou fora deles, procurando fazer valer seus direitos, interesses e preferências. Atuam por meios formais e informais. E o Supremo Tribunal Federal, como a generalidade das cortes constitucionais, não vive fora do contexto político-institucional sobre o qual sua atuação repercute. Diante disso, o papel e as motivações da Corte sofrem a influência de fatores como, por exemplo: a preservação e, por vezes, a expansão de seu próprio poder; a interação com outros Poderes, instituições ou entes estatais; e as consequências práticas de seus julgados, inclusive e notadamente, a perspectiva de seu efetivo cumprimento.

2.1 Preservação ou expansão do poder da Corte

O primeiro impulso natural do poder é a autoconservação. É intuitivo, assim, que um tribunal, em suas relações com os outros atores políticos, institucionais ou sociais, procure demarcar e preservar seu espaço de atuação e sua autoridade, quer pelo acolhimento de reclamações,[93] quer pela reafirmação de sua jurisprudência. Alguns exemplos comprovam o argumento. Após haver cancelado a Súmula nº 394, excluindo do *foro privilegiado* os agentes públicos que deixassem o exercício da função,[94] o STF invalidou lei editada pelo Congresso Nacional que restabelecia a orientação anterior. O acórdão considerou haver usurpação de sua função de intérprete final da Constituição.[95] Em outro caso, o STF considerou inconstitucional dispositivo legal que impedia a progressão de regime em caso de crime hediondo.[96] Decisão

[93] A reclamação é o remédio jurídico previsto na Constituição e regulamentado pela Lei nº 8.038/90, pela Lei nº 11.417/06 e pelo Regimento Interno do Supremo Tribunal Federal, cujo objeto é a preservação da competência da Corte, a garantia da autoridade de suas decisões e a observância do entendimento consolidado em súmula vinculante (CF/88, arts. 102, I, *l*, e 103-A, §3º).

[94] Súmula nº 394: "Cometido o crime durante o exercício funcional, prevalece a competência especial por prerrogativa de função, ainda que o inquérito ou a ação penal sejam iniciados após a cessação daquele exercício". O cancelamento se deu em decisão proferida em 1999. V. STF, *DJ* 9 nov. 2001, QO no Inq 687/DF, Rel. Min. Sydney Sanches.

[95] STF, *DJ* 19 dez. 2006, ADIn nº 2.797, Rel. Min. Sepúlveda Pertence.

[96] STF, *DJ* 1 set. 2006, HC nº 82.959, Rel. Min. Marco Aurélio. Decisão constante do sítio do STF: http://www.stf.jus.br/portal/diarioJustica/verDiarioProcesso.asp?numDj=169&dataPublicacaoDj=01/09/2006&numProcesso=82959&siglaClasse=HC&codRecurso=0&tipoJulgamento=M&codCapitulo=5&numMateria=27&codMateria=1).

do juiz de direito de Rio Branco, no Acre, deixou de aplicar a nova orientação, sob o argumento de que a declaração de inconstitucionalidade fora incidental e não produzia efeitos vinculantes. A Corte reagiu, e não apenas desautorizou o pronunciamento específico do magistrado estadual, como deu início a uma discussão de mais largo alcance sobre a atribuição de efeitos vinculantes e *erga omnes* à sua decisão de inconstitucionalidade, mesmo que no controle incidental, retirando do Senado a atribuição de suspender a lei considerada inválida.[97] Um terceiro e último exemplo: após haver concedido *habeas corpus* a um banqueiro, preso temporariamente ao final de uma polêmica operação policial, o STF considerou afronta à Corte a decretação, horas depois, de nova prisão, dessa vez de natureza preventiva, ordenada pelo mesmo juiz, e concedeu um segundo *habeas corpus*.[98]

O segundo impulso natural do poder é a expansão.[99] No caso brasileiro, esse movimento de ampliação do Poder Judiciário, particularmente do Supremo Tribunal Federal, tem sido contemporâneo da retração do Legislativo, que passa por uma crise de funcionalidade e de representatividade. Nesse vácuo de poder, fruto da dificuldade de o Congresso Nacional formar maiorias consistentes e legislar, a corte suprema tem produzido decisões que podem ser reputadas ativistas, tal como identificado o fenômeno em tópico anterior.[100] Exemplos emblemá-

---

[97] STF, Rcl nº 4.335, Rel. Min. Gilmar Mendes. Em setembro de 2009, o processo se encontrava com vista para o Ministro Ricardo Lewandowski. Haviam votado favoravelmente ao caráter vinculante da decisão do STF, mesmo que em controle incidental de constitucionalidade, os Ministros Gilmar Mendes e Eros Grau. Divergiram, no particular, os Ministros Sepúlveda Pertence e Joaquim Barbosa.

[98] Med. Caut. no HC nº 95.009-4 – São Paulo, Rel. Min. Eros Grau. A decisão concessiva de ambos os *habeas corpus* foram do Presidente do Tribunal, Ministro Gilmar Mendes, em razão do recesso de julho.

[99] V. Tom Ginsburg, *Judicial review in new democracies*: constitutional courts in Asian cases, 2003. Em resenha sobre diferentes livros versando o tema da judicialização, Shannon Roesler, em Permutations of judicial Power: the new constitutionalism and the expansion of judicial authority, *Law and Social Inquiry 32*:557, assim descreveu a posição de Ginsburg: "Os juízes são atores estratégicos que buscam aumentar seu poder em vez de interpretar e aplicar normas de acordo com a intenção ou os interesses originais dos agentes eleitos que as elaboraram. (...) Uma das premissas dessa abordagem é que os juízes vão buscar aumentar o poder de um tribunal, mesmo que divirjam entre si quanto ao direito substantivo" (tradução livre, texto ligeiramente editado).

[100] Nesse sentido, v. também Fórum de Grupos de Pesquisa em direito Constitucional e Teoria do direito, *Anais do I Fórum de Grupos de Pesquisa em direito Constitucional e Teoria do direito*. Rio de Janeiro: Faculdade Nacional de direito, 2009, p. 54: "A hipótese assumida na investigação reconhece, por parte dos integrantes do Supremo Tribunal Federal, sim um 'ativismo', mas de caráter jurisdicional. Isto é, um procedimento, construído a partir das mais relevantes decisões, objetivando, precipuamente, não a concretização de direitos, mas o alargamento de sua competência institucional". Pesquisa "A judicialização da política e o ativismo judicial no Brasil", conduzida por Alexandre Garrido da Silva et. al.

ticos e sempre lembrados são os dos julgamentos da fidelidade partidária – em que o STF criou, por interpretação do princípio democrático, uma nova hipótese de perda de mandato parlamentar[101] – e do nepotismo, em que a Corte, com base na interpretação dos princípios constitucionais da moralidade e da impessoalidade, estabeleceu a vedação do nepotismo nos três Poderes.[102] Ações como as que tratam da legitimidade da interrupção da gestação em caso de feto anencefálico[103] e da extensão do regime da união estável às uniões homoafetivas[104] também envolvem uma atuação quase normativa do Supremo Tribunal Federal. Tudo sem mencionar a mudança jurisprudencial em tema de mandado de injunção[105] e o progressivo questionamento que se vem fazendo, no âmbito da própria Corte, acerca da jurisprudência tradicional de que o STF somente possa funcionar como legislador negativo.[106]

Em 2009, o STF solucionou uma disputa constitucional – e de espaço político – entre a Ordem dos Advogados do Brasil (OAB) e o Superior Tribunal de Justiça (STJ), em favor da expansão do poder desse último. De fato, acórdão da 2ª Turma do STF, por diferença de um voto, legitimou decisão do STJ de devolver lista sêxtupla enviada pela OAB, sem motivação objetiva, sob o fundamento de que nenhum dos nomes obteve quórum para figurar na lista tríplice a ser encaminhada ao Presidente da República.[107] A decisão, de certa forma, está em desacordo com precedente do próprio STF[108] e esvazia a competência do órgão de representação dos advogados, cuja lista, doravante, estará

---

[101] STF *DJ* 17 out. 2008, MS nº 26602/DF, Rel. Min. Eros Grau; *DJ* 19 dez. 2008, MS nº 26603/DF, Rel. Min. Celso de Mello; e *DJ* 3 out. 2008, MS nº 26604/DF, Rel. Min. Cármen Lúcia.

[102] STF, *DJ* 18 dez. 2009, ADC nº 12, Rel. Min. Carlos Britto; e *DJ* 24 out. 2009. RE nº 579.951/RN, Rel. Min. Ricardo Lewandowski.

[103] STF, ADPF nº 54, Rel. Min. Marco Aurélio.

[104] STF, ADPF nº 132, Rel. Min. Carlos Britto.

[105] STF, *DJ* 6 nov. 2007, MI nº 670, Rel. Min. Maurício Corrêa; *DJ* 31 out. 2008, MI nº 708, Rel. Min. Gilmar Mendes; *DJ* 31 out. 2008, MI nº 712, Rel. Min. Eros Grau.

[106] V. voto do Min. Gilmar Mendes em STF, ADIn nº 3.510, Rel. Min. Carlos Britto: "Portanto, é possível antever que o Supremo Tribunal Federal acabe por se livrar do vetusto dogma do legislador negativo e se alie à mais progressiva linha jurisprudencial das decisões interpretativas com eficácia aditiva, já adotadas pelas principais Cortes Constitucionais européias. A assunção de uma atuação criativa pelo Tribunal poderá ser determinante para a solução de antigos problemas relacionados à inconstitucionalidade por omissão, que muitas vezes causa entraves para a efetivação de direitos e garantias fundamentais assegurados pelo texto constitucional".

[107] Decisão do STJ: *DJ* 22 out. 2008, MS nº 13532-DF, Rel. Min. Paulo Gallotti. Decisão do STF: *DJ* 4 dez. 2009, RMS nº 27920-DF, Rel. Min. Eros Grau.

[108] STF, *DJ* 19 dez. 2006, MS 25624/DF, Rel. Min. Sepúlveda Pertence

sujeita a ingerência do STJ. A matéria não chegou ao Plenário do STF, onde o resultado, possivelmente, teria sido diverso.

2.2 Relações com outros Poderes, órgãos e entidades estatais

As manifestações processuais e extraprocessuais de outros Poderes, órgãos e entidades estatais são elementos relevantes do contexto institucional em que produzidas as decisões judiciais, especialmente do Supremo Tribunal Federal. Em tema de ações diretas de inconstitucionalidade, as ações movidas pelo Procurador-Geral da República têm o maior índice de acolhimento entre todos os legitimados.[109] O parecer da Procuradoria-Geral da República – isto é, seu pronunciamento nos casos em que não é parte – é visto como expressão do interesse público primário que deve ser preservado na questão. A despeito da ausência de pesquisas empíricas, é possível intuir que um percentual muito significativo das decisões do STF acompanha a manifestação do Ministério Público Federal.[110] Já a atuação da Advocacia-Geral da União expressará o interesse ou o ponto de vista do Poder Executivo, especialmente do Presidente da República. Em questões que envolvem a Fazenda Pública, estudos empíricos certamente demonstrariam uma atuação favorável ao erário, revelada emblematicamente em questões de vulto, como as relativas ao FGTS, à Cofins ou ao IPI alíquota zero, por exemplo.[111] Em todas elas, a Corte alterou ou a sua própria jurisprudência ou a do Superior Tribunal de Justiça, dando ganho de causa à União.[112] A cultura

---

[109] V. Luiz Werneck Vianna, Marcelo Baumann Burgos e Paula Martins Salles, Dezessete anos de judicialização da política, *Tempo Social 19*:38, p. 43, 48 e 79, de onde se colheram os dados a seguir. Entre 1988 e 2005, foram ajuizadas 1.713 Adins. Destas, 810 foram ajuizadas pelo PGR (22,2% do total). De acordo com a pesquisa, o PGR "teve nada menos que 68,5% das liminares de Adins julgadas deferidas ou parcialmente deferidas". No mesmo sentido, Ernani Carvalho, Judicialização da política no Brasil: controlo de constitucionalidade e racionalidade política, *Análise Social 44*:315, p. 327.

[110] Recente pesquisa empreendida pelo autor revelou que em cem pedidos de extradição, apenas três resultaram em decisões que não acompanharam a manifestação do Ministério Público.

[111] V., a propósito, Fábio Martins de Andrade, O argumento pragmático ou consequencialista de cunho econômico e a modulação temporal dos efeitos das decisões do Supremo Tribunal Federal em matéria tributária, mimeografado, 2010. Tese de doutorado submetida ao Programa de Pós-Graduação em Direito Público da Universidade do Estado do Rio de Janeiro – UERJ.

[112] No caso do FGTS, deixou de considerar o tema do direito adquirido como infraconstitucional. No da Cofins, mudou a orientação sumulada pelo STJ, mesmo depois de haver recusado conhecimento a diversos recursos extraordinários na matéria, e sequer modulou os efeitos, como seria próprio em razão da alteração da jurisprudência. No IPI alíquota zero, considerou que uma decisão do Plenário por 9 a 1, decisão de uma das turmas e mais de 5 dezenas

política dominante ainda considera aceitável que Ministros de Estado visitem pessoalmente os Ministros do Supremo Tribunal Federal, por vezes após iniciados os julgamentos, para pedirem decisões favoráveis ao ponto de vista em que têm interesse.[113]

Também o Congresso Nacional apresenta defesa em processos nos quais seja parte e, especialmente, em ações diretas contra leis federais. Sendo a ação direta de inconstitucionalidade contra lei estadual, também participam do processo a Assembleia Legislativa e o Governador do Estado. Note-se que o peso político do Estado pode fazer diferença em relação à deferência para com a legislação estadual. Por exemplo: após inúmeras decisões considerando inconstitucionais leis estaduais que proibiam o uso do amianto, o STF deixou de conceder medida cautelar para suspender lei do Estado de São Paulo que dispunha no mesmo sentido, revisitando tema que se encontrava já pacificado na Corte.[114]

3 Perspectiva de cumprimento efetivo da decisão

Tribunais, como os titulares de poder em geral, não gostam de correr o risco de que suas decisões não sejam efetivamente cumpridas. E, portanto, esta é uma avaliação ordinariamente feita por órgãos judiciais, ainda que não seja explicitada. Tribunais não têm tropas nem a chave do cofre.[115] Em muitas situações, precisarão do Executivo, do Congresso ou mesmo da aceitação social para que suas deliberações sejam cumpridas. Há exemplos, em diferentes partes do mundo, de decisões que não se tornaram efetivas. Na Itália, aliás, o primeiro Presidente do Tribunal

---

de decisões monocráticas não firmavam jurisprudência. Em seguida, mudou a orientação, igualmente sem modular efeitos.

[113] V. Blog do Noblat, 6 ago. 2009: "O ministro das Comunicações, Helio Costa, empenhou-se na defesa dos interesses econômicos da ECT. Na terça-feira, após classificar de desastre a eventual abertura do mercado de cartas comerciais à iniciativa privada, ele foi ao STF para conversar a portas fechadas com Ayres Brito e Gilmar Mendes, presidente da Corte". In: http://oglobo.globo.com/pais/noblat/posts/2009/08/06/decisao-do-stf-mantem-monopolio-dos-correios-211690.asp.

[114] STF, *Inf. STF nº 477 e 509*, ADI nº 3937 MC/SP, Rel. Min. Marco Aurélio. O relator votou na linha do entendimento tradicional, expresso em decisões como as das ADIs nºs. 2656/SP e 2396/MS. Mas o Min. Eros Grau deu início à dissidência, suscitando a inconstitucionalidade da própria lei federal que cuida da matéria.

[115] Shannon Roesler, Permutations of judicial Power: the new constitutionalism and the expansion of judicial authority, *Law and Social Inquiry 32*:557: "(...) [T]ribunais não possuem as garantias convencionais do poder, vale dizer, dinheiro e poder militar". Por isso mesmo, Alexander Hamilton se referiu ao Judiciário como "the least dangerous branch" (o poder menos perigoso), no Federalista nº 78. V. Barry Friedman, The politics of judicial review, *Texas Law Review 84*:257, 2005, p. 260.

Constitucional renunciou precisamente por essa razão.[116] Na Alemanha, a decisão no célebre caso do crucifixo foi generalizadamente desrespeitada.[117] Nos Estados Unidos, a dessegregação imposta por *Brown v. Board of Education*, em decisão de 1954, levou mais de uma década para começar a ser efetivamente cumprida.[118] A decisão no caso *Chada* foi ignorada pelo Congresso.[119] No Brasil, há precedentes em que o STF fixou prazo para a atuação do legislador, sem que tivesse sido obedecido.[120] Em tema de intervenção federal, a despeito do manifesto descumprimento por Estados da Federação do dever constitucional de pagar precatórios, a Corte igualmente optou por linha jurisprudencial que não desmoralizasse suas decisões, diante das dificuldades financeiras dos entes estatais.[121] Outro exemplo emblemático, nesse domínio, foi a decisão proferida em 1955, quando da tentativa do Vice-Presidente Café Filho de retornar à presidência.[122]

---

[116] Criada pela Constituição de 1948, a instalação efetiva da Corte Constitucional somente se deu oito anos depois, em 1956. Pouco tempo após, seu Presidente, Enrico de Nicola, renunciou ao cargo, indignado com a recalcitrância do governo democrata-cristão em dar cumprimento às decisões do tribunal. V. Revista *Time*, 1º out. 1956, "Italy: effective resignation". In: http://www.time.com/time/magazine/article/0,9171,862380,00.html, acesso em 23 jan. 2010. V. tb. Georg Vanberg, *The politics of constitutional review in Germany*. Cambridge University Press, Cambridge, 2005, p. 7.

[117] A decisão declarou inconstitucional uma lei da Bavária que previa a exibição de crucifixos nas salas de aula das escolas públicas de ensino fundamental. V. *BVerfGE 93*, I. Sob protestos e manifestações que mobilizaram milhares de pessoas, os crucifixos terminaram não sendo efetivamente retirados. V. Georg Vanberg, *The politics of constitutional review in Germany*, 2005, p. 2-4.

[118] V. Robert J. Cottrol, Raymond T. Diamond e Leland B. Ware, *Brown v. Board of Education*: case, culture, and the constitution, 2003, p. 183.

[119] *INS v. Chadda*, 462 U.S. 919, 1983. Nessa decisão, a Suprema Corte considerou inconstitucional o chamado *legislative veto*, procedimento pelo qual uma das Casas do Congresso poderia suspender decisões de agências reguladoras que estivessem atuando por delegação legislativa. A Corte entendeu que a providência somente poderia ser tomada mediante lei, que inclui a manifestação das duas Casas e a possibilidade de veto pelo Presidente. Não obstante isso, inúmeras leis foram aprovadas, prevendo o veto legislativo por apenas uma das Casas do Congresso. V. Georg Vanberg, *The politics of constitutional review in Germany*. Cambridge University Press, Cambridge, 2005, p. 5 e s.

[120] V. STF, *DJ* 3 ago. 2007, Adin nº 2.240, Rel. Min. Eros Grau. No julgamento do Mandado de Injunção nº 725, o STF determinara que o Congresso Nacional, no prazo de 18 meses, editasse a lei complementar federal referida no §4º do art. 18 da Constituição, o que não aconteceu.

[121] O STF adotou a orientação de que somente autorizaria a intervenção federal o descumprimento doloso do dever de pagar precatórios. A omissão na inclusão das verbas correspondentes em orçamento e a falta de recursos são, assim, elementos suficientes para afastar a intervenção. Nesse sentido, v., por todos, STF, *DJ* 25 abr. 2008, IF nº 5050 AgR/SP, Relª Minª Ellen Gracie.

[122] Vice-presidente no segundo governo de Getúlio Vargas, Café Filho assumiu a presidência após o suicídio de Vargas, em 1954. Dela afastou-se, por motivo de saúde, tendo sido substituído por Carlos Luz. Após a eleição de Juscelino, em 1955, o Marechal Henrique Lott liderou um "contragolpe preventivo" para assegurar a posse do presidente eleito, destituindo Carlos Luz.

4 Circunstâncias internas dos órgãos colegiados

Inúmeros fatores extrajurídicos influenciam as decisões de um órgão colegiado.[123] No caso do Supremo Tribunal Federal, em particular, a primeira característica distintiva relevante é que o tribunal delibera em sessão pública. Na maior parte dos países, sem embargo da existência de uma audiência pública, de um *hearing*, com a intervenção dos advogados, o processo de discussão e decisão é interno, em conferência reservada, na qual participam apenas os ministros ou juízes. A deliberação pública é uma singularidade brasileira. A transmissão ao vivo dos julgamentos, por uma televisão oficial, constitui traço distintivo ainda mais original, talvez sem outro precedente pelo mundo afora.[124] Em parte como consequência desse modelo de votação pública, o sistema brasileiro segue um padrão agregativo e não propriamente deliberativo. Vale dizer: a decisão é produto da soma de votos individuais e não da construção argumentativa de pronunciamentos consensuais ou intermediários.[125] Isso não significa que não possam ocorrer mudanças de opinião durante os debates. Mas o modelo não é concebido como uma troca de impressões previamente à definição de uma posição final.

Quando Café Filho, já recuperado, tenta voltar à presidência por via de ação impetrada no STF, a Corte adia o julgamento até o fim do Estado de sítio, o que somente se daria por ocasião da posse de Juscelino, quando o mandado de segurança já estaria prejudicado. Interessante registro histórico é o do voto vencido do Ministro Nelson Hungria, que lavrou: "Contra uma insurreição pelas armas, coroada de êxito, somente valerá uma contra-insurreição com maior força. E esta, positivamente, não pode ser feita pelo Supremo Tribunal, posto que este não iria cometer a ingenuidade de, numa inócua declaração de princípios, expedir mandado para cessar a insurreição. (...) O impedimento do impetrante para assumir a Presidência da República, antes de ser declaração do Congresso, é imposição das forças insurreicionais do Exército, contra a qual não há remédio na farmacologia jurídica. Não conheço do pedido de segurança". V. Luís Roberto Barroso, *O direito constitucional e a efetividade de suas normas*, 2009, p. 29-30.

[123] Sobre o tema, v. José Carlos Barbosa Moreira, Notas sobre alguns fatores extrajurídicos no julgamento colegiado, *Caderno de Doutrina e Jurisprudência da Ematra XV*, v. 1, n. 3, 2005, p. 79 e s.

[124] A despeito de críticas e de um ou outro inconveniente que se pode apontar, a transmissão ao vivo deu visibilidade, transparência e legitimidade democrática à jurisdição constitucional exercida pelo Supremo Tribunal Federal no Brasil.

[125] Na Suprema Corte americana, coube a John Marshall a transformação do modelo agregativo ou *seriatim* para o modelo de discussão prévia, com vistas à produção de consenso. V. William E. Nelson, The province of the Judiciary, *John Marshall Law Review 37*:325, 2004, p. 345. V. tb. Barry Friedman, The politics of judicial review, *Texas Law Review 84*:257, 2005, p. 284: "No modelo agregativo, as decisões colegiadas simplesmente cumulam as visões dos membros do tribunal. No modelo deliberativo, os julgadores devem interagir de modo a que cada um considere os pontos de vista do outro, produzindo-se, dessa forma, melhores decisões".

Nada obstante isso, um colegiado nunca será a mera soma de vontades individuais, mesmo em um sistema como o brasileiro. Não é incomum um Ministro curvar-se à posição da maioria, ao ver seu ponto de vista derrotado. Por vezes, os julgadores poderão procurar, mediante concessões em relação à própria convicção, produzir um resultado de consenso.[126] Alinhamentos internos, em função da liderança intelectual ou pessoal de um Ministro, podem afetar posições. Por vezes, até mesmo um desentendimento pessoal poderá produzir impacto sobre a votação. Ainda quando possa ocorrer em qualquer tribunal do mundo, seria menos aceitável, eticamente, a troca de apoios em casos diversos: um Ministro acompanhando o outro em determinada votação, em troca de reciprocidade – em típica apropriação da linguagem político-partidária.[127] Também podem influenciar decisivamente o resultado de um julgamento o relator sorteado, a ordem de votação efetivamente seguida ou mesmo um pedido de vista. Por igual, o método de seleção de casos a serem conhecidos e a elaboração da própria pauta de julgamentos envolve escolhas políticas acerca da agenda da corte a cada tempo.[128]

5 A opinião pública

O poder de juízes e tribunais, como todo poder político em um Estado democrático, é representativo. Vale dizer: é exercido em nome do povo e deve contas à sociedade. Embora tal assertiva seja

---

[126] Com efeito, pesquisa realizada nos EUA concluiu que juízes federais atuando em colegiados de três membros são afetados pela forma como votam os colegas: se um juiz nomeado por Presidente republicano atua com dois nomeados por Presidente democrata, seus votos mostram padrões liberais, enquanto um juiz nomeado por um democrata vota em linha mais conservadora quando atua com dois nomeados por Presidente republicano. Em qualquer dos casos, os padrões tornam-se mais moderados se há, no órgão, juízes nomeados por Presidentes de partidos diversos. O resultado da pesquisa é relatado por Richard H. Thaler e Cass R. Sunstein, *Nudge*: improving decisions about health, wealth, and happiness, 2009, p. 55.

[127] Sobre comportamentos estratégicos no âmbito de órgãos colegiados, v. Evan H. Caminker, Sincere and strategic: voting norms on multimbember courts, *Michigan Law Review 97*:2297, 1999; Robert Post, The Supreme Court opinion as institutional practice: dissent, legal scholarship and decisiomaking in the Taft Court, *Minnesota Law Review 85*:1267, 2001; e V. Barry Friedman, The politics of judicial review, *Texas Law Review 84*:257, 2005, p. 287.

[128] A repercussão geral, introduzida pela Emenda Constitucional nº 45, de 2004, e regulamentada pela Lei nº 11.418, de 19.12.2006, produziu significativa redução do volume de processos julgados pelo STF. O número, todavia, ainda é muito superior ao máximo possível tolerável. A pauta das sessões plenárias é elaborada pelo presidente da Corte, que seleciona, com razoável grau de discrição, as prioridades. A própria ordem de inserção de um processo na pauta pode ter repercussão sobre o resultado do julgamento. José Carlos Barbosa Moreira, Notas sobre alguns fatores extrajurídicos no julgamento colegiado, *Caderno de Doutrina e Jurisprudência da Ematra XV*, v. 1, n. 3, 2005, p. 82.

razoavelmente óbvia, do ponto de vista da teoria democrática, a verdade é que a percepção concreta desse fenômeno é relativamente recente. O distanciamento em relação ao cidadão comum, à opinião pública e aos meios de comunicação fazia parte da autocompreensão do Judiciário e era tido como virtude.[129] O quadro, hoje, é totalmente diverso.[130] De fato, a legitimidade democrática do Judiciário, sobretudo quando interpreta a Constituição, está associada à sua capacidade de corresponder ao sentimento social. Cortes constitucionais, como os tribunais em geral, não podem prescindir do respeito, da adesão e da aceitação da sociedade. A autoridade para fazer valer a Constituição, como qualquer autoridade que não repouse na força, depende da confiança dos cidadãos. Se os tribunais interpretarem a Constituição em termos que divirjam significativamente do sentimento social, a sociedade encontrará mecanismos de transmitir suas objeções e, no limite, resistirá ao cumprimento da decisão.[131]

A relação entre órgãos judiciais e a opinião pública envolve complexidades e sutilezas. De um lado, a atuação dos tribunais, em geral – e no controle de constitucionalidade das leis, em particular –, é reconhecida, de longa data, como um mecanismo relevante de contenção das paixões passageiras da vontade popular. De outra parte, a ingerência do Judiciário, em linha oposta à das maiorias políticas, enfrenta, desde sempre, questionamentos quanto à sua legitimidade democrática. Nesse ambiente, é possível estabelecer uma correlação entre Judiciário e opinião pública e afirmar que, quando haja desencontro de posições, a tendência é no sentido de o Judiciário se alinhar ao sentimento social.[132] Três exemplos de decisões do Supremo Tribunal Federal, no Brasil, que representaram revisão de entendimentos anteriores que não correspondiam às demandas sociais: a limitação das hipóteses de foro por prerrogativa de função (cancelamento da Súmula nº 394); a proibição do nepotismo, conduta que por longo tempo foi social e juridicamente

---

[129] Sobre este ponto, v. Luís Roberto Barroso, A segurança jurídica na era da velocidade e do pragmatismo. In: *Temas de direito constitucional,* tomo I, 2002, p. 69 e s.

[130] Sobre o modo como os juízes veem a si mesmos e à sua função, v. pesquisa realizada em 2005 "Magistrados brasileiros: caracterização e opiniões", patrocinada pela Associação dos Magistrados Brasileiros, sob a coordenação de Maria Tereza Sadeck. In: http://www.amb.com.br/portal/docs/pesquisa/PesquisaAMB2005.pdf. Sobre a mudança de perfil da magistratura, pela incorporação das mulheres e de magistrados cuja origem está em família mais humildes, v. entrevista dada pela pesquisadora à revista eletrônica *Consultor Jurídico,* 8 fev. 2009.

[131] Robert Post e Reva Siegel, Roe rage: democratic constitutionalism and backlash, *Harvard Civil Rigts-Civil Liberties Law Review 42*:373, 2007, p. 373.

[132] Barry Friedman, The politics of judicial review, *Texas Law Review 84*:257, 2005, p. 321-2.

aceita; e a imposição de fidelidade partidária, penalizando o "troca-troca" de partidos após as eleições.[133] Nos Estados Unidos, a Suprema Corte, na década de 30, após se opor tenazmente às políticas sociais do *New Deal*, terminou por se alinhar com as iniciativas de Roosevelt, que tinham amplo apoio popular. Mais recentemente, passou-se o mesmo em relação à descriminalização das relações homossexuais.[134]

Todavia, existe nesse domínio uma fina sutileza. Embora deva ser transparente e prestar contas à sociedade, o Judiciário não pode ser escravo da opinião pública. Muitas vezes, a decisão correta e justa não é a mais popular. Nessas horas, juízes e tribunais não devem hesitar em desempenhar um papel contramajoritário. O populismo judicial é tão pernicioso à democracia como o populismo em geral. Em suma: no constitucionalismo democrático, o exercício do poder envolve a interação entre as cortes judiciais e o sentimento social, manifestado por via da opinião pública ou das instâncias representativas. A participação e o engajamento popular influenciam e legitimam as decisões judiciais, e é bom que seja assim.[135] Dentro de limites, naturalmente. O mérito de uma decisão judicial não deve ser aferido em pesquisa de opinião pública. Mas isso não diminui a importância de o Judiciário, no conjunto de sua atuação, ser compreendido, respeitado e acatado pela população. A opinião pública é *um* fator extrajurídico relevante no processo de tomada de decisões por juízes e tribunais.[136] Mas não

---

[133] Exemplo inverso, em que o STF não seguiu a opinião pública dominante, envolveu a questão da elegibilidade de candidatos que tivessem "ficha-suja", isto é, tivessem sofrido condenações judiciais, ainda que não transitadas em julgado. A Corte entendeu que só a lei complementar, prevista no §9º do art. 14 da Constituição, poderia instituir outros casos de inelegibilidade. *Inf. STF nº 514*, ADPF 144, Rel. Min. Celso de Mello.

[134] Em *Bowers v. Hardwick*, julgado em 1986, a Suprema Corte considerou constitucional lei estadual que criminalizava a sodomia. Em 2003, ao julgar *Lawrence v. Texas*, considerou inconstitucional tal criminalização. A Ministra Sandra O'Connor, que votou com a maioria nos dois casos – isto é, mudou de opinião de um caso para o outro –, observou em seu livro *The majesty of the law: reflections of a Supreme Court Justice*, 2003, p. 166: "Mudanças reais, quando chegam, derivam principalmente de mudanças de atitude na população em geral. É rara a vitória jurídica – no tribunal ou no legislativo – que não seja a conseqüência de um novo consenso social. Tribunais, em particular, são notadamente instituições reativas".

[135] V., a propósito, uma vez mais, o depoimento de Sandra O'Connor, Public trust as a dimension of equal justice: some suggestions to increase public trust, *The Supreme Court Review 36*:10, 1999, p. 13: "Nós não possuímos forças armadas para dar cumprimento a nossas decisões, nós dependemos da confiança do público na correção das nossas decisões. Por essa razão, devemos estar atentos à opinião e à atitude públicas em relação ao nosso sistema de justiça, e é por isso que precisamos tentar manter e construir esta confiança".

[136] Na sustentação oral, no julgamento da ADI nº 3.510-DF, este foi um dos pontos destacados: o fato de que as entidades da sociedade civil, maciçamente, e a opinião pública, em percentuais bastante elevados, apoiavam a legitimidade das pesquisas com células-tronco embrionárias. V. o vídeo em http://www.lrbarroso.com.br/pt/videos/celula_tronco_1.html.

é o único e, mais que isso, nem sempre é singela a tarefa de captá-la com fidelidade.[137]

IV A autonomia relativa do direito em relação à política e a fatores extrajudiciais

Na literatura jurídica norte-americana, os autores costumam identificar modelos diversos de comportamento judicial, dentre os quais se destacam o legalista, o ideológico e o estratégico.[138] O modelo legalista corresponde à concepção mais tradicional, próxima ao formalismo jurídico, crente na objetividade do direito e na neutralidade do intérprete. O modelo ideológico coloca ênfase nas preferências políticas pessoais do juiz como fator determinante das decisões judiciais. O modelo estratégico, por sua vez, leva em conta pretensões de juízes e tribunais de conservação e expansão de seu poder, conjugada com a preocupação de ver suas decisões cumpridas e, no limite, assegurar a própria sobrevivência. O presente trabalho desenvolveu-se sobre a crença de que nenhum dos três modelos prevalece em sua pureza: a vida real é feita da combinação dos três. Sem embargo das influências políticas e das opções estratégicas, o direito conservará sempre uma autonomia parcial.[139]

Ainda quando não possa oferecer todas as soluções pré-prontas em seus enunciados normativos, conceitos e precedentes, o direito

---

[137] A sintonia com a opinião pública envolve diversas nuances. Por vezes, grupos de pressão bem situados são capazes de induzir ou falsear a real vontade popular. De parte isso, a opinião pública, manipulada ou não, sofre variações, por vezes abruptas, em curto espaço de tempo. Será preciso, assim, distinguir, com as dificuldades previsíveis, entre clamor público, paixões do momento e opinião sedimentada. Ted Roosevelt, antigo presidente norte-americano, referiu-se à distinção entre "vontade popular permanente" e "opinião pública do momento. Sobre esse último ponto, v. Barry Friedman, *The will of the people*: how public opinion has influenced the Supreme Court and shaped the meaning of the Constitution, 2009, p. 382.

[138] V. Jeffrey A. Segal e Harold J. Spaeth, *The Supreme Court and the attitudinal model revisited*, 2002; Lee Epstein e Jack Knight, *The choices justices make*, 1998; Richard Posner, How judges think?,, 2008, p. 19-56, identifica "nove teorias de comportamento judicial": ideological, estratégica, organizacional, econômica, psicológica, sociológica, pragmática, fenomenológica e legalista. V. tb. Cass Sunstein, David Schkade, Lisa M. Ellman e Andres Sawicki, *Are judges political? An empirical analysis of the Federal Judiciary*, 2006; e Richard Posner, *How judges think*, 2008.

[139] Este é, também, o ponto de vista de Michael Dorf, em *No litmus test:* Law versus politics in the twentieth century, 2006, xix. O autor defende uma posição intermediária entre os extremos representados pelo realismo e pelo formalismo. Em suas palavras: "Os realistas prestam um serviço importante ao corrigirem a visão exageradamente mecânica que os formalistas têm do direito. Mas vão longe demais ao sugerirem que não há nada de especificamente *jurídico* na metodologia de decisão empregada pelos tribunais e outros atores jurídicos".

limita as possibilidades legítimas de solução. De fato, deverão elas caber nas alternativas de sentido e de propósitos dos textos, assim como harmonizar-se com o sistema jurídico como um todo. De parte isso, os argumentos utilizáveis em um processo judicial na construção de qualquer decisão precisam ser assimiláveis pelo direito, não somente por serem de razão pública, mas por seguirem a lógica jurídica, e não a de qualquer outro domínio.[140] Ademais, a racionalidade e a razoabilidade de qualquer decisão estarão sujeitas, no mínimo, à revisão por um segundo grau de jurisdição, assim como ao controle social, que hoje é feito em sítios jurídicos na *internet*, em fóruns de debates e, crescentemente, na imprensa geral. Vale dizer: a atuação judicial é limitada pelas possibilidades de solução oferecidas pelo ordenamento, pelo tipo de argumentação jurídica utilizável e pelo controle de razoabilidade e de racionalidade que restringem as influências extrajudiciais de natureza ideológica ou estratégica. Mas não as inibem inteiramente. Reconhecer isso não diminui o direito, mas antes permite que ele se relacione com a política de maneira transparente, e não escamoteada.

Conclusão
Entre a razão e a vontade

Examinando cada uma das partes em que se dividiu o presente trabalho, é possível enunciar, em proposições objetivas, três ideias básicas:

1 Um dos traços mais marcantes do constitucionalismo contemporâneo é a ascensão institucional do Poder Judiciário. Tal fenômeno se manifesta na amplitude da jurisdição constitucional, na judicialização de questões sociais, morais e políticas, bem como em algum grau de ativismo judicial. Nada obstante isso, deve-se cuidar para que juízes e tribunais não se transformem em uma instância hegemônica, comprometendo a legitimidade democrática de sua atuação, exorbitando de suas capacidades institucionais e limitando impropriamente o debate público. Quando não estejam em jogo os direitos fundamentais ou a preservação dos procedimentos democráticos, juízes e tribunais

---

[140] A lógica jurídica, como intuitivo, é diferente da econômica, da histórica ou da psicanalítica. Por exemplo: um juiz não poderá se recusar a aplicar uma regra que exacerbe a proteção do inquilino em um contrato de aluguel, sob o fundamento de que a teoria econômica já provou que o protecionismo produz efeito negativo sobre os interesses dos inquilinos em geral, por diminuir a oferta de imóveis e aumentar o preço da locação. Cabe-lhe aplicar a norma mesmo que discorde da lógica econômica subjacente a ela.

devem acatar as escolhas legítimas feitas pelo legislador, assim como ser deferentes com o exercício razoável de discricionariedade pelo administrador, abstendo-se de sobrepor a eles sua própria valoração política. Ademais, a jurisdição constitucional não deve suprimir nem oprimir a voz das ruas, o movimento social e os canais de expressão da sociedade. Nunca é demais lembrar que o poder emana do *povo*, não dos juízes.

2 Na concepção tradicional e idealizada, direito e política integram mundos apartados, que não devem se comunicar. Para realizar tal propósito, o Judiciário é dotado de garantias que visam a assegurar sua independência e os órgãos judiciais são vinculados ao direito posto. Vale dizer: limitar-se-iam a aplicar a Constituição e as leis, produtos da vontade do constituinte e do legislador, sem exercer vontade política própria nem atividade criativa. Essa pretensão de autonomia absoluta do direito em relação à política é impossível de se realizar. As soluções para os problemas nem sempre são encontradas prontas no ordenamento jurídico, precisando ser construídas argumentativamente por juízes e tribunais. Nesses casos – ao menos neles –, a experiência demonstra que os valores pessoais e a ideologia do intérprete desempenham, tenha ele consciência ou não, papel decisivo nas conclusões a que chega.

3 Embora não possa oferecer soluções pré-prontas em muitas situações, o direito limita as possibilidades legítimas de solução que podem ser construídas pelos intérpretes judiciais. Com isso, contém-se parcialmente o exercício de escolhas voluntaristas e arbitrárias. De parte isso, inúmeros outros fatores influenciam a atuação de juízes e tribunais, como a interação com outros atores políticos e institucionais, preocupações com o cumprimento das decisões judiciais, circunstâncias internas dos órgãos colegiados e a opinião pública, dentre outros. Em suma: o direito pode e deve ter uma vigorosa pretensão de autonomia em relação à política. Isso é essencial para a subsistência do conceito de Estado de direito e para a confiança da sociedade nas instituições judiciais. Essa autonomia, todavia, será sempre relativa. Reconhecer este fato não envolve qualquer capitulação, mas antes dá transparência a uma relação complexa, na qual não pode haver hegemonia nem de um nem de outro. A razão pública e a vontade popular – o direito e a política, se possível com maiúscula – são os dois polos do eixo em torno do qual o constitucionalismo democrático executa seu movimento de rotação. Dependendo do ponto de observação de cada um, às vezes será noite, às vezes será dia.

CAPÍTULO II

A RAZÃO SEM VOTO: O SUPREMO TRIBUNAL FEDERAL E O GOVERNO DA MAIORIA

I Introdução

A história é um carro alegre,
cheio de um povo contente
Que atropela indiferente
Todo aquele que a negue.
(Chico Buarque)

Dois professores debatiam acerca do papel do Poder Judiciário e das cortes supremas nas democracias, em uma das mais renomadas universidades do mundo. Ambos eram progressistas e tinham compromissos com o avanço social. O primeiro achava que só o Legislativo poderia consagrar direitos e conquistas. O segundo achava que o Legislativo deveria ter preferência em atuar. Mas se não agisse, a atribuição se transferia para o Judiciário. Eis o diálogo entre ambos:

– Professor 1: "A longo prazo as pessoas, por meio do Poder Legislativo, farão as escolhas certas, assegurando os direitos fundamentais de todos, aí incluídos o direito de uma mulher interromper a gestação que não deseja ou de casais homossexuais poderem expressar livremente o seu amor. É só uma questão de esperar a hora certa".

– Professor 2: "E, até lá, o que se deve dizer a dois parceiros do mesmo sexo que desejam viver o seu afeto e seu projeto de vida em comum agora? Ou à mulher que deseja interromper uma gestação inviável que lhe causa grande sofrimento? Ou a um pai negro que deseja que seu filho tenha acesso a uma educação que ele nunca pôde ter? Desculpe, a história está um pouco atrasada; volte daqui a uma ou duas gerações?".[1]

O texto que se segue lida, precisamente, com essa dualidade de perspectivas. Nele se explora o tema do papel representativo das cortes supremas, sua função iluminista e as situações em que elas podem, legitimamente, *empurrar a história*. Para construir o argumento, são analisados os processos históricos que levaram à ascensão do Poder Judiciário no mundo e no Brasil, o fenômeno da indeterminação do direito e da discricionariedade judicial, bem como a extrapolação da função puramente contramajoritária das cortes constitucionais. A conclusão é bastante simples e facilmente demonstrável, apesar de contrariar em alguma medida o conhecimento convencional: em alguns cenários, em razão das múltiplas circunstâncias que paralisam o processo político majoritário, cabe ao Supremo Tribunal Federal assegurar o governo da maioria e a igual dignidade de todos os cidadãos.

A premissa subjacente a esse raciocínio tampouco é difícil de se enunciar: a política majoritária, conduzida por representantes eleitos, é um componente vital para a democracia. Mas a democracia é muito mais do que a mera expressão numérica de uma maior quantidade de votos. Para além desse aspecto puramente formal, ela possui uma dimensão substantiva, que abrange a preservação de valores e direitos fundamentais. A essas duas dimensões – formal e substantiva – soma-se, ainda, uma dimensão deliberativa, feita de debate público, argumentos e persuasão. A democracia contemporânea, portanto, exige votos, direitos e razões. Esse é o tema do presente ensaio.

---

[1] O debate foi na Universidade de Harvard entre o Professor Mark Tushnet e o autor desse texto, realizado em 7 nov. 2011. Intitulado *Politics and the Judiciary*, encontra-se disponível em vídeo em https://www.youtube.com/watch?v=giC_vOBn-bc. Sobre o tema, v., de autoria de Mark Tushnet, *Taking the constitution away from the courts*, 1999; e *Weak courts, strong rights:* judicial review and social welfare rights in comparative constitutional law, 2008. De autoria de Luís Roberto Barroso, v. Constituição, democracia e supremacia judicial: direito e política no Brasil contemporâneo, in *O novo direito constitucional brasileiro:* contribuições para a construção teórica e prática da jurisdição constitucional no Brasil, 2012.

Parte I
A evolução da teoria constitucional no Brasil e a ascensão do Poder Judiciário

I O direito constitucional na ditadura: entre a teoria crítica e o constitucionalismo chapa branca[2]

O regime militar se estendeu de 1º de abril de 1964, com o início do golpe que destituiria o Presidente João Goulart do poder, até 15 de março de 1985, quando o General João Baptista Figueiredo saiu pela porta dos fundos do Palácio do Planalto, recusando-se a passar a faixa presidencial a seu sucessor. Foram pouco mais de vinte anos de regime de exceção, com fases de maior ou menor repressão política, que incluíram censura, prisões ilegais, tortura e mortes. Vigoraram no período as Constituições de 1946 e de 1967, assim como a Emenda Constitucional nº 1, de 1969, considerada uma nova Constituição do ponto de vista material. Simultaneamente à ordem constitucional, já por si autoritária, foram editados diversos atos institucionais, que criavam a legalidade paralela dos governos militares, cujo símbolo maior foi o Ato Institucional nº 5, de 15.12.1968. Com base nele, era facultado ao Presidente, ao lado de outras arbitrariedades, decretar o recesso do Congresso Nacional, cassar mandatos parlamentares, suspender direitos políticos e aposentar compulsoriamente servidores públicos.[3]

Ao longo desse período, a teoria e o direito constitucional oscilaram entre dois extremos, ambos destituídos de normatividade. De um lado, o pensamento constitucional tradicional, capturado pela ditadura, acomodava-se a uma perspectiva historicista, puramente descritiva das instituições vigentes, incapaz de reagir ao poder autoritário

---

2 A expressão "constitucionalismo chapa-branca" foi utilizada por Carlos Ari Sundfeld em outro contexto e com outro sentido, referindo-se ao excesso de proteção dado pela Constituição de 1988 "às posições de poder de corporações e organismos estatais ou paraestatais". V. Carlos Ari Sundfeld, O fenômeno constitucional e suas três forças, *in* Cláudio Pereira de Souza Neto, Daniel Sarmento e Gustavo Binenbojm, *Vinte anos da Constituição Federal de 1988*, 2008, p. 14-15.

3 Para um rico e documentado relato do período militar, indo da deposição de João Goulart ao final do governo de Ernesto Geisel, v. os quatro volumes escritos por Elio Gaspari: *A ditadura envergonhada*, 2002; *A ditadura escancarada*, 2002; *A ditadura derrotada*, 2003; e *A ditadura encurralada*, 2004. Sobre o processo de redemocratização, v. a obra coletiva Alfred Stepan (org.), *Democratizando o Brasil*, 1985, com textos de autores que viriam a ter papel relevante após a redemocratização, como Fernando Henrique Cardoso, Edmar Bacha, Pedro Malan e Francisco Weffort.

e ao silêncio forçado das ruas.[4] De outro lado, parte da academia e da juventude havia migrado para a teoria crítica do direito, um misto de ciência política e sociologismo jurídico, de forte influência marxista.[5] A teoria crítica enfatizava o caráter ideológico da ordem jurídica, vista como uma superestrutura voltada para a dominação de classe, e denunciava a natureza violenta e ilegítima do poder militar no Brasil. O discurso crítico, como intuitivo, fundava-se em um propósito de *desconstrução* do sistema vigente, e não considerava o direito um espaço capaz de promover o avanço social. Disso resultou que o mundo jurídico tornou-se um feudo do pensamento conservador ou, no mínimo, tradicional. Porém, a visão crítica foi decisiva para o surgimento de uma geração menos dogmática, mais permeável a outros conhecimentos teóricos e sem os mesmos compromissos com o *status quo*. A redemocratização e a reconstitucionalização do país, no final da década de 80, impulsionaram uma volta ao direito.

II A construção de um direito constitucional democrático: a busca pela efetividade da Constituição e de suas normas

Na antevéspera da convocação da constituinte de 1988, era possível identificar um dos fatores crônicos do fracasso na realização do Estado de direito no país: a falta de seriedade em relação à lei fundamental, a indiferença para com a distância entre o texto e a realidade, entre o ser e o dever-ser previsto na norma. Dois exemplos emblemáticos: a Carta de 1824 estabelecia que "a lei será igual para todos", dispositivo que conviveu, sem que se assinalassem perplexidade ou constrangimento, com os privilégios da nobreza, o voto censitário e o regime escravocrata. Outro: a Carta de 1969, outorgada pelos Ministros da Marinha de Guerra, do Exército e da Aeronáutica Militar, assegurava um amplo elenco de liberdades públicas inexistentes e prometia aos trabalhadores um pitoresco conjunto de direitos sociais não desfrutáveis, que incluíam "colônias de férias e clínicas de repouso".[6] Além

---

[4] V., *e.g.*, Afonso Arinos de Melo Franco, *Curso de direito constitucional*, 1968; e Paulino Jacques, *Curso de direito constitucional*, 1970.

[5] V., *e.g.*, Luiz Alberto Warat, A produção crítica do saber jurídico, in Carlos Alberto Plastino (org.), *Crítica do direito e do Estado*, 1984; Luiz Fernando Coelho, *Teoria crítica do direito*, 1991 (a 1a ed. é de 1986); e Plauto Faraco de Azevedo, *Crítica à dogmática e hermenêutica jurídica*, 1989. V. tb., Michel Miaille, *Introdução crítica ao direito*, 1989 (a 1 ed. é de 1979).

[6] Sobre o tema, v. o trabalho marcante de Celso Antônio Bandeira de Mello, *Eficácia das normas constitucionais sobre justiça social*, tese apresentada à IX Conferência Nacional da OAB, 1982. Autores precursores no domínio da eficácia das normas constitucionais foram J. H.

das complexidades e sutilezas inerentes à concretização de qualquer ordem jurídica, havia no país uma patologia persistente, representada pela insinceridade constitucional. A Constituição, nesse contexto, tornava-se uma mistificação, um instrumento de dominação ideológica,[7] repleta de promessas que não seriam honradas. Nela se buscava, não o caminho, mas o desvio; não a verdade, mas o disfarce.[8]

A disfunção mais grave do constitucionalismo brasileiro, naquele final de regime militar, encontrava-se na não aquiescência ao sentido mais profundo e consequente da lei maior por parte dos estamentos perenemente dominantes, que sempre construíram uma realidade própria de poder, refratária a uma real democratização da sociedade e do Estado. Com a promulgação da Constituição de 1988, teve início a luta teórica e judicial pela conquista de efetividade pelas normas constitucionais.[9] Os primeiros anos de vigência da Constituição de 1988 envolveram o esforço da teoria constitucional para que o Judiciário assumisse o seu papel e desse concretização efetiva aos princípios, regras e direitos inscritos na Constituição. Pode parecer óbvio hoje, mas o Judiciário, mesmo o Supremo Tribunal Federal, relutava em aceitar esse papel.[10] No início dos anos 2000, essa disfunção foi sendo progressivamente superada e o STF foi se tornando, verdadeiramente, um intérprete da Constituição. A partir daí, houve demanda por maior sofisticação teórica na interpretação constitucional, superadora da visão tradicional de que se tratava apenas de mais um caso de interpretação jurídica, a ser feita com base nos elementos gramatical, histórico, sistemático e teleológico.

Meirelles Teixeira, *Curso de direito constitucional*, 1991 (o texto é o de anotações de aulas do início da década de 60, organizado por Maria Garcia); e José Afonso da Silva, *Aplicabilidade das normas constitucionais*, 1998 (a 1ª edição é de 1968).

7 Eros Roberto Grau, *A constituinte e a Constituição que teremos*, 1985, p. 44.

8 Sobre o tema da falta de efetividade, v. Luís Roberto Barroso, *O direito constitucional e a efetividade de suas normas*, 2009 (a 1a ed. é de 1990).

9 Nessa linha, v. Clèmerson Merlin Clève, A teoria constitucional e o direito alternativo (para uma dogmática constitucional emancipatória), *in Uma vida dedicada ao direito:* homenagem a Carlos Henrique de Carvalho, 1995.

10 De fato, no início da vigência da Constituição de 1988, o STF – cujos integrantes deviam o seu título de investidura ao regime militar –, empenhou-se em uma interpretação retrospectiva da nova ordem constitucional, fazendo-a ficar tão parecida quanto possível com a anterior. Nessa linha, tornou a figura da medida provisória quase idêntica ao velho decreto-lei; frustrou as potencialidades do mandado de injunção, que só foi ressuscitado na segunda metade dos anos 2000; e criou um conjunto de restrições ao direito de propositura de ações diretas pelas entidades de classe de âmbito nacional e confederações sindicais. Sobre o tema, v. a densa tese de doutorado apresentada à Universidade de Yale por Diego Werneck Arguelhes, *Old courts, new beginnings:* judicial continuity and constitutional transformation in Argentina and Brazil, mimeografado, 2014, p. 110-128.

Foi o início da superação do positivismo normativista e de sua crença de que a decisão judicial é um ato de escolha política.[11]

III Neoconstitucionalismo, constitucionalização do direito e a ascensão do Judiciário

A mente que se abre a uma nova ideia jamais voltará ao seu tamanho original.
(Albert Einstein)

Ao final da Segunda Guerra Mundial, países da Europa continental passaram por um importante redesenho institucional, com repercussões de curto, médio e longo prazo sobre o mundo romano-germânico em geral. O direito constitucional saiu do conflito inteiramente reconfigurado, tanto quanto o seu objeto (novas constituições foram promulgadas), no tocante ao seu papel (centralidade da Constituição em lugar da lei), como, ainda, com relação aos meios e modos de interpretar e aplicar as suas normas (surgimento da nova hermenêutica constitucional). Ao lado dessas transformações dogmáticas, ocorreu igualmente uma notável mudança institucional, representada pela criação de tribunais constitucionais e uma progressiva ascensão do Poder Judiciário. No lugar do Estado legislativo de direito, que se consolidara no século XIX, surge o Estado constitucional de direito, com todas as suas implicações.[12] Esse novo modelo tem sido identificado como constitucionalismo do pós-guerra, novo direito constitucional ou neoconstitucionalismo.[13]

O neoconstitucionalismo identifica uma série de transformações ocorridas no Estado e no direito constitucional, nas últimas décadas, que tem (i) como marco *filosófico* o pós-positivismo, que será objeto de comentário adiante; (ii) como marco *histórico*, a formação do Estado constitucional de direito, após a 2ª Guerra Mundial, e, no caso brasileiro,

---

[11] Sobre o surgimento de uma nova interpretação constitucional, v. Luís Roberto Barroso, *Intepretação e aplicação da Constituição*, 2014 (a 1ª ed. é de 1995).

[12] Sobre o tema, v. Luigi Ferrajoli, Pasado y futuro del Estado de derecho. In: Miguel Carbonell (org.), *Neoconstitucionalismo(s)*, 2003.

[13] Para duas coletâneas importantes sobre o tema, em língua espanhola, v. Miguel Carbonell, *Neoconstitucionalismo(s)*, 2003, e *Teoría del neoconstitucionalismo:* ensayos escogidos, 2007. Para uma valiosa coletânea de textos em português, v. Regina Quaresma, Maria Lúcia de Paula Oliveira e Farlei Martins Riccio de Oliveira, *Neoconstitucionalismo*, 2009. As ideias desenvolvidas nos dois parágrafos seguintes foram sistematizadas, originariamente, em Luís Roberto Barroso, Neoconstitucionalismo e constitucionalização do Direito, *Revista de Direito Administrativo 240:*1, 2005.

a redemocratização institucionalizada pela Constituição de 1988; e (iii) como marco *teórico*, o conjunto de novas percepções e de novas práticas, que incluem o reconhecimento de força normativa à Constituição (inclusive, e sobretudo, aos princípios constitucionais), a expansão da jurisdição constitucional e o desenvolvimento de uma nova dogmática da interpretação constitucional, envolvendo novas categorias, como os princípios, as colisões de direitos fundamentais, a ponderação e a argumentação. O termo neoconstitucionalismo, portanto, tem um caráter *descritivo* de uma nova realidade. Mas conserva, também, uma dimensão *normativa*, isto é, há um endosso a essas transformações. Trata-se, assim, não apenas de uma forma de descrever o direito atual, mas também de desejá-lo. Um direito que deixa a sua zona de conforto tradicional, que é o da conservação de conquistas políticas relevantes, e passa a ter, também, uma função promocional, constituindo-se em instrumento de avanço social. Tão intenso foi o ímpeto das transformações, que tem sido necessário reavivar as virtudes da moderação e da mediania, em busca de equilíbrio entre valores tradicionais e novas concepções.[14]

A constitucionalização do Direito, por sua vez, está associada a um efeito expansivo das normas constitucionais, cujo conteúdo material e axiológico se irradia, com força normativa, por todo o sistema jurídico. Os valores, fins públicos e os comportamentos contemplados nos princípios e regras da Constituição passam a condicionar a validade e o sentido de todas as normas do direito infraconstitucional. Nesse ambiente, a Constituição passa a ser não apenas um sistema em si – com sua ordem, unidade e harmonia –, mas também um modo de olhar e interpretar todos os ramos do Direito. A constitucionalização do direito infraconstitucional não tem como sua principal marca a inclusão na

---

[14] Para uma tentativa de demarcação dos espaços entre o Poder Legislativo e a deliberação democrática, de um lado, e o Poder Judiciário e a atuação criativa do juiz, de outro, v. Luís Roberto Barroso, *Temas de direito constitucional*, t. III, p. 308-21. Sobre a contenção da "euforia dos princípios" e do voluntarismo judicial, v. Ana Paula de Barcellos, *Ponderação, racionalidade e atividade jurisdicional*, 2005. Para uma advertência sobre os riscos de "judiciocracia", "oba-oba constitucional" e "panconstitucionalização", v. Daniel Sarmento, O neoconstitucionalismo no Brasil: riscos e possibilidades, in *Filosofia e teoria constitucional contemporânea*, 2009, p. 132 e s, onde se faz o registro da existência de múltiplas vertentes neoconstitucionalistas. Para uma visão divergente em relação ao tema, v. Jorge Octavio Lavocat Galvão, *O neoconstitucionalismo e o fim do Estado de direito?*, 2014; Dimitri Dimoulis, Uma visão crítica do neoconstitucionalismo, *in* George Leite Salomão e Glauco Leite Salomão (coord.), *Constituição e efetividade*, 2008; e Manoel Gonçalves Ferreira Filho, Notas sobre o direito constitucional pós-moderno, em particular sobre certo neoconstitucionalismo à brasileira, *Revista de Direito Administrativo 250:* 151, 2009.

Lei Maior de normas próprias de outros domínios, mas, sobretudo, a reinterpretação de seus institutos sob uma ótica constitucional.[15]

Por fim, simultaneamente a esses novos desenvolvimentos teóricos, verificou-se, também, uma vertiginosa ascensão do Poder Judiciário. O fenômeno é universal e também está conectado ao final da Segunda Grande Guerra. A partir daí, o mundo deu-se conta de que a existência de um Poder Judiciário independente e forte é um importante fator de preservação das instituições democráticas e dos direitos fundamentais.[16] No Brasil, sob a vigência da Constituição de 1988, o Judiciário, paulatinamente, deixou de ser um departamento técnico especializado do governo para se tornar um verdadeiro poder político. Com a redemocratização, aumentou a demanda por justiça na sociedade e, consequentemente, juízes e tribunais foram crescentemente chamados a atuar, gerando uma judicialização ampla das relações sociais no país. Este fato é potencializado pela existência, entre nós, de uma Constituição abrangente, que cuida de uma ampla variedade de temas. No fluxo desses desenvolvimentos teóricos e alterações institucionais, e em parte como consequência deles, houve um importante incremento na subjetividade judicial. A este tema se dedica o próximo capítulo.

Parte II
Indeterminação do direito e discricionariedade judicial

I As transformações do direito contemporâneo

O constitucionalismo democrático foi a ideologia vitoriosa do século XX. Nesse arranjo institucional se condensam duas ideias que

---

[15] Sobre o tema, v. importante coletânea coligida por Cláudio Pereira de Souza Neto e Daniel Sarmento (coords.), *A constitucionalização do direito:* fundamentos teóricos e aplicações específicas, 2007.

[16] Sobre o tema da ascensão do Judiciário, v., na literatura estrangeira, em meio a muitos títulos, C. Neal Tate e Torbjörn Vallinder (eds.), *The global expansion of judicial power*, 1995, p. 117, e Alec Stone Sweet, *Governing with judges: constitutional politics in Europe*, 2000, p. 35-36 e 130. Na literatura nacional, v. o trabalho pioneiro de Luiz Werneck Vianna, Maria Alice Resende de Carvalho, Manuel Palacios Cunha Melo e Marcelo Baumann Burgos, *A judicialização da política e das relações sociais no Brasil*, 1999. V. tb., Giselle Cittadino, Judicialização da política, constitucionalismo democrático e separação de Poderes. In: Luiz Werneck Vianna (org.), *A democracia e os três Poderes no Brasil*, 2002. E, também, Luís Roberto Barroso, Constituição, democracia e supremacia judicial: direito e política no Brasil contemporâneo, in *O novo direito constitucional brasileiro:* contribuições para a construção teórica e prática da jurisdição constitucional no Brasil, 2012.

percorreram trajetórias diferentes: o *constitucionalismo*, herdeiro da tradição liberal que remonta ao final do século XVII, expressa a ideia de poder limitado pelo Direito e respeito aos direitos fundamentais. A *democracia* traduz a ideia de soberania popular, de governo da maioria, que somente se consolida, verdadeiramente, ao longo do século XX. Para arbitrar as tensões que muitas vezes existem entre ambos – entre direitos fundamentais e soberania popular –, a maior parte das democracias contemporâneas instituem tribunais constitucionais ou cortes supremas.[17] Portanto, o pano de fundo no qual se desenvolve a presente narrativa inclui: (i) uma Constituição que garanta direitos fundamentais, (ii) um regime democrático e (iii) a existência de uma jurisdição constitucional.

O século XX foi cenário da superação de algumas concepções do pensamento jurídico clássico, que haviam se consolidado no final do século XIX. Ideias que eram ligadas ao formalismo, ao positivismo e ao legalismo. Essas transformações chegaram ao Brasil no quarto final do século, sobretudo após a redemocratização. Novos ventos passaram a soprar por aqui, tanto na academia quanto na jurisprudência dos tribunais, especialmente do Supremo Tribunal Federal. Identifico, a seguir, três dessas transformações, que afetaram o modo como se pensa e se pratica o Direito no mundo contemporâneo, em geral, e no Brasil das últimas décadas, em particular:

1. *Superação do formalismo jurídico.* O pensamento jurídico clássico alimentava duas ficções: a) a de que o Direito, a norma jurídica, era a expressão da razão, de uma justiça imanente; e b) que o Direito se concretizava mediante uma operação lógica e dedutiva, em que o juiz fazia a subsunção dos fatos à norma, meramente pronunciando a consequência jurídica que nela já se continha. Tais premissas metodológicas – na verdade, ideológicas – não resistiram ao tempo. Ao longo do século XX, consolidou-se a convicção de que: a) o Direito é, frequentemente, não a expressão de uma justiça imanente, mas de interesses que se tornam dominantes em um dado momento e lugar; e b) em uma grande quantidade de situações, a solução para os problemas jurídicos não se

[17] Este tema da tensão entre constitucionalismo e democracia é recorrente na teoria constitucional. Para uma valiosa reflexão sobre ele, v. Frank I. Michelman, *Brennan and democracy*, 1999.

encontrará pré-pronta no ordenamento jurídico. Ela terá de ser construída argumentativamente pelo intérprete.

2. *Advento de uma cultura jurídica pós-positivista.* Nesse ambiente em que a solução dos problemas jurídicos não se encontra integralmente na norma jurídica, surge uma cultura jurídica pós-positivista. Se a solução não está toda na norma, é preciso procurá-la em outro lugar. E, assim, supera-se a separação profunda que o positivismo jurídico havia imposto entre o Direito e a Moral, entre o Direito e outros domínios do conhecimento. Para construir a solução que não está pronta na norma, o Direito precisa se aproximar da filosofia moral – em busca da justiça e de outros valores –, da filosofia política – em busca de legitimidade democrática e da realização de fins públicos que promovam o bem comum e, de certa forma, também das ciências sociais aplicadas, como a economia e a psicologia.

A doutrina pós-positivista se inspira na revalorização da razão prática,[18] na teoria da justiça[19] e na legitimação democrática. Nesse contexto, busca ir além da legalidade estrita, mas não despreza o direito posto; procura empreender uma leitura moral da Constituição e das leis, mas sem recorrer a categorias metafísicas. No conjunto de ideias ricas e heterogêneas que procuram abrigo nesse paradigma em construção, incluem-se a reentronização dos valores na interpretação jurídica, com

[18] O termo ficou indissociavelmente ligado à obra de Kant, notadamente à *Fundamentação da metafísica dos costumes*, de 1785 e à *Crítica da razão prática*, de 1788. De forma sumária e simplificadora, a razão prática cuida da fundamentação racional – mas não matemática – de princípios de moralidade e justiça, opondo-se à razão cientificista, que enxerga nesse discurso a mera formulação de opiniões pessoais insuscetíveis de controle. De forma um pouco mais analítica: trata-se de um uso da razão voltado para o estabelecimento de padrões racionais para a ação humana. A razão prática é concebida em contraste com a razão teórica. Um uso teórico da razão se caracteriza pelo conhecimento de objetos, não pela criação de normas. O positivismo só acreditava na possibilidade da razão teórica. Por isso, as teorias positivistas do direito entendiam ser papel da ciência do direito apenas descrever o direito tal qual posto pelo Estado, não justificar normas, operação que não seria passível de racionalização metodológica. É por isso que, por exemplo, para Kelsen, não caberia à ciência do direito dizer qual a melhor interpretação dentre as que são facultadas por determinado texto normativo. Tal atividade exibiria natureza eminentemente política, e sempre demandaria uma escolha não passível de justificação em termos racionais. O pós-positivismo, ao reabilitar o uso prático da razão na metodologia jurídica, propõe justamente a possibilidade de se definir racionalmente a norma do caso concreto através de artifícios racionais construtivos, que não se limitam à mera atividade de conhecer textos normativos.

[19] Como assinalado por Ricardo Lobo Torres na nota seguinte, o livro de John Rawls, *A theory of justice*, de 1971, foi emblemático para a filosofia política e para a ética, ao tratar do tema da justiça distributiva dentro do marco teórico do contrato social.

o reconhecimento de normatividade aos princípios e de sua diferença qualitativa em relação às regras; a reabilitação da razão prática e da argumentação jurídica; a formação de uma nova hermenêutica; e o desenvolvimento de uma teoria dos direitos fundamentais edificada sobre a dignidade da pessoa humana. Nesse ambiente, promove-se uma reaproximação entre o Direito e a ética.[20]

3. *Ascensão do direito público e centralidade da Constituição.* Por fim, o século XX assiste à ascensão do direito público.[21] A teoria jurídica do século XIX havia sido construída predominantemente sobre as categorias do direito privado. O século, que começara com o Código Civil francês, o Código Napoleão, de 1804, termina com a promulgação do Código Civil alemão, de 1900. Os protagonistas do Direito eram o contratante e o proprietário. Ao longo do século XX assiste-se a uma progressiva publicização do Direito, com a proliferação de normas de ordem pública. Não apenas em matéria de direito de família, como era tradicional, mas em áreas tipicamente privadas como o contrato – com a proteção do polo mais fraco das relações jurídicas, como o trabalhador, o locatário, o consumidor – e a propriedade, com a previsão de sua função social.[22]

Ao final do século XX, essa publicização do Direito resulta na centralidade da Constituição. Toda interpretação jurídica deve ser feita à luz da Constituição, dos seus valores e dos seus princípios. Toda interpretação jurídica é, direta ou indiretamente, interpretação constitucional. Interpreta-se a Constituição *diretamente* quando uma

---

[20] V. Ricardo Lobo Torres, *Tratado de direito constitucional, financeiro e tributário: valores e princípios constitucionais tributários*, 2005, p. 41: "De uns trinta anos para cá assiste-se ao retorno aos valores como caminho para a superação dos positivismos. A partir do que se convencionou chamar de 'virada kantiana' (*kantische Wende*), isto é, a volta à influência da filosofia de Kant, deu-se a reaproximação entre ética e direito, com a fundamentação moral dos direitos humanos e com a busca da justiça fundada no imperativo categórico. O livro *A Theory of Justice* de John Rawls, publicado em 1971, constitui a certidão do renascimento dessas idéias".

[21] Sobre o tema, v. a valiosa tese de doutorado apresentada à Universidade de Harvard por Gonçalo de Almeida Ribeiro, *The decline of private law:* a philosofophic history of liberal legalism, mimeografado, 2012.

[22] Sobre a constitucionalização do direito civil, vejam-se, por todos, Pietro Perlingieri, *Perfis do direito civil*, 1997; Maria Celina Bodin de Moraes, Perspectivas a partir do direito civil-constitucional, in Pastora do Socorro Teixeira Leal (coord.), *Direito civil constitucional e outros etudos em homenagem ao Prof. Zeno Veloso*, 2014; e Gustavo Tepedino, *Temas de direito civil*, 2004.

pretensão se baseia no texto constitucional (uma imunidade tributária, a preservação do direito de privacidade); e interpreta-se a Constituição *indiretamente* quando se aplica o direito ordinário, porque antes de aplicá-lo é preciso verificar sua compatibilidade com a Constituição e, ademais, o sentido e o alcance das normas infraconstitucionais devem ser fixados à luz da Constituição.

II Sociedades complexas, diversidade e pluralismo: os limites da lei no mundo contemporâneo

A sociedade contemporânea tem a marca da complexidade. Fenômenos positivos e negativos se entrelaçam, produzindo uma globalização a um tempo do bem e do mal. De um lado, há a rede mundial de computadores, o aumento do comércio internacional e o maior acesso aos meios de transporte intercontinentais, potencializando as relações entre pessoas, empresas e países. De outro, mazelas como o tráfico de drogas e de armas, o terrorismo e a multiplicação de conflitos internos e regionais, consumindo vidas, sonhos e projetos de um mundo melhor. Uma era desencantada, em que a civilização do desperdício, do imediatismo e da superficialidade convive com outra, feita de bolsões de pobreza, fome e violência. Paradoxalmente, houve avanço da democracia e dos direitos humanos em muitas partes do globo, com redução da mortalidade infantil e aumento significativo da expectativa de vida. Um mundo fragmentado e heterogêneo, com dificuldade de compartilhar valores unificadores. Os próprios organismos internacionais multilaterais, surgidos após a Segunda Guerra Mundial, já não conseguem produzir consensos relevantes e impedir conflitos que proliferam pelas causas mais diversas, do expansionismo ao sectarismo religioso.

No plano doméstico, os países procuram administrar, da forma possível, a diversidade que caracteriza a sociedade contemporânea, marcada pela multiplicidade cultural, étnica e religiosa. O respeito e a valorização das diferenças encontram-se no topo da agenda dos Estados democráticos e pluralistas. Buscam-se arranjos institucionais e regimes jurídicos que permitam a convivência harmoniosa entre diferentes, fomentando a tolerância e regras que permitam que cada um viva, de maneira não excludente, as suas próprias convicções. Ainda assim, não são poucas as questões suscetíveis de gerar conflitos entre visões de mundo antagônicas. No plano internacional, elas vão de mutilações sexuais à imposição de religiões oficiais e conversões forçadas. No plano doméstico, em numerosos países, as controvérsias incluem o casamento de pessoas do mesmo sexo, a interrupção da gestação e o ensino religioso em escolas públicas. Quase tudo transmitido ao vivo, em tempo real. A vida transformada em *reality show*.

Sem surpresa, as relações institucionais, sociais e interpessoais enredam-se nos desvãos dessa sociedade complexa e plural, sem certezas plenas, verdades seguras ou consensos apaziguadores. E, num mundo em que tudo se judicializa mais cedo ou mais tarde, tribunais e cortes constitucionais defrontam-se com situações para as quais não há respostas fáceis ou eticamente simples. Alguns exemplos:

a) pode um casal surdo-mudo utilizar a engenharia genética para gerar um filho surdo-mudo e, assim, habitar o mesmo universo existencial que os pais?
b) uma pessoa que se encontrava no primeiro lugar da fila, submeteu-se a um transplante de fígado. Quando surgiu um novo fígado, destinado ao paciente seguinte, o paciente que se submetera ao transplante anterior sofreu uma rejeição e reivindicava o novo fígado. Quem deveria recebê-lo?
c) pode um adepto da religião Testemunha de Jeová recusar terminantemente uma transfusão de sangue, mesmo que indispensável para salvar-lhe a vida, por ser tal procedimento contrário à sua convicção religiosa?
d) pode uma mulher pretender engravidar do marido que já morreu, mas deixou o seu sêmen em um banco de esperma?
e) pode uma pessoa, nascida fisiologicamente homem, mas considerando-se uma transexual feminina, celebrar um casamento entre pessoas do mesmo sexo com outra mulher?

Nenhuma dessas questões é teórica. Todas elas correspondem a casos concretos ocorridos no Brasil e no exterior, e levados aos tribunais. Nenhuma delas tinha uma resposta pré-pronta e segura que pudesse ser colhida na legislação. A razão é simples: nem o constituinte nem o legislador são capazes de prever todas as situações da vida, formulando respostas claras e objetivas. Além do que, na moderna interpretação jurídica, a norma já não corresponde apenas ao enunciado abstrato do texto, mas é produto da interação entre texto e realidade. Daí a crescente promulgação de constituições compromissórias, com princípios que tutelam interesses contrapostos, bem como o recurso a normas de textura aberta, cujo sentido concreto somente poderá ser estabelecido em interação com os fatos subjacentes. Vale dizer: por decisão do constituinte ou do legislador, muitas questões têm a sua decisão final transferida ao juízo valorativo do julgador. Como consequência inevitável, tornou-se menos definida a fronteira entre legislação e jurisdição, entre política e direito.[23]

As hipóteses referidas constituem *casos difíceis*,[24] isto é, casos para os quais não existem respostas pré-prontas à disposição do intérprete. A solução, portanto, terá de ser construída logica e argumentativamente pelo juiz, à luz dos elementos do caso concreto, dos parâmetros fixados na norma, dos precedentes e de aspectos externos ao ordenamento jurídico. Daí se fazer referência a essa atuação, por vezes, como sendo criação judicial do direito. Em rigor, porém, o que o juiz faz, de verdade, é colher no sistema jurídico o fundamento normativo que servirá de fio condutor do seu argumento. Toda decisão judicial precisa ser reconduzida a uma norma jurídica. Trata-se de um trabalho de construção de sentido, e não de invenção de um Direito novo. Casos difíceis podem resultar da vagueza da linguagem (dignidade humana, moralidade administrativa), de desacordos morais razoáveis (existência ou não de um direito à morte digna, sem prolongamentos artificiais) e colisões de normas constitucionais (livre iniciativa *versus* proteção do consumidor, liberdade de expressão *versus* direito de privacidade). Para lidar com uma sociedade complexa e plural, em cujo âmbito surgem casos difíceis, é que se criaram ou se refinaram diversas categorias jurídicas novas, como a normatividade dos princípios, a colisão de normas constitucionais, o uso da técnica da ponderação e a reabilitação da argumentação jurídica.

Não é o caso de voltar a explorar o tema, já objeto de outros estudos meus.[25] Faz-se apenas breve menção às situações de colisão entre princípios constitucionais ou de direitos fundamentais. Para lidar com elas, boa parte dos tribunais constitucionais do mundo se utiliza da técnica da ponderação,[26] que envolve a valoração de elementos do

---

[23] Sobre o ponto, v. Celso Fernandes Campilongo, *Política, sistema jurídico e decisão judicial*, 2001, p. 48: "Se, nos chamados "casos difíceis", o juiz é obrigado a fazer escolhas politicas – muitas vezes por delegação do próprio legislador –, essa criatividade é exercida nos limites da legitimidade legal-racional. O legislador pode rever a delegação ou fixar a opção política. Entretanto, até que isso aconteça, a determinação de uma linha política por parte do juiz – desde que em conformidade com os valores fundamentais positivados pelo ordenamento – não significa, necessariamente, um comportamento antidemocrático, contrário à divisão de poderes ou ofensivo ao Estado de Direito".

[24] Sobre a ideia de casos difíceis, v., entre muitos, Ronald Dworkin, Hard cases, *Harvard Law Review 88*:1057, 1995; e Aharon Barak, *The judge in a democracy*, 2006, p. xiii e s.

[25] V. Luís Roberto Barroso, *Curso de direito constitucional contemporâneo*, 2013, cap. IV ("Novos paradigmas e categorias da interpretação constitucional"), p. 330.

[26] Para um estudo relativamente recente e abrangente sobre a ponderação e, particularmente sobre a ideia de proporcionalidade, v. Aharon Barak, *Proportionality:* constitutional rights and their limitations, 2012. Para uma visão crítica do tema, em uma visão comparativa entre

caso concreto com vistas à produção da solução que melhor realiza a vontade constitucional naquela situação. As diversas soluções possíveis vão disputar a escolha pelo intérprete. Como a solução não está pré-pronta na norma, a decisão judicial não se sustentará mais na fórmula tradicional da separação de Poderes, em que o juiz se limita a aplicar, ao litígio em exame, a solução que já se encontrava inscrita na norma, elaborada pelo constituinte ou pelo legislador. Como este juiz se tornou coparticipante da criação do Direito, a legitimação da sua decisão passará para a argumentação jurídica, para sua capacidade de demonstrar a racionalidade, a justiça e a adequação constitucional da solução que construiu. Surge aqui o conceito interessante de *auditório*.[27] A legitimidade da decisão vai depender da capacidade do intérprete convencer o auditório a que se dirige de que aquela é a solução correta e justa.[28] O tema apresenta grande fascínio, mas não será possível fazer o desvio aqui.

III Discricionariedade judicial e resposta correta

> *Creia nos que procuram a verdade.*
> *Duvide dos que a encontram.*
> (Andre Gide)

Em relação a inúmeras questões, como ficou assentado, a solução dos problemas não se encontra pré-pronta no sistema jurídico. Ela precisará ser construída argumentativamente pelo juiz, a quem caberá formular juízos de valor e optar por uma das soluções comportadas pelo ordenamento. Não é incomum referir-se a essa maior participação subjetiva do juiz como *discricionariedade judicial*.[29] Não haverá maior problema na utilização da expressão, desde que seu sentido seja previa-

---

Alemanha e Brasil, v. Juliano Zaiden Benvindo, *On the limits of constitutional adjudication*, 2010.

[27] V. Chaim Perelman e Lucie Olbrechts-Tyteca, *Tratado da argumentação:* a nova retórica, 1996, p. 22: "É por essa razão que, em matéria de retórica, parece preferível definir o auditório como *o conjunto daqueles que o orador quer influenciar com sua argumentação*. Cada orador pensa, de uma forma mais ou menos consciente, naqueles que procuram persuadir e que constituem o auditório ao qual se dirigem seus discursos".

[28] Tribunais, em geral, e cortes constitucionais, em particular, precisam ser capazes de convencer os demais atores políticos, nos outros Poderes e na sociedade, do acerto de seus pronunciamentos. V. Mark C. Miller, *The view of the courts from the hill:* interactions between Congress and the Federal Judiciary, 2009, p. 7.

[29] Um dos primeiros estudos abrangentes e sistemáticos nessa matéria foi do ex-Presidente da Suprema Corte de Israel Aharon Barak, *Judicial discretion*, 1989.

mente convencionado. Discricionariedade judicial é um conceito que se desenvolve em um novo ambiente de interpretação jurídica, no qual se deu a superação da crença em um juiz que realizaria apenas subsunções mecânicas dos fatos às normas, lenda cultivada pelo pensamento jurídico clássico.[30] O juiz contemporâneo, sobretudo o juiz constitucional, não se ajusta a esse papel, para desalento de muitos. Mas de nada adianta quebrar o espelho por não gostar da imagem.

O fato inafastável é que a interpretação jurídica, nos dias atuais, reserva para o juiz um papel muito mais proativo, que inclui a atribuição de sentido a princípios abstratos e conceitos jurídicos indeterminados, bem como a realização de ponderações. Para além de uma função puramente técnica de conhecimento, o intérprete judicial integra o ordenamento jurídico com suas próprias valorações, sempre acompanhadas do dever de justificação. Discricionariedade judicial, portanto, traduz o reconhecimento de que o juiz não é apenas a boca da lei, um mero exegeta que realiza operações formais. Existe uma dimensão subjetiva na sua atuação. Não a subjetividade da vontade política própria – que fique bem claro –, mas a que inequivocamente decorre da compreensão dos institutos jurídicos, da captação do sentimento social e do espírito de sua época.

Discricionariedade, porém, é um conceito tradicional do direito administrativo, no qual está embutido o juízo de conveniência e oportunidade a ser feito pelo agente público.[31] Nessa acepção, discricionariedade significa liberdade de escolha entre diferentes possibilidades legítimas de atuação, uma opção entre "indiferentes jurídicos".[32] Ora bem: nesse sentido, inexiste discricionariedade judicial. O juiz não faz

---

[30] O conjunto de ideias que ficou conhecido como Pensamento Jurídico Clássico, como descrito por Duncan Kennedy em uma obra magnífica, teve diferentes protagonistas ao longo do tempo e produziu um "método transnacional". De acordo com ele, o Pensamento Jurídico Clássico enxergava o direito como um sistema e tinha como características principais a distinção entre direito público e privado, individualismo e um compromisso com a lógica formal, com o abuso da dedução como método jurídico. V. Duncan Kennedy, Three Globalizations of Law and Legal Thought: 1850-2000. In: David Trubek & Alvaro Santos, (eds.), *The New Law and Development: A Critical Appraisal*, 2006, p. 23 ("O pensamento jurídico alemão foi, nesse sentido, hegemônico entre 1850 e 1900, o pensamento jurídico francês entre 1900 e meados da década de 1930, e o pensamento jurídico estadunidense após 1950").

[31] No conceito clássico formulado por Hely Lopes Meirelles, *Direito administrativo brasileiro*, 1995, p. 143, os atos discricionários são os que "a Administração pode praticar com liberdade de escolha do seu conteúdo, de seu destinatário, de sua conveniência, de sua oportunidade e do modo de sua realização". É certo que, mesmo no âmbito do direito administrativo, essa visão vem sendo significativamente atenuada. V. Gustavo Binenbojm, *Uma teoria do direito administrativo*, 2008, p. 38 e s.

[32] V. Eros Roberto Grau, *Ensaio e discurso sobre a interpretação/aplicação do direito*, 2009, p. 283.

escolhas livres nem suas decisões são estritamente políticas. Esta é uma das distinções mais cruciais entre o positivismo e o não positivismo. Para Kelsen, principal referência do positivismo normativista romano-germânico, o ordenamento jurídico forneceria, em muitos casos, apenas uma moldura, um conjunto de possibilidades decisórias legítimas. A escolha de uma dessas possibilidades, continua ele, seria um ato político, isto é, plenamente discricionário.[33] A concepção não positivista aqui sustentada afasta-se desse ponto de vista. Com efeito, o Direito é informado por uma pretensão de *correção moral*,[34] pela busca de justiça, da solução constitucionalmente adequada. Essa ideia de justiça, em sentido amplo, é delimitada por coordenadas específicas, que incluem a justiça do caso concreto, a segurança jurídica[35] e a dignidade humana.[36] Vale dizer: juízes não fazem escolhas livres, pois são pautados por esses valores, todos eles com lastro constitucional.

Surge aqui uma questão interessante e complexa. Ronald Dworkin, no seu estilo ousado e provocativo, sustentou, em diferentes textos, a tese da existência de uma única resposta correta, mesmo nos casos difíceis, isto é, em questões complexas de direito e moralidade política.[37] Trata-se de uma construção que se situa no âmbito de sua crítica geral ao positivismo jurídico e ao uso que dois dos seus maiores expoentes – Kelsen e Hart – deram à discricionariedade judicial. A tese sempre foi extremamente controvertida, tendo produzido um rico debate pelo mundo afora, com repercussões no Brasil.[38] Não tenho a pretensão

---

33 Hans Kelsen, *Teoria pura do direito*, 1979, p. 466-73.

34 Robert Alexy, *Begriff und Geltung des Rechts*, 4. ed., 2005, p. 29 e s. A remissão a esse texto é feito pelo próprio Alexy, em artigo publicado em português, com tradução de Fernando Leal, que apresenta um excelente resumo da concepção jurídica do grande jusfilósofo alemão: v. Robert Alexy, Principais elementos de uma teoria da dupla natureza do direito, *Revista de Direito Administrativo 253*:9, 2010, p. 18-19: "(...) [A] pretensão de correção envolve ambos os princípios (...). O princípio da segurança jurídica exige a vinculação às leis formalmente corretas e socialmente eficazes; o da justiça reclama a correção moral das decisões".

35 Para um relevante estudo sobre a segurança jurídica, v. Humberto Ávila, *Segurança jurídica:* entre permanência, mudança e realização no direito tributário, 2011.

36 Sobre o tema da dignidade humana, v. Ingo Wolfgang Sarlet, *Dignidade da pessoa humana e direitos fundamentais*, 2010; e Luís Roberto Barroso, *A dignidade da pessoa humana no direito constitucional contemporâneo:* a construção de um conceito jurídico à luz da jurisprudência mundial, 2012.

37 V. Ronald Dworkin, *Taking rights seriously*, 1997, p. 279 e s; *A matter of principle*, 2000, p. 119 e s; e *Justice in robes*, 2006, p. 41 e s.

38 V. , *e.g.*, Álvaro Ricardo de Souza Cruz, *A resposta correta:* incursões jurídicas e filosóficas sobre as teorias da justiça, 2011; Lenio Luiz Streck, *Verdade e consenso*, 2012, p. 327 e s.; Flávio Quinaud Pedron, Esclarecimentos sobre a tese da única "resposta correta", de Ronald Dworkin, *Revista CEJ 45*:102, 2009; e Juarez Freitas, A melhor interpretação constitucional *versus* a única resposta correta, in Virgílio Afonso da Silva (org.), *Interpretação constitucional*, 2005.

de reeditá-lo, embora creia que a minha visão do tema ofereça uma solução na qual não há vencedores nem vencidos. A discussão em torno da existência de uma única resposta correta remete à imemorial questão acerca da *verdade*, sua existência em toda e qualquer situação e os métodos para revelá-la. Se existe uma única resposta correta – e não diferentes pretensões de resposta correta –, é porque existiria, então, uma verdade ao alcance do intérprete. Mas quem tem o poder de validar a verdade proclamada pelo intérprete? Se houver uma força externa ao intérprete, com o poder de chancelar a verdade proclamada, será inevitável reconhecer que ela é filha da autoridade. Portanto, a questão deixa de ser acerca da efetiva existência de uma verdade ou de uma única resposta correta, e passa a ser a de quem tem autoridade para proclamá-la. Cuida-se de saber, em última análise, quem é o dono da verdade.[39]

Dois exemplos, um literário e outro real, exibem as dificuldades na matéria. O primeiro. Dois amigos estão sentados em um bar no Alaska, tomando uma cerveja. Começam, como previsível, conversando sobre mulheres. Depois falam de esportes diversos. E na medida em que a cerveja acumulava, passam a falar sobre religião. Um deles é ateu. O outro é um homem religioso. Passam a discutir sobre a existência de Deus. O ateu fala: "Não é que eu nunca tenha tentado acreditar, não. Eu tentei. Ainda recentemente. Eu havia me perdido em uma tempestade de neve em um lugar ermo, comecei a congelar, percebi que ia morrer ali. Aí, me ajoelhei no chão e disse, bem alto: Deus, se você existe, me tire dessa situação, salve a minha vida". Diante de tal depoimento, o religioso disse: "Bom, mas você foi salvo, você está aqui, deveria ter passado a acreditar". E o ateu responde: "Nada disso! Deus não deu nem sinal. A sorte que eu tive é que vinha passando um casal de esquimós. Eles me resgataram, me aqueceram e me mostraram o caminho de volta. É a eles que eu devo a minha vida".[40] Note-se que não há aqui qualquer dúvida quanto aos fatos, apenas sobre como interpretá-los.

---

[39] Merece registro, a esse propósito, o antológico poema de Carlos Drummond de Andrade intitulado *Verdade*: "A porta da verdade estava aberta, mas só deixava passar meia pessoa de cada vez. Assim não era possível atingir toda a verdade, porque a meia pessoa que entrava só trazia o perfil de meia verdade. E sua segunda metade voltava igualmente com meio perfil. E os meios perfis não coincidiam. Arrebentaram a porta. Derrubaram a porta. Chegaram ao lugar luminoso onde a verdade esplendia seus fogos. Era dividida em metades diferentes uma da outra. Chegou-se a discutir qual a metade mais bela. Nenhuma das duas era totalmente bela. E carecia optar. Cada um optou conforme seu capricho, sua ilusão, sua miopia".

[40] Exemplo inspirado por passagem do livro de David Foster Wallace, *This is water*, 2005, p. 17-24.

O segundo exemplo envolve uma questão de largo alcance político e moral, relacionado à chamada justiça de transição. Há uma recorrente discussão acerca do tratamento a ser dado aos crimes que foram praticados por agentes do Estado durante o regime militar no Brasil, aí incluídos homicídios, tortura e sequestros. Como se sabe, a Lei de Anistia, de 1979, tornou impossível a responsabilização de todos quantos houvessem cometido crimes políticos ou conexos entre 2 de setembro de 1961 e 15 de agosto de 1979. Decisão do Supremo Tribunal Federal, tomada por 7 votos a 2, considerou válida essa lei, em julgamento realizado em 28 de abril de 2010.[41] Posteriormente, em dezembro de 2010, a Corte Interamericana de Direitos Humanos, ao julgar um caso envolvendo desaparecidos na guerrilha do Araguaia, considerou que a lei brasileira de anistia era incompatível com a Convenção Americana de Direitos Humanos, por impedir a apuração de graves violações de direitos humanos, a responsabilização dos culpados e a reparação às vítimas.[42] No debate público, há duas posições contrapostas em relação a essa matéria, que podem ser assim enunciadas:

A. a lei de anistia foi uma decisão política legítima, tomada pelos lados contrapostos para conduzirem uma transição pacífica para a democracia;[43]
B. a lei de anistia foi uma inaceitável imposição dos que detinham a força, para imunizarem-se dos crimes que haviam cometido.[44]

Nos dois exemplos, tanto no fictício como no real, pessoas esclarecidas e bem intencionadas podem tomar partido por um lado ou outro.[45] Qual a resposta correta? Onde está a verdade? O fato inegável é que mesmo quem se oponha ao relativismo moral e reconheça a existência de um núcleo essencial do bem, do correto e do justo, há de admitir que nem sempre a verdade se apresenta objetivamente clara, capaz de iluminar a todos indistintamente. Dependendo de onde se encontre o intérprete, do seu ponto de observação, será noite ou será dia, haverá

---

[41] ADPF 153, rel. Min. Eros Grau.

[42] CIDH, Gomes Lund e outros v. Brasil, 2010, http://www.corteidh.or.cr/docs/casos/articulos/seriec_219_por.pdf.

[43] Esta foi, em linhas gerais, a linha do voto do relator, Min. Eros Grau.

[44] Para uma defesa da revisão do julgado, v. Claudio Pereira de Souza Neto, Não há obstáculo para rever o julgamento da lei da anistia, *Consultor Jurídico*, 2 abr. 2014.

[45] Característica das sociedades abertas contemporâneas é o "fato do pluralismo" e a inevitabilidade dos "desacordos morais razoáveis", conceitos explorados em John Rawls, *Political liberalism*, 2005, p. 54-55 (a 1ª. edição é de 1993).

sol ou haverá sombra. É preciso conjurar o risco do *stalinismo* jurídico, em que algum "farol dos povos" de ocasião venha a ser o portador da verdade revelada, com direito a promover o expurgo dos que pensam diferentemente.

Dito isso, porém, um intérprete judicial jamais poderá chegar ao final do exame de uma questão e afirmar que não há uma solução própria para ela. Vale dizer: não pode dizer que há empate, que tanto faz um resultado ou outro, ou que o caso pode ser decidido por cara e coroa. Assim, embora não se possa falar, em certos casos difíceis, em uma resposta objetivamente correta – única e universalmente aceita –, existe, por certo, uma resposta subjetivamente correta. Isso significa que, para um dado intérprete, existe uma única solução correta, justa e constitucionalmente adequada a ser perseguida. E esse intérprete tem deveres de integridade[46] – ele não pode ignorar o sistema jurídico, os conceitos aplicáveis e os precedentes na matéria – e tem deveres de coerência, no sentido de que não pode ignorar as suas próprias decisões anteriores, bem como as premissas que estabeleceu em casos precedentes. Um juiz não é livre para escolher de acordo com seu estado de espírito, suas simpatias ou suas opções estratégicas na vida. Um juiz de verdade, sobretudo um juiz constitucional, tem deveres de integridade e de coerência.

Parte III
O STF e sua função majoritária e representativa

I A jurisdição constitucional

As múltiplas competências do Supremo Tribunal Federal, enunciadas no art. 102 da Constituição, podem ser divididas em duas

---

[46] A ideia de *direito como integridade* é um dos conceitos chave do pensamento de Ronald Dworkin, tendo sido desenvolvido no capítulo VII de sua obra *Law's empire*, 1986 (em português, *O império do Direito*, 1999, p. 271 e s). Em outra obra, intitulada *Freedom's law*, 1996, p. 10, Dworkin volta ao tema, ao afirmar que a *leitura moral da Constituição*, por ele preconizada, é limitada pela exigência de *integridade* constitucional, afirmando: "Os juízes não devem ler suas próprias convicções na Constituição. Não devem ler cláusulas morais abstratas como se expressassem algum juízo moral particular, não importa quão adequado esse juízo lhes pareça, a menos que o considerem consistente em princípio com o desenho estrutural da Constituição como um todo e também com as linhas dominantes da interpretação constitucional assentadas pelos juízes que os antecederam".

grandes categorias: ordinárias e constitucionais.[47] O Tribunal presta *jurisdição ordinária* nas diferentes hipóteses em que atua, como qualquer outro órgão jurisdicional, aplicando o direito infraconstitucional a situações concretas, que vão do julgamento criminal de parlamentares à solução de conflitos de competência entre tribunais. De parte isso, o Tribunal tem, como função principal, o exercício da *jurisdição constitucional*, que se traduz na interpretação e aplicação da Constituição, tanto em ações diretas como em processos subjetivos. Ao prestar jurisdição constitucional nos diferentes cenários pertinentes, cabe à Corte: (i) aplicar diretamente a Constituição a situações nela contempladas, como faz, por exemplo, ao assegurar ao acusado em ação penal o direito à não autoincriminação; (ii) declarar a inconstitucionalidade de leis ou atos normativos, como fez no tocante à resolução do TSE que redistribuía o número de cadeiras na Câmara do Deputados; ou (iii) sanar lacunas do sistema jurídico ou omissões inconstitucionais dos Poderes, como fez ao regulamentar a greve no serviço público.

Do ponto de vista político-institucional, o desempenho da jurisdição constitucional pelo Supremo Tribunal Federal – bem como por supremas cortes ou tribunais constitucionais mundo afora – envolve dois tipos de atuação: a contramajoritária e a representativa. A atuação contramajoritária é um dos temas mais analisados na teoria constitucional, que há muitas décadas discute a legitimidade democrática da invalidação de atos do Legislativo e do Executivo por órgão jurisdicional. Já a função representativa tem sido largamente ignorada pela doutrina e pelos formadores de opinião em geral. Nada obstante isso, em algumas partes do mundo, e destacadamente no Brasil, este segundo papel se tornou não apenas mais visível como, circunstancialmente, mais importante. O presente capítulo procura lançar luz sobre esse fenômeno, que tem passado curiosamente despercebido, apesar de ser, possivelmente, a mais importante transformação institucional da última década.

II O papel contramajoritário do Supremo Tribunal Federal

[47] Para um amplo levantamento estatístico e sistemático dos diferentes papéis do STF, v. Joaquim Falcão, Pablo de Camargo Cerdeira e Diego Werneck Arguelhes, *I Relatório Supremo em Números:* O Múltiplo Supremo, 2011. Para uma reflexão crítica acerca do acúmulo de competências da Corte, v. Oscar Vilhena Vieria, Supremocracia, *Revista de Direito do Estado* 12:55, 2008. Para uma proposta concreta de reequacionamento da atuação do STF, v. Luís Roberto Barroso, Reflexões sobre as competências e o funcionamento do Supremo Tribunal Federal, *Consultor Jurídico* 26 ago. 2014 (http://www.conjur.com.br/2014-ago-26/roberto-barroso-propoe-limitar-repercussao-geral-supremo).

O Supremo Tribunal Federal, como as cortes constitucionais em geral, exerce o controle de constitucionalidade dos atos normativos, inclusive os emanados do Poder Legislativo e da chefia do Poder Executivo. No desempenho de tal atribuição, pode invalidar atos do Congresso Nacional – composto por representantes eleitos pelo povo brasileiro – e do Presidente da República, eleito com mais de meia centena de milhões de votos. Vale dizer: onze Ministros do STF (na verdade seis, pois basta a maioria absoluta), que jamais receberam um voto popular, podem sobrepor a sua interpretação da Constituição à que foi feita por agentes políticos investidos de mandato representativo e legitimidade democrática. A essa circunstância, que gera uma aparente incongruência no âmbito de um Estado democrático, a teoria constitucional deu o apelido de "dificuldade contramajoritária".[48]

A despeito de resistências teóricas pontuais,[49] esse papel contramajoritário do controle judicial de constitucionalidade tornou-se quase universalmente aceito. A legitimidade democrática da jurisdição constitucional tem sido assentada com base em dois fundamentos principais: a) a proteção dos direitos fundamentais, que correspondem ao mínimo ético e à reserva de justiça de uma comunidade política,[50] insuscetíveis de serem atropelados por deliberação política majoritária; e b) a proteção das regras do jogo democrático e dos canais de participação política de todos.[51] A maior parte dos países do mundo confere ao Judiciário e, mais particularmente à sua suprema corte ou corte constitucional, o *status* de sentinela contra o risco da tirania das maiorias.[52] Evita-se, assim, que possam deturpar o processo democrático ou oprimir as minorias. Há razoável consenso, nos dias atuais, de que o conceito de democracia transcende a ideia de governo da maioria, exigindo a incorporação de outros valores fundamentais.

---

[48] A expressão se tornou clássica a partir da obra de Alexander Bickel, *The least dangerous branch:* the Supreme Court at the bar of politics, 1986, p. 16 e s. A primeira edição do livro é de 1962.

[49] E.g., Jeremy Waldron, The core of the case against judicial review. *The Yale Law Journal 115*:1346; e Mark Tushnet, *Taking the Constitution away from the courts*, 2000.

[50] A equiparação entre direitos humanos e reserva mínima de justiça é feita por Robert Alexy em diversos de seus trabalhos. V., *e.g.*, *La institucionalización de la justicia*, 2005, p. 76.

[51] Para esta visão processualista do papel da jurisdição constitucional, v. John Hart Ely, *Democracy and distrust*, 1980.

[52] A expressão foi utilizada por John Stuart Mill, *On Liberty*, 1874, p. 13: "A tirania da maioria é agora geralmente incluída entre os males contra os quais a sociedade precisa ser protegida (...)".

Um desses valores fundamentais é o direito de cada indivíduo a igual respeito e consideração,[53] isto é, a ser tratado com a mesma dignidade dos demais – o que inclui ter os seus interesses e opiniões levados em conta. A democracia, portanto, para além da dimensão procedimental de ser o governo da maioria, possui igualmente uma dimensão substantiva, que inclui igualdade, liberdade e justiça. É isso que a transforma, verdadeiramente, em um projeto coletivo de autogoverno, em que ninguém é deliberadamente deixado para trás. Mais do que o direito de participação igualitária, democracia significa que os vencidos no processo político, assim como os segmentos minoritários em geral, não estão desamparados e entregues à própria sorte. Justamente ao contrário, conservam a sua condição de membros igualmente dignos da comunidade política.[54] Em quase todo o mundo, o guardião dessas promessas[55] é a suprema corte ou o tribunal constitucional, por sua capacidade de ser um fórum de princípios[56] – isto é, de valores constitucionais, e não de política – e de razão pública – isto é, de argumentos que possam ser aceitos por todos os envolvidos no debate.[57] Seus membros não dependem do processo eleitoral e suas decisões têm de fornecer argumentos normativos e racionais que a suportem.

Cumpre registrar que esse papel contramajoritário do Supremo Tribunal Federal tem sido exercido, como é próprio, com razoável parcimônia. De fato, nas situações em que não estejam em jogo direitos fundamentais e os pressupostos da democracia, a Corte deve ser deferente para com a liberdade de conformação do legislador e a razoável discricionariedade do administrador. Por isso mesmo, é relativamente baixo o número de dispositivos de leis federais efetivamente declarados inconstitucionais, sob a vigência da Constituição de 1988.[58] É certo que,

---

[53] Ronald Dworkin, *Taking rights seriously*, 1997, p. 181. A primeira edição é de 1977.

[54] Nas palavras de Eduardo Mendonça, *A democracia das massas e a democracia das pessoas:* uma reflexão sobre a dificuldade contramajoritária, tese de doutorado, UERJ, mimeografada, 2014, p. 84: "Os perdedores de cada processo decisório não se convertem em dominados, ostentando o direito fundamental de não serem desqualificados como membros igualmente dignos da comunidade política".

[55] A expressão consta do título do livro de Antoine Garapon, *O juiz e a democracia:* o guardião das promessas, 1999.

[56] Ronald Dworkin, The forum of principle, *New York University Law Review 56*:469, 1981.

[57] John Rawls, *Political liberalism*, 2005. A primeira edição é de 1993.

[58] Com base em levantamento elaborado pela Secretaria de Gestão Estratégica, do Supremo Tribunal Federal, foi possível identificar 93 dispositivos de lei federal declarados inconstitucionais, desde o início de vigência da Constituição de 1988 – um número pouco expressivo, ainda mais quando se considera que foram editadas, no mesmo período, nada menos que 5.379 leis ordinárias federais, somadas a outras 88 leis complementares. Na imensa maioria dos casos, teve-se o reconhecimento da invalidade de dispositivos pontuais, mantendo-se

em uma singularidade brasileira, existem alguns precedentes de dispositivos de emendas constitucionais cuja invalidade foi declarada pelo STF.[59] Mas, também aqui, nada de especial significação, em quantidade e qualidade. Anote-se, por relevante, que em alguns casos emblemáticos de judicialização de decisões políticas – como a ADI contra o dispositivo que autorizava as pesquisas com células-tronco embrionárias, a ADPF contra a lei federal que previa ações afirmativas em favor de negros no acesso a universidades e a ação popular que questionava o decreto presidencial de demarcação contínua da Terra Indígena Raposa Serra do Sol por decreto do Presidente da República –, a posição do Tribunal, em todos eles, foi de autocontenção e de preservação da decisão tomada pelo Congresso Nacional ou pelo Presidente da República.

Até aqui se procurou justificar a legitimidade democrática do papel contramajoritário exercido pela jurisdição constitucional, bem como demonstrar que não há superposição plena entre o conceito de democracia e o princípio majoritário. Antes de analisar o tema da função representativa do STF e concluir o presente ensaio, cabe enfrentar uma questão complexa e delicada em todo o mundo, materializada na seguinte indagação: até que ponto é possível afirmar, sem apegar-se a

---

em vigor a parte mais substancial dos diplomas objeto de questionamento. Embora esse levantamento não leve em conta a abrangência e relevância dos dispositivos que tiveram a sua inconstitucionalidade declarada, confirma a percepção de que, ao menos do ponto de vista quantitativo, a imensa maioria da produção legislativa não é afetada pela atuação do STF.

[59] Em ordem cronológica, é possível sistematizar da seguinte forma: **(i)** declaração de inconstitucionalidade da EC nº 3/93, que havia instituído o IPMF – Imposto Provisório sobre Movimentações Financeiras, sob o fundamento de não terem sido observadas determinadas limitações constitucionais ao poder de tributar, como a anterioridade e a imunidade recíproca dos entes federativos (STF, DJ 09.03.1994, ADI 939, Rel. Min. Sydney Sanches; **(ii)** Interpretação conforme a EC 20/98, assentando que o teto instituído para o custeio estatal de benefícios do regime geral de previdência não seria aplicável à licença-gestante, de modo a evitar que o repasse de encargos aos empregadores prejudicasse a inserção das mulheres no mercado de trabalho formal (STF, ADI 1.946, DJ 16.05.2003, Rel. Min. Sydney Sanches); **(iii)** declaração de inconstitucionalidade de dispositivos pontuais da EC 41/2004, apenas na parte em que se instituía variação entre União, Estados e Municípios no tocante ao cálculo da contribuição previdenciária devida pelos servidores inativos, sob o fundamento de ofensa ao princípio federativo (STF, DJ 18.02.2005, ADI 3.128, Rel. p/ o acórdão Min. Cezar Peluso); **(iv)** suspensão cautelar da parte central da EC 30/2000, que estabelecera um regime especial para o pagamento de precatórios vencidos, com parcelamento em dez anos, sob os argumentos de quebra da ordem de pagamentos e da isonomia, bem como de violação à autoridade das decisões judiciais (STF, DJe 19.05.2011, MC na ADI 2.356, Rel. p/ o acórdão Min. Ayres Britto);**(v)** declaração de inconstitucionalidade de parte substancial da EC nº 62/09, que pretendeu instituir um novo regime transitório para a regularização dos precatórios, novamente sob os argumentos centrais de quebra da ordem cronológica e da isonomia, bem como de violação ao princípio da moralidade administrativa (STF, DJe 19.12.2013, ADI 4.357 e ADI 4.425, Rel. Min. Luiz Fux).

uma ficção ou a uma idealização desconectada dos fatos, que os atos legislativos correspondem, efetivamente, à vontade majoritária?

III A crise da representação política

Há muitas décadas, em todo o mundo democrático, é recorrente o discurso acerca da crise dos parlamentos e das dificuldades da representação política. Da Escandinávia à América Latina, um misto de ceticismo, indiferença e insatisfação assinala a relação da sociedade civil com a classe política. Nos países em que o voto não é obrigatório, os índices de abstenção revelam o desinteresse geral. Em países de voto obrigatório, como o Brasil, um percentual muito baixo de eleitores é capaz de se recordar em quem votou nas últimas eleições parlamentares. Disfuncionalidade, corrupção, captura por interesses privados são temas globalmente associados à atividade política. E, não obstante isso, em qualquer Estado democrático, política é um gênero de primeira necessidade. Mas as insuficiências da democracia representativa, na quadra atual, são excessivamente óbvias para serem ignoradas.

A consequência inevitável é a dificuldade de o sistema representativo expressar, efetivamente, a vontade majoritária da população. Como dito, o fenômeno é em certa medida universal. Nos Estados Unidos, cuja política interna tem visibilidade global, os desmandos do financiamento eleitoral, a indesejável infiltração da religião no espaço público e a radicalização de alguns discursos partidários deterioraram o debate público e afastaram o cidadão comum. Vicissitudes análogas acometem países da América Latina e da Europa, com populismos de esquerda, em uma, e de direita, em outra. No Brasil, por igual, vive-se uma situação delicada, em que a atividade política desprendeu-se da sociedade civil, que passou a vê-la com indiferença, desconfiança ou desprezo. Ao longo dos anos, a ampla exposição das disfunções do financiamento eleitoral, das relações oblíquas entre Executivo e parlamentares e do exercício de cargos públicos para benefício próprio revelou as mazelas de um sistema que gera muita indignação e poucos resultados.[60] Em suma: a doutrina, que antes se interessava pelo tema

---

[60] Expressando esse desencanto, escreveu em artigo jornalístico o historiador Marco Antonio Villa (Os desiludidos da República, *O Globo*, 8 jul. 2014, p. 16): "O processo eleitoral reforça este quadro de hostilidade à política. A mera realização de eleições – que é importante – não desperta grande interesse. Há um notório sentimento popular de cansaço, de enfado, de identificação do voto como um ato inútil, que nada muda. De que toda eleição é sempre igual, recheada de ataques pessoais e alianças absurdas. Da ausência de discussões programáticas.

da dificuldade contramajoritária dos tribunais constitucionais, começa a voltar atenção para o déficit democrático da representação política.[61]

Essa crise de legitimidade, representatividade e funcionalidade dos parlamentos gerou, como primeira consequência, em diferentes partes do mundo, um fortalecimento do Poder Executivo. Nos últimos anos, porém, e com especial expressão no Brasil, tem-se verificado uma expansão do Poder Judiciário e, notadamente, do Supremo Tribunal Federal. Em curioso paradoxo, o fato é que em muitas situações juízes e tribunais se tornaram mais representativos dos anseios e demandas sociais do que as instâncias políticas tradicionais. É estranho, mas vivemos uma quadra em que a sociedade se identifica mais com seus juízes do que com seus parlamentares. Um exemplo ilustra bem a afirmação: quando o Congresso Nacional aprovou as pesquisas com células-tronco embrionárias, o tema passou despercebido. Quando a lei foi questionada no STF, assistiu-se a um debate nacional. É imperativo procurar compreender melhor este fenômeno, explorar-lhe eventuais potencialidades positivas e remediar a distorção que ele representa. A teoria constitucional ainda não elaborou analiticamente o tema, a despeito da constatação inevitável: a democracia já não flui exclusivamente pelas instâncias políticas tradicionais.

IV O papel representativo do Supremo Tribunal Federal[62]

De promessas que são descumpridas nos primeiros dias de governo. De políticos sabidamente corruptos e que permanecem eternamente como candidatos – e muitos deles eleitos e reeleitos. Da transformação da eleição em comércio muito rendoso, onde não há política no sentido clássico. Além da insuportável propaganda televisiva, com os jingles, a falsa alegria dos eleitores e os candidatos dissertando sobre o que não sabem".

[61] V., *e.g.*, Mark A. Graber, The countermajoritarian difficulty: from courts to Congress to constitutional order, *Annual Review of Law and Social Science 4*:361-62 (2008). Em meu texto *Neoconstitucionalismo e constitucionalização do Direito:* o triunfo tardio do direito constitucional no Brasil, *Revista de Direito Administrativo 240*:1, 2005, p. 41, escrevi: "Cidadão é diferente de eleitor; governo do povo não é governo do eleitorado. No geral, o processo político majoritário se move por interesses, ao passo que a lógica democrática se inspira em valores. E, muitas vezes, só restará o Judiciário para preservá-los. O *deficit* democrático do Judiciário, decorrente da dificuldade contramajoritária, não é necessariamente maior que o do Legislativo, cuja composição pode estar afetada por disfunções diversas, dentre as quais o uso da máquina administrativa, o abuso do poder econômico, a manipulação dos meios de comunicação".

[62] O presente tópico beneficia-se da minha longa interlocução com Eduardo Mendonça, que se materializou em dois trabalhos que escrevemos em parceria e, sobretudo, na sua notável tese de doutorado, da qual fui orientador, intitulada *A democracia das massas e a democracia das pessoas:* uma reflexão sobre a dificuldade contramajoritária, UERJ, mimeografado, 2014. Os trabalhos conjuntos foram publicados na revista eletrônica *Consultor Jurídico*, como resenhas

A grande arte em política não é ouvir os que falam, é ouvir os que se calam.
(Etienne Lamy)

Ao longo do texto procurou-se ressaltar a substantivação do conceito de democracia, que não apenas não se identifica integralmente com o princípio majoritário, como ademais, tem procurado novos mecanismos de expressão. Um deles foi a transferência de poder político – aí incluído certo grau de criação judicial do direito – para órgãos como o Supremo Tribunal Federal. O presente tópico procura explorar esse fenômeno, tanto na sua dinâmica interna quanto nas suas causas e consequências. No arranjo institucional contemporâneo, em que se dá a confluência entre a democracia representativa e a democracia deliberativa,[63] o exercício do poder e da autoridade é legitimado por votos e por argumentos. É fora de dúvida que o modelo tradicional de separação de Poderes, concebido no século XIX e que sobreviveu ao século XX, já não dá conta de justificar, em toda a extensão, a estrutura e funcionamento do constitucionalismo contemporâneo. Para utilizar um lugar-comum, parodiando Antonio Gramsci, vivemos um momento em que o velho já morreu e novo ainda não nasceu.[64]

A doutrina da dificuldade contramajoritária, estudada anteriormente, assenta-se na premissa de que as decisões dos órgãos eletivos, como o Congresso Nacional, seriam sempre expressão da vontade majoritária. E que, ao revés, as decisões proferidas por uma corte suprema, cujos membros não são eleitos, jamais seriam. Qualquer estudo empírico desacreditaria as duas proposições. Por numerosas razões, o Legislativo nem sempre expressa o sentimento da maioria.[65] Além do já mencionado déficit democrático resultante das falhas do sistema

---

da atuação do STF nos anos de 2011 e 2012, intituladas, respectivamente, *Supremo foi permeável à opinião pública, sem ser subserviente* e *STF entre seus papéis contramajoritário e representativo.*

63 A ideia de democracia deliberativa tem como precursores autores como John Rawls, com sua ênfase na razão, e Jurgen Habermas, com sua ênfase na comunicação humana. Sobre democracia deliberativa, v., entre muitos, em língua inglesa, Amy Gutmann e Dennis Thompson, *Why deliberative democracy?*, 2004; em português, Cláudio Pereira de Souza Neto, *Teoria constitucional e democracia deliberativa*, 2006.

64 Antonio Gramsci, *Cadernos do Cárcere*, 1926-1937. Disponível, na versão em espanhol, em http://pt.scribd.com/doc/63460598/Gramsci-Antonio-Cuadernos-de-La-Carcel-Tomo-1-OCR: A crise consiste precisamente no fato de que o velho está morrendo e o novo não pode nascer. Nesse interregno, uma grande variedade de sintomas mórbidos aparecem". V. tb., entrevista do sociólogo Zigmunt Bauman, disponível em http://www.ihu.unisinos.br/noticias/24025-%60%60o-velho-mundo-esta-morrendo-mas-o-novo-ainda-nao-nasceu%60%-60-entrevista-com-zigmunt-bauman.

65 Sobre o tema, v. Corinna Barret Lain, Upside-down judicial review, *The Georgetown Law Review 101*:113, 2012-2103. V. tb. Michael J. Klarman, The majoritarian judicial review: the entrenchment problem, *The Georgetown Law Journal 85*:49, 1996-1997.

eleitoral e partidário, é possível apontar algumas outras. Em primeiro lugar, minorias parlamentares podem funcionar como *veto players*,[66] obstruindo o processamento da vontade da própria maioria parlamentar. Em outros casos, o autointeresse da Casa legislativa leva-a a decisões que frustram o sentimento popular. Além disso, parlamentos em todo o mundo estão sujeitos à captura eventual por interesses especiais, eufemismo que identifica o atendimento a interesses de certos agentes influentes do ponto de vista político ou econômico, ainda quando em conflito com o interesse coletivo.[67]

Por outro lado, não é incomum nem surpreendente que o Judiciário, em certos contextos, seja melhor intérprete do sentimento majoritário. Inúmeras razões contribuem para isso.[68] Inicio por uma que é menos explorada pela doutrina em geral, mas particularmente significativa no Brasil. Juízes são recrutados, na primeira instância, mediante concurso público. Isso significa que pessoas vindas de diferentes origens sociais, desde que tenham cursado uma Faculdade de Direito e tenham feito um estudo sistemático aplicado, podem ingressar na magistratura. Essa ordem de coisas produziu, ao longo dos anos, um drástico efeito democratizador do Judiciário. Por outro lado, o acesso a uma vaga no Congresso envolve um custo financeiro elevado, que obriga o candidato, com frequência, a buscar financiamentos e parcerias com diferentes atores econômicos e empresariais. Esse fato produz uma inevitável aliança com alguns interesses particulares. Por essa razão, em algumas circunstâncias, juízes são capazes de representar melhor – ou com mais independência – a vontade da sociedade. Poder-se-ia contrapor que esse argumento não é válido para os integrantes do

---

[66] *Veto players* são atores individuais ou coletivos com capacidade de parar o jogo ou impedir o avanço de uma agenda. Sobre o tema, v. Pedro Abramovay, *Separação de Poderes e medidas provisórias*, 2012, p. 44 e s.

[67] Este tema tem sido objeto de estudo, nos Estados Unidos, por parte da chamada *public choice theory*, que procura desmistificar a associação entre lei e vontade da maioria. Para um resumo desses argumentos, v. Rodrigo Brandão, *Supremacia judicial* versus *diálogos institucionais*: a quem cabe a última palavra sobre o sentido da Constituição, 2012, p. 205.

[68] Patrícia Perrone Campos Mello, *Nos bastidores do Supremo Tribunal Federal: Constituição, emoção, estratégia e espetáculo*, tese de doutorado, UERJ, mimeografada, 2014, p. 399-411, faz uma compilação das justificativas apresentadas por diferentes autores na literatura jurídica americana para esse alinhamento das Supremas Cortes com a maioria. Os principais deles seriam: i) a indicação política dos juízes, que, por isso, seriam sensíveis ao pensamento da maioria; ii) a sujeição dos juízes aos valores da comunidade e aos mesmos movimentos sociais; iii) a interação das Supremas Cortes com a opinião pública (inclusive através do backlash); iv) a preocupação com sua credibilidade e estabilidade institucional (em face das instâncias majoritárias); v) o desejo de reconhecimento ou a preocupação com a imagem de seus integrantes junto à opinião pública.

Supremo Tribunal Federal. Na prática, porém, a quase integralidade dos Ministros integrantes da Corte é composta por egressos de carreiras jurídicas cujo ingresso se faz por disputados concursos públicos.[69]

Diversas outras razões se acrescem a esta. Em primeiro lugar, juízes possuem a garantia da vitaliciedade. Como consequência, não estão sujeitos às circunstâncias de curto prazo da política eleitoral, nem tampouco, ao menos em princípio, a tentações populistas. Uma segunda razão é que os órgãos judiciais somente podem atuar por iniciativa das partes: ações judiciais não se instauram de ofício. Ademais, juízes e tribunais não podem julgar além do que foi pedido e têm o dever de ouvir todos os interessados. No caso do Supremo Tribunal Federal, além da atuação obrigatória do Procurador-Geral da República e do Advogado-Geral da União em diversas ações, existe a possibilidade de convocação de audiências públicas e da atuação de *amici curiae*. Por fim, mas não menos importante, decisões judiciais precisam ser motivadas. Isso significa que, para serem válidas, jamais poderão ser um ato de pura vontade discricionária: a ordem jurídica impõe ao juiz de qualquer grau o dever de apresentar razões, isto é, os fundamentos e argumentos do seu raciocínio e convencimento.

Convém aprofundar um pouco mais este último ponto. Em uma visão tradicional e puramente majoritária da democracia, ela se resumiria a uma *legitimação eleitoral* do poder. Por esse critério, o fascismo na Itália ou o nazismo na Alemanha poderiam ser vistos como democráticos, ao menos no momento em que se instalaram no poder e pelo período em que tiveram apoio da maioria da população. Aliás, por esse último critério, até mesmo o período Médici, no Brasil, passaria no teste. Não é uma boa tese. Além do momento da investidura, o poder se legitima, também, por suas ações e pelos fins visados.[70] Cabe aqui retomar a ideia de democracia deliberativa, que se funda, precisamente, em uma *legitimação discursiva*: as decisões políticas devem ser produzidas após debate público livre, amplo e aberto, ao fim do qual se forneçam

[69] Na composição de julho de 2014: Celso de Mello era integrante do Ministério Público de São Paulo. Gilmar Mendes e Joaquim Barbosa vieram do Ministério Público Federal. Carmen Lúcia e Luís Roberto Barroso eram procuradores do Estado. Luiz Fux e Teori Zavascky proveem, respectivamente, da magistratura estadual e federal. Rosa Weber, da magistratura do trabalho. Os outros três Ministros, embora não concursados para ingresso nas instituições que integravam, vieram de carreiras vitoriosas: Marco Aurélio Mello (Procuradoria do Trabalho e, depois, Ministro do TST), Ricardo Lewandowski (Desembargador do Tribunal de Justiça de São Paulo, tendo ingressado na magistratura pelo quinto constitucional) e Dias Toffoli (Advogado-Geral da União).

[70] V. Diogo de Figueiredo Moreira Neto, *Teoria do poder*, Parte I, 1992, p. 228-231, em que discorre sobre a legitimidade *originária, corrente* e *finalística* do poder político.

as *razões* das opções feitas. Por isso se ter afirmado, anteriormente, que a democracia contemporânea é feita de votos e argumentos.[71] Um *insight* importante nesse domínio é fornecido pelo jusfilósofo alemão Robert Alexy, que se refere à corte constitucional como *representante argumentativo da sociedade*. Segundo ele, a única maneira de reconciliar a jurisdição constitucional com a democracia é concebê-la, também, como uma representação popular. Pessoas racionais são capazes de aceitar argumentos sólidos e corretos. O constitucionalismo democrático possui uma legitimação discursiva, que é um projeto de institucionalização da razão e da correção.[72]

Cabe fazer algumas observações adicionais. A primeira delas de caráter terminológico. Se se admite a tese de que os órgãos representativos podem não refletir a vontade majoritária, decisão judicial que infirme um ato do Congresso pode não ser contramajoritária. O que ela será, invariavelmente, é *contrarrepresentativa*,[73] entendendo-se o parlamento como o órgão por excelência de representação popular. De parte isso, cumpre fazer um contraponto à assertiva, feita parágrafos atrás, de que juízes eram menos suscetíveis a tentações populistas. Isso não significa que estejam imunes a essa disfunção. Notadamente em uma época de julgamentos televisados, cobertura da imprensa e reflexos na opinião pública, o impulso de agradar a plateia é um risco que não pode ser descartado. Mas penso que qualquer observador isento testemunhará que esta não é a regra. É pertinente advertir, ainda, para um outro risco. Juízes são aprovados em concursos árduos e competitivos, que exigem longa preparação, constituindo quadros qualificados do serviço público. Tal fato pode trazer a pretensão de sobrepor uma certa racionalidade judicial às circunstâncias dos outros Poderes, cuja lógica de atuação, muitas vezes, é mais complexa e menos cartesiana. Por evidente, a arrogância judicial é tão ruim quanto qualquer outra, e há de ser evitada.

O fato de não estarem sujeitas a certas vicissitudes que acometem os dois ramos políticos dos Poderes não é, naturalmente, garantia de que as supremas cortes se inclinarão em favor das posições majoritárias

---

[71] Para o aprofundamento dessa discussão acerca de legitimação eleitoral e discursiva, v. Eduardo Mendonça, *A democracia das massas e a democracia das pessoas:* uma reflexão sobre a dificuldade contramajoritária, mimeografado, 2014, p. 64-86.

[72] V. Robert Alexy, Balancing, constitutional review, and representation, *International Journal of Constitutional Law* 3:572, 2005, p. 578 e s.

[73] Tal particularidade foi bem captada por Eduardo Mendonça, *A democracia das massas e a democracia das pessoas:* uma reflexão sobre a dificuldade contramajoritária, mimeografado, 2014, p. 213 e s.

da sociedade. A verdade, no entanto, é que uma observação atenta da realidade revela que é isso mesmo o que acontece. Nos Estados Unidos, décadas de estudos empíricos demonstram o ponto.[74] Também no Brasil tem sido assim. A decisão do Supremo Tribunal Federal na ADC nº 12,[75] e a posterior edição da Súmula Vinculante nº 13, que chancelaram a proibição do nepotismo nos três Poderes, representaram um claro alinhamento com as demandas da sociedade em matéria de moralidade administrativa. A tese vencida era a de que somente o legislador poderia impor esse tipo de restrição.[76] Também ao apreciar a legitimidade da criação do Conselho Nacional de Justiça – CNJ como órgão de controle do Judiciário e ao afirmar a competência concorrente do Conselho para instaurar processos disciplinares contra magistrados, o STF atendeu ao anseio social pela reforma do Judiciário, apesar da resistência de setores da própria magistratura.[77] No tocante à fidelidade partidária, a posição do STF foi ainda mais arrojada, ao determinar a perda do mandato por parlamentar que trocasse de partido.[78] Embora tenha sofrido crítica por excesso de ativismo, é fora de dúvida que a decisão atendeu a um anseio social que não obteve resposta do Congresso. Outro exemplo: no julgamento, ainda não concluído, no qual se discute a legitimidade ou não da participação de empresas privadas no financiamento eleitoral, o STF, claramente espelhando um sentimento majoritário, sinaliza com a diminuição do peso do dinheiro no processo eleitoral.[79] A Corte

---

[74] Corinna Barret Lain, Upside-down judicial review, *The Georgetown Law Review 101*:113, 2012-2103, p. 158. V. tb. Robert A. Dahl, Decision-making in a democracy: the Supreme Court as a national policy-maker, *Journal of Public Law 6*: 279, 1957, p. 285; e Jeffrey Rosen, *The most democratic branch:* how the courts serve America, 2006, p. xii: "Longe de proteger as minorias contra a tirania das maiorias ou contrabalançar a vontade do povo, os tribunais, ao longo da maior parte da história americana, têm se inclinado por refletir a visão constitucional das maiorias".

[75] ADC nº 13, Rel. Min. Carlos Ayres Britto.

[76] Em defesa do ponto de vista de que o CNJ não teria o poder de impor tal vedação, v. Lenio Streck, Ingo Wolfgang Sarlet e Clemerson Merlin Cleve, Os limites constitucionais das resoluções do Conselho Nacional de Justiça (CNJ) e do Conselho Nacional do Ministério Público (CNMP). In: http://www.egov.ufsc.br/portal/sites/default/files/anexos/15653-15654-1-PB.pdf.

[77] ADI nº 3367, Rel. Min. Cezar Peluso, e ADI nº 4.638, Rel. Min. Marco Aurélio. Merece registro, em relação ao segundo ponto, a atuação decisiva da então Corregedora Nacional de Justiça, Ministra Eliana Calmon, na defesa da competência concorrente – e não meramente supletiva – do CNJ.

[78] MS nº 26.604, Rel. Min. Cármen Lúcia.

[79] ADI nº 4.650, Rel. Min. Luiz Fux. Pesquisa conduzida pelo Datafolha, divulgada em julho de 2015, apurou que 74% da população são contrários ao financiamento empresarial de partidos políticos. Apenas 16% dos entrevistados são favoráveis e 10% não opinaram. V. http://politica.estadao.com.br/blogs/fausto-macedo/74-dos-brasileiros-sao-contra-doacoes-eleitorais-de-empresas-diz-pesquisa/, último acesso em 22 jul. 2015. V. tb. http://oglobo.

acaba realizando, em fatias, de modo incompleto e sem possibilidade de sistematização, a reforma política que a sociedade clama.

Para além do papel puramente representativo, supremas cortes desempenham, ocasionalmente, o papel iluminista[80] de empurrar a história quando ela emperra. Trata-se de uma competência perigosa, a ser exercida com grande parcimônia, pelo risco democrático que ela representa e para que as cortes constitucionais não se transformem em instâncias hegemônicas. Mas, vez por outra, trata-se de papel imprescindível. Nos Estados Unidos, foi por impulso da Suprema Corte que se declarou a ilegitimidade da segregação racial nas escolas públicas, no julgamento de *Brown v. Board of Education*,[81] bem como se assegurou a validade do casamento entre pessoas do mesmo sexo.[82] Na África do Sul, coube ao Tribunal Constitucional abolir a pena de morte.[83] Na Alemanha, o Tribunal Constitucional Federal deu a última palavra sobre a validade da criminalização da negação do holocausto.[84] A Suprema Corte de Israel reafirmou a absoluta proibição da tortura, mesmo na hipótese de interrogatório de suspeitos de terrorismo, em um ambiente social conflagrado, que se tornara leniente com tal prática.[85]

No Brasil, o Supremo Tribunal Federal equiparou as uniões homoafetivas às uniões estáveis convencionais, abrindo caminho para o casamento entre pessoas do mesmo sexo.[86] Talvez esta não fosse uma posição majoritária na sociedade, mas a proteção de um direito fundamental à igualdade legitimava a atuação. Semelhantemente se passou com a permissão para a interrupção da gestação de fetos

globo.com/brasil/datafolha-tres-em-cada-quatro-brasileiros-sao-contra-financiamento-de-campanha-por-empresas-privadas-16672767, último acesso em 22 jul. 2015.

80 Em versões anteriores deste texto, utilizei a expressão "vanguarda iluminista" para descrever este papel. Mas há uma forma mais autocontida de expressar a mesma ideia, que é a de reconhecer que iluminista é a Constituição, cabendo ao intérprete potencializar esta sua faceta. Este *insight* surgiu do debate com Oscar Vilhena Vieira, a quem sou grato também por isso.

81 347 U.S. 483 (1954).

82 (*Obergefel v. Hodges*, 576 U.S., julg. em 26 jun. 2015). A decisão determina que os Estados admitam a celebração de casamento entre pessoas do mesmo sexo, bem como que reconheçam os casamentos de pessoas do mesmo sexo validamente celebrados em outros Estados.

83 *S v. Makwanyane and Another* (CCT3/94) [1995] ZACC 3. Disponível em http://www.constitutionalcourt.org.za/Archimages/2353.PDF.

84 90 *BVerfGe* 241 (1994). V. Winfried Brugger, Ban on Or Protection of Hate Speech? Some Observations Based on German and American Law,*Tulane European& Civil Law Forum*, n. 17, 2002, p. 1.

85 *Public Committee Against Torture in Israel v. The State of Israel & The General Security Service*. HCJ 5100/94 (1999). Disponível em http://elyon1.court.gov.il/files_eng/94/000/051/a09/94051000.a09.pdf.

86 ADPF nº 132 e ADI nº 142, Rel. Min. Carlos Ayres Britto.

anencefálicos.[87] São exemplos emblemáticos do papel iluminista da jurisdição constitucional. Nesses dois casos específicos, um fenômeno chamou a atenção. Em razão da natureza polêmica dos dois temas, uma quantidade expressiva de juristas se posicionou contrariamente às decisões – "não por serem contrários ao mérito, absolutamente não..." –, mas por entenderem se tratar de matéria da competência do legislador, e não do STF. Como havia direitos fundamentais em jogo, esta não parece ser a melhor posição. Ela contrapõe o princípio formal da democracia – as maiorias políticas é que têm legitimidade para decidir – aos princípios materiais da igualdade e da dignidade da pessoa humana, favorecendo o primeiro em ambos os casos.[88] Coloca-se o procedimento acima do resultado, o que não parece um bom critério.[89]

Também se insere nessa linha de atuação mais iluminista e menos majoritária julgados que reconheceram direitos aos transexuais. A esse propósito, decisões judiciais têm assegurado a possibilidade de alteração do nome após cirurgia de mudança de sexo,[90] bem como a própria realização da cirurgia dessa natureza no âmbito do sistema público de saúde.[91] Na pauta do próprio Supremo Tribunal Federal encontram-se, com repercussão geral já reconhecida, a discussão sobre mudança de nome independentemente de cirurgia e a utilização, por transexuais, de banheiro público correspondente à sua autopercepção. Difícil imaginar essas questões sendo enfrentadas e superadas, no quadro atual, pelo processo legislativo ordinário. Deveria o Judiciário, em razão disso, silenciar ou se omitir? Também integram as minorias invisíveis os

---

87 ADPF nº 54, Rel. Min. Marco Aurélio.

88 Sobre princípios formais e materiais, e critérios para a ponderação entre ambos, v. Robert Alexy, Princípios formais. In: Alexandre Travessoni Gomes Trivisonno, Aziz Tuffi Saliba e Mônica Sette Lopes (orgs.), *Princípios formais e outros aspectos da teoria discursiva*, 2014. Na p. 20, escreveu Alexy: "Admitir uma competência do legislador democraticamente legitimado de interferir em um direito fundamental simplesmente porque ele é democraticamente legitimado destruiria a prioridade da constituição sobre a legislação parlamentar ordinária".

89 Inúmeros autores têm posição diversa. V. por todos, Jurgen Habermas, *Between Facts and Norms*, 1996, p. 463 e s.

90 O Superior Tribunal de Justiça tem autorizado a modificação do nome que consta do registro civil, após a cirurgia de alteração do sexo. O primeiro recurso sobre o tema foi julgado pela 3ª Turma do STJ em 2007 (REsp nº 678.933, Rel. Min. Carlos Alberto Menezes Direito, j. em 22.03.2007), que concordou com a mudança desde que o registro de alteração de sexo constasse da certidão civil. Posteriormente, em 2009, o STJ voltou a analisar o assunto e garantiu ao transexual a troca do nome e do gênero em registro, sem que constasse a anotação no documento, mas apenas nos livros cartorários (REsp nº 1008398, Rel. Min. Nancy Andrighi, j. em 15.10.2009).

91 A título exemplificativo, cf.: Tribunal Regional Federal da 4ª Região. AC nº 2001.71.00.026279-9, j. em 14.08.2007. A matéria encontra-se regulamentada pela Portaria nº 457, de agosto de 2008, do Ministério da Saúde.

presos recolhidos ao sistema penitenciário. Sem surpresa, também aqui o caminho de superação das dramáticas violações à dignidade humana tem sido o Judiciário e o Supremo Tribunal Federal.

Às vezes, ocorre na sociedade uma reação a certos avanços propostos pela suprema corte. Nos Estados Unidos, esse fenômeno recebe o nome de *backlash*. Um caso paradigmático de reação do Legislativo se deu contra o julgamento de *Furman v. Georgia,*[92] em 1972, no qual a Suprema Corte considerou inconstitucional a pena de morte, tal como aplicada em 39 Estados da Federação.[93] O fundamento principal era o descritério nas decisões dos júris e o impacto desproporcional sobre as minorias. Em 1976, no entanto, a maioria dos Estados havia aprovado novas leis sobre pena de morte, contornando o julgado da Suprema Corte. Em *Gregg v. Georgia,*[94] a Suprema Corte manteve a validade da nova versão da legislação penal daquele Estado. Também em *Roe v. Wade,*[95] a célebre decisão que descriminalizou o aborto, as reações foram imensas, até hoje dividindo opiniões de maneira radical.[96] No Brasil, houve alguns poucos casos de reação normativa a decisões do Supremo Tribunal Federal, como, por exemplo, em relação ao foro por prerrogativa de função,[97] às taxas municipais

---

[92] 408 U.S. 238 (1972).

[93] Para um estudo da questão, v. Corinna Barret Lain, Upside-down judicial review, (January 12, 2012). Disponível no sítio Social Science Research Network - SSRN: http://ssrn.com/abstract=1984060 or http://dx.doi.org/10.2139/ssrn.1984060, p. 12 e s.

[94] 428 U.S. 153 (1976).

[95] 410 U.S. 113 (1973).

[96] Sobre o tema, v. Robert Post e Reva Siegel, Roe Rage: democratic constitutionalism and backlash, Harvard Civil Rights-Civil Liberties Law Review, 2007; Yale Law School, Public Law Working Paper No. 131. Available at SSRN: http://ssrn.com/abstract=990968.

[97] No caso, a Lei nº 10.628/02 introduziu um §1º ao art. 84, do Código de Processo Penal, estabelecendo que o foro por prerrogativa de função seria mantido mesmo apos o fim da função pública, em relação aos atos praticados no exercício da função. Essa disposição significava, na prática, o restabelecimento do entendimento constante da Súmula 394, do Supremo Tribunal Federal, que havia sido cancelada pela Corte em tempo recente (Inq 687-QO, Rel. Min. Sydney Sanches). No entanto, em um caso singular de reação jurisdicional à reação legislativa, o STF declarou a inconstitucionalidade da lei, afirmando que não caberia ao Congresso rever a interpretação do texto constitucional dada pela jurisdição. V. STF, ADI nº 2.797, DJ 19.12.2006, Rel. Min. Sepúlveda Pertence.

de iluminação pública,[98] à progressividade das alíquotas do IPTU,[99] à cobrança de contribuição previdenciária de inativos[100] e à definição do número de vereadores.[101]

Em favor da tese que se vem sustentando ao longo do presente trabalho, acerca do importante papel democrático da jurisdição constitucional, é possível apresentar uma coleção significativa de decisões do Supremo Tribunal Federal que contribuíram para o avanço social no Brasil. Todas elas têm natureza constitucional, mas produzem impacto em um ramo específico do Direito, como enunciado abaixo:

Direito civil: proibição da prisão por dívida no caso de depositário infiel, reconhecendo a eficácia e prevalência do Pacto de San Jose da Costa Rica em relação ao direito interno.

Direito penal: declaração da inconstitucionalidade da proibição de progressão de regime, em caso de crimes hediondos e equiparáveis.

Direito administrativo: vedação do nepotismo nos três Poderes.

Direito à saúde: determinação de fornecimento de gratuito de medicamentos necessários ao tratamento da AIDS em pacientes sem recursos financeiros.

---

[98] O julgamento do RE nº 233.332/RJ, sob a relatoria do Ministro Ilmar Galvão, em 1999, assentou o entendimento de que "o serviço de iluminação pública não pode ser remunerado mediante taxa", dada a sua indivisibilidade. O Congresso Nacional, porém, poucos anos depois, editou a EC nº 39/02, acrescentando a contribuição de iluminação pública ao rol das espécies tributárias previstas na Constituição e, na prática, restabelecendo a cobrança desejada pelos Municípios.

[99] Em diversos precedentes, o STF declarou a natureza real do IPTU e, com base nisso, a invalidade de leis municipais que pretendiam fixar alíquotas progressivas, estabelecidas segundo dados da capacidade contributiva dos contribuintes. O entendimento da Corte foi superado pela EC nº 29/2000, que admitiu, expressamente, a progressividade.

[100] Ao julgar a ADI nº 2010/DF, relatada pelo Ministro Celso de Mello, o STF declarou inconstitucional a incidência de contribuição previdenciária sobre os proventos dos servidores públicos inativos. Na sequência, Congresso promulgou a EC nº 41/03, que admitiu expressamente a possibilidade de incidência, a ser imposta por lei do ente responsável por cada sistema próprio. O debate foi devolvido ao Tribunal, que resolveu manter a opção política do constituinte derivado, notadamente a partir do argumento de que inexiste direito adquirido a não ser tributado (STF, DJ 18.02.2005, ADI nº 3.128, Rel. p/ o acórdão Min. Cezar Peluso).

[101] No RE nº 197.917/SP, julgado sob a relatoria do Ministro Maurício Corrêa, o STF declarou a inconstitucionalidade de lei do Município de Mira Estrela/SP, que aumentara o número de vereadores de nove para onze. Segundo o entendimento firmado, não seria suficiente que os Municípios respeitassem as três amplas faixas então indicadas art. 29, IV, da Constituição – tendo em vista tais patamares, o número de vereadores deveria ser rigorosamente proporcional à população de cada Município, a ponto de o STF haver elaborado uma tabela taxativa, a partir de uma operação de regra de três. Em reação parcial à decisão do Tribunal, o Congresso promulgou a EC 58/09, que introduziu 25 novas faixas populacionais, com margens limitadas de decisão autônoma. Assim, embora não se tenha restaurado a discricionariedade ampla antes existente, o constituinte derivado atenuou a proporcionalidade rigorosa que o STF pretendera impor.

Direito à educação: direito à educação infantil, aí incluídos o atendimento em creche e o acesso à pré-escola. Dever do Poder Público de dar efetividade a esse direito.

Direitos políticos: proibição de livre mudança de partido após a eleição para cargo proporcional, sob pena de perda do mandato, por violação ao princípio democrático.

Direitos dos trabalhadores públicos: regulamentação, por via de mandado de injunção, do direito de greve dos servidores e trabalhadores do serviço público.

Direito dos deficientes físicos: direito de passe livre no sistema de transporte coletivo interestadual a pessoas portadoras de deficiência, comprovadamente carentes.

Proteção das minorias:

(i) *Judeus:* a liberdade de expressão não inclui manifestações de racismo, aí incluído o antissemitismo.

(ii) *Negros:* validação de ações afirmativas em favor de negros, pardos e índios.

(iii) *Homossexuais:* equiparação das relações homoafetivas às uniões estáveis convencionais e direito ao casamento civil.

(iv) *Comunidades indígenas:* demarcação da reserva indígena Raposa Serra do Sol em área contínua.

Liberdade de pesquisa científica: declaração da constitucionalidade das pesquisas com células-tronco embrionárias.

Liberdade de expressão: inconstitucionalidade da exigência de autorização prévia da pessoa retratada ou de seus familiares para a divulgação de obras biográficas;

Direito das mulheres: direito à antecipação terapêutica do parto em caso de feto anencefálico; constitucionalidade da Lei Maria da Penha, que reprime a violência doméstica contra a mulher.

Três últimos comentários antes de encerrar. Primeiro: a jurisdição constitucional, como se procurou demonstrar acima, tem servido bem ao país. A preocupação com abusos por parte de juízes e tribunais não é infundada, e é preciso estar preparado para evitar que ocorram.[102] Porém,

---

[102] Em estudo denso e pioneiro, tendo como marco teórico a teoria dos sistemas, de Niklas Luhmann, Celso Fernandes Campilongo, *Política, sistema jurídico e decisão judicial*, 2001, p. 63, advertiu: "O problema central do acoplamento estrutural entre o sistema político e o sistema jurídico reside no alto risco de que cada um deles deixe de operar com base em seus próprios elementos (o Judiciário com a legalidade e a Política com a agregação de interesses e tomada de decisões coletivas) e passe a atuar com uma lógica diversa da sua e, consequentemente, incompreensível para as auto-referências do sistema. Essa corrupção de códigos resulta num Judiciário que decide com base em critérios exclusivamente políticos

no mundo real, são muito limitadas as decisões do Supremo Tribunal Federal às quais se possa imputar a pecha de haverem ultrapassado a fronteira aceitável. E, nos poucos casos em que isso ocorreu, o próprio Tribunal cuidou de remediar.[103] Portanto, não se deve desprezar, por um temor imaginário, as potencialidades democráticas e civilizatórias de uma corte constitucional. A crítica à atuação do STF, desejável e legítima em uma sociedade plural e aberta, provem mais de atores insatisfeitos com alguns resultados e de um nicho acadêmico minoritário, que opera sobre premissas teóricas diversas das que vão aqui enunciadas.[104] A propósito, cabe formular uma pergunta crucial, feita por Eduardo Mendonça em sua tese de doutorado já citada:[105] o argumento de que a jurisdição constitucional tem atuado em padrões antidemocráticos não deveria vir acompanhado de uma insatisfação popular com o papel desempenhado pelo Supremo Tribunal Federal? O que dizer, então, se ocorre exatamente o contrário: no Brasil e no mundo, os índices de aprovação que ostenta a corte constitucional costumam estar bem acima dos do Legislativo.[106] Por certo não se devem extrair desse fato conclusões precipitadas nem excessivamente abrangentes. Porém, uma crítica formulada com base em uma visão formal da democracia, mas sem povo, não deve impressionar.

O segundo comentário é intuitivo. Como já se teve oportunidade de afirmar diversas vezes, decisão política, como regra geral, deve ser tomada por quem tem voto. Portanto, o Poder Legislativo e o chefe

(politização da magistratura como a somatória dos três erros aqui referidos: parcialidade, ilegalidade e protagonismo de substituição de papéis) e de uma política judicializada ou que incorpora o ritmo, a lógica e a prática da decisão judiciária em detrimento da decisão política. A tecnocracia pode reduzir a política a um exercício de formalismo judicial".

[103] No julgamento envolvendo a demarcação da Terra Indígena Raposa Serra do Sol, em embargos de declaração, foi restringido o alcance das denominadas "condicionantes" ali estabelecidas, para explicitar que não vinculavam, prospectivamente, novas demarcações. V. Pet. 3388 – ED, Rel. Min. Luís Roberto Barroso.

[104] Nos Estados Unidos, uma das críticas mais contundentes ao julgamento sobre casamento de pessoas do mesmo sexo (*Obergefel v. Hodges*, 576 U.S. __, julg. em 26 jun. 2015) veio do *Justice* Antonin Scalia, liderança proeminente do pensamento jurídico conservador, que afirmou em seu voto dissidente: "Permitir que a questão política do casamento entre pessoas do mesmo sexo seja considerada e resolvida por um seleto e aristocrático painel de nove pessoas sem representatividade é violar um princípio ainda mais fundamental que o de não se admitir a tributação sem lei ("no taxation without representation"): o de não se admitir transformação social sem representação".

[105] Eduardo Mendonça, *A democracia das massas e a democracia das pessoas:* uma reflexão sobre a dificuldade contramajoritária, mimeografado, 2014, p. 19-20

[106] Segundo pesquisa do IBOPE, realizada em 2012, o índice de confiança dos brasileiros no STF é de 54 pontos (em uma escala de 0 a 100). O do Congresso é 39 pontos. V. http://www.conjur.com.br/2012-dez-24/populacao-confia-stf-congresso-nacional-ibope.

do Poder Executivo têm uma preferência geral *prima facie* para tratar de todas as matérias de interesse do Estado e da sociedade. E, quando tenham atuado, os órgãos judiciais devem ser deferentes para com as escolhas legislativas ou administrativas feitas pelos agentes públicos legitimados pelo voto popular. A jurisdição constitucional somente deve se impor, nesses casos, se a contrariedade à Constituição for evidente, se houver afronta a direito fundamental ou comprometimento dos pressupostos do Estado democrático. Porém, como o leitor terá intuído até aqui, a jurisdição constitucional desempenha um papel de maior destaque quando o Poder Legislativo não tenha atuado. É nas lacunas normativas ou nas omissões inconstitucionais que o STF assume um papel de eventual protagonismo. Como consequência, no fundo no fundo, é o próprio Congresso que detém a decisão final, inclusive sobre o nível de judicialização da vida.

Merece registro incidental, antes de encerrar o presente trabalho, um fenômeno conhecido na doutrina como *diálogo constitucional* ou *diálogo institucional*.[107] Embora a corte constitucional ou corte suprema seja o intérprete final da Constituição em cada caso, três situações dignas de nota podem subverter ou atenuar esta circunstância, a saber: a) a interpretação da Corte pode ser superada por ato do Parlamento ou do Congresso, normalmente mediante emenda constitucional; b) a Corte pode devolver a matéria ao Legislativo, fixando um prazo para a deliberação ou c) a Corte pode conclamar o Legislativo a atuar, o chamado "apelo ao legislador". Na experiência brasileira existem diversos precedentes relativos à primeira hipótese, como no caso do teto remuneratório dos servidores públicos[108] e da base de cálculo

---

[107] A expressão tem origem na doutrina canadense, ao comentar disposições da Carta Canadense de Direitos que instituem um diálogo entre a Suprema Corte e o Parlamento a propósito de eventuais restrições impostas a direitos fundamentais. Na sua expressão mais radical – e incomum –, a Carta permite até mesmo que o Parlamento, presentes determinadas circunstâncias, reveja certas decisões judiciais. Sobre o tema, v. Peter Hogg e Allison A. Bushell, The Charter dialogue between courts and legislatures (or perhaps the chart isn't such a bad thing after all), *Osgoode Hall Law Journal 35*:75, 1997. Na literatura americana, v. Mark Tushnet, *Weak courts, strong rights:* judicial review and social welfare rights in comparative constitutional law, 2008, p. 24-33; e Mark C. Miller, *The view of the courts from the hill:* interactions between Congress and the Federal Judiciary, 2009. Na literatura brasileira, v. Rodrigo Brandão, *Supremacia judicial* versus *diálogos constitucionais:* a quem cabe a última palavra sobre o sentido da Constituição?, 2011, especialmente p. 273 e s.

[108] ADI nº 14, Rel. Min. Celio Borja, j. 13.09.89. No início da vigência da Constituição de 1988, o STF entendeu que o teto remuneratório do art. 37, XI não se aplicava às "vantagens pessoais", frustrando, na prática, a contenção dos abusos nessa matéria. Foram necessárias duas emendas constitucionais para superar tal entendimento: a de nº 19, de 1998, e a de nº 41, de 2003.

para incidência de contribuição previdenciária,[109] além dos já referidos anteriormente nesse mesmo tópico.

Em relação à segunda hipótese, referente à fixação de prazo para o Congresso legislar, há precedentes em relação à criação de Municípios[110] ou à reformulação dos critérios adotados no Fundo de Participações dos Estados,[111] embora nem sempre se dê o adequado cumprimento dentro do período demarcado pela decisão. Por fim, relativamente à terceira hipótese, por muitos anos foi esse o sentido dado pela jurisprudência do STF ao mandado de injunção. Um caso muito significativo de diálogo institucional informal se deu em relação ao art. 7º, I, da Constituição, que prevê a edição de lei complementar disciplinando a indenização compensatória contra a despedida arbitrária ou sem justa causa. No julgamento de mandado de injunção, o plenário do STF deliberou que iria fixar, ele próprio, o critério indenizatório, tendo em vista a omissão de mais de duas décadas do Congresso em fazê-lo.[112] Diante de tal perspectiva, o Congresso aprovou em tempo recorde a Lei nº 12.506/2011, provendo a respeito.

Mais recentemente, dois casos de diálogo institucional tiveram lugar. Ao decidir ação penal contra um Senador da República, o STF, por maioria apertada de votos, interpretou o art. 55, VI, e seu §2º no sentido de caber à Casa legislativa decretar a perda do mandato de parlamentar que sofresse condenação criminal transitada em julgado.[113] Ministros que afirmaram a posição vencedora registraram sua crítica severa à fórmula imposta pela Constituição, instando o Congresso a revisitar o tema.[114] Pouco tempo após o julgamento, o Senado Federal

---

[109] RE nº 166.772, Rel. Min. Marco Aurélio, *DJ* 16 dez. 1994.

[110] ADI nº 2240, Rel. Min. Eros Grau.

[111] ADI nº 3682, Rel. Min. Gilmar Mendes. Neste caso, o STF fixou o prazo de 18 meses para o Congresso Nacional sanar a omissão relativamente à edição da lei complementar exigida pelo art. 18, §4º, da CF, tida como indispensável para a criação de Municípios por lei estadual. V. tb. ADI

[112] MI nº 943/DF, Rel. Min. Gilmar Mendes.

[113] AP nº 565, Rel. Minª Carmen Lúcia (caso Ivo Cassol).

[114] Foi o meu caso. Em outra decisão, ao apreciar pedido cautelar no MS nº 32.326, do qual era relator, expus de forma analítica minha posição: "Este *imbroglio* relativamente à perda de mandato parlamentar, em caso de condenação criminal, deve funcionar como um chamamento ao Legislativo. O sistema constitucional na matéria é muito ruim. Aliás, o Congresso Nacional, atuando como poder constituinte reformador, já discute a aprovação de Proposta de Emenda Constitucional que torna a perda do mandato automática nas hipóteses de crimes contra a Administração e de crimes graves. Até que isso seja feito, é preciso resistir à tentação de produzir este resultado violando a Constituição. O precedente abriria a porta para um tipo de hegemonia judicial que, em breve espaço de tempo, poderia produzir um curto circuito nas instituições".

aprovou Proposta de Emenda Constitucional superadora desse tratamento deficiente da matéria. Em final de 2014, a Proposta ainda se encontrava em tramitação na Câmara. Em outro caso, um Deputado Federal foi condenado a mais de 13 anos de prisão, em regime inicial fechado.[115] Submetida a questão da perda do seu mandato à Câmara dos Deputados, a maioria deliberou não cassá-lo. Em mandado de segurança impetrado contra esta decisão, foi concedida liminar pelo relator, sob o fundamento de que em caso de prisão em regime fechado, a perda do mandato deveria se dar por declaração da Mesa e não por deliberação política do Plenário.[116] Antes do julgamento do mérito do mandado de segurança, a Câmara dos Deputados suprimiu a previsão de voto secreto na matéria e deliberou pela cassação.

O que se deduz desse registro final é que o modelo vigente não pode ser caracterizado como de supremacia judicial. O Supremo Tribunal Federal tem a prerrogativa de ser o intérprete final do direito, nos casos que são a ele submetidos, mas não é o dono da Constituição. Justamente ao contrário, o sentido e o alcance das normas constitucionais são fixados em interação com a sociedade, com os outros Poderes e com as instituições em geral. A perda de interlocução com a sociedade, a eventual incapacidade de justificar suas decisões ou de ser compreendido, retiraria o acatamento e a legitimidade do Tribunal. Por outro lado, qualquer pretensão de hegemonia sobre os outros Poderes sujeitaria o Supremo a uma mudança do seu desenho institucional ou à superação de seus precedentes por alteração no direito, competências que pertencem ao Congresso Nacional. Portanto, o poder do Supremo Tribunal Federal tem limites claros. Na vida institucional, como na vida em geral, ninguém é bom demais e, sobretudo, ninguém é bom sozinho.

Conclusão
O caminho do meio

Circunstâncias diversas, como o final da guerra, a consolidação do ideal democrático e a centralidade dos direitos fundamentais, impulsionaram uma vertiginosa ascensão institucional do Poder Judiciário e da jurisdição constitucional em todo o mundo. Como consequência, juízes e tribunais passaram a integrar a paisagem política, ao lado do Legislativo e do Executivo. A teoria constitucional dominante, nas últimas décadas,

---

[115] AP nº 396, Rel. Minª Carmen Lúcia (caso Natan Donadon).

[116] MS nº 32326, Rel. Min. Luís Roberto Barroso.

tem desenvolvido um discurso de justificação e legitimação democrática desse processo histórico. Paralelamente a esse rearranjo institucional, a complexidade da vida moderna, potencializada pela diversidade e pelo pluralismo, levou a uma crise da lei e ao aumento da indeterminação do direito, com a transferência de maior competência decisória a juízes e tribunais, que passaram a fazer valorações próprias diante de situações concretas da vida.

Nesse novo universo, cortes como o Supremo Tribunal Federal passaram a desempenhar, simultaneamente ao papel contramajoritário tradicional, uma função representativa, pela qual atendem a demandas sociais relevantes que não foram satisfeitas pelo processo político majoritário. No desempenho de tal atribuição, o juiz constitucional não está autorizado a impor as suas próprias convicções. Pautado pelo material jurídico relevante (normas, conceitos, precedentes), pelos princípios constitucionais e pelos valores civilizatórios, cabe-lhe interpretar o sentimento social, o espírito de seu tempo e o sentido da história. Com a dose certa de prudência e de ousadia. O conjunto expressivo de decisões referidas no presente trabalho, proferidas sob a Constituição de 1988, exibem um Supremo Tribunal Federal comprometido com a promoção dos valores republicanos, o aprofundamento democrático e o avanço social. No desempenho de tal papel, a Corte tem percorrido o caminho do meio, sem timidez nem arrogância.

CONTRAMAJORITÁRIO, REPRESENTATIVO E ILUMINISTA: OS PAPÉIS DAS SUPREMAS CORTES E TRIBUNAIS CONSTITUCIONAIS NAS DEMOCRACIAS CONTEMPORÂNEAS

I Introdução: o estado da arte do direito constitucional contemporâneo[1]

1 O objeto do presente ensaio

O ensaio que se segue cuida de três temas distintos, mas conexos. O primeiro deles é a ascensão política e institucional do Poder Judiciário no mundo contemporâneo, marcada por fenômenos como a judicialização, o ativismo judicial e o esforço de justificação democrática da jurisdição constitucional. O segundo tema versa a tormentosa questão das relações entre direito e política, com a análise da concepção tradicional, que acreditava na separação plena, e do modelo real, em que as superposições entre ambos se revelam inevitáveis. Decisões de tribunais não se baseiam apenas no material jurídico, mas são influenciadas, em maior ou menor medida, por fatores extrajudiciais, subjetivos e objetivos. O terceiro e principal objeto da presente investigação é a demonstração de

[1] O presente texto consolida e expande ideias delineadas em três artigos anteriores: Constituição, democracia e supremacia judicial: direito e política no Brasil contemporâneo, *Revista Jurídica da Presidência 96*:5, 2010; A razão sem voto: o Supremo Tribunal Federal e o governo da maioria, *Revista Brasileira de Políticas Públicas 5*:24, 2015; e Reason without vote: the representative and majoritarian function of Constitutional Courts, Thomas Bustamante e Bernardo Gonçalves Fernandes (eds), *Democratizing Constitutional Law*: perspectives on legal theory and the legitimacy of constitutionalism, 2016.

que Supremas Cortes e Cortes Constitucionais, no mundo democrático, desempenham três papéis diversos: contramajoritário, quando invalidam atos dos outros Poderes; representativo, quando atendem demandas sociais não satisfeitas pelas instâncias políticas; e iluminista, quando promovem determinados avanços sociais que ainda não conquistaram adesão majoritária, mas são uma imposição do processo civilizatório.

2 Um olhar de fora

No desenvolvimento do argumento, são utilizadas diversas referências colhidas na experiência constitucional americana. Lanço sobre ela, porém, um olhar de fora, de um observador externo, situando-a dentro do contexto mais amplo do constitucionalismo contemporâneo. O mundo do direito constitucional vive um momento de efervescência, que inclui intensa interlocução entre acadêmicos e juízes de diferentes países, o uso eventual de doutrina e precedentes estrangeiros por tribunais, o florescimento de cortes constitucionais e internacionais, assim como a universalização do discurso dos direitos fundamentais, para citar alguns aspectos do fenômeno. Fala-se em um *constitucionalismo global*.[2] A expressão não se refere, ao menos na quadra atual, à instauração de uma ordem jurídica mundial única, com instituições supranacionais para fazê-la cumprir. Esta não é uma possibilidade real à vista. Vive-se, porém, um momento de migração de ideias constitucionais,[3] de cosmopolitanismo,[4] de um discurso transnacional.[5] Há um patrimônio comum compartilhado pelos países democráticos que se

[2] A propósito, *Global Constitutionalism* é o título de um seminário anual realizado pela *Yale Law School* desde 1996, reunindo juízes de cortes constitucionais de diferentes partes do mundo. Trata-se de um dos mais importantes encontros do gênero, com a leitura prévia de um conjunto de materiais por todos os participantes, em preparação para uma discussão marcada "por uma rara combinação de seriedade intelectual, franqueza, verve e o sentimento de um propósito comum" (*"by a rare combination of intellectual seriousness, candor, verve, and a sense of common purpose"*). V. https://www.law.yale.edu/centers-workshops/gruber-program-global-justice-and-womens-rights/global-constitutionalism-seminar. Acesso em 5 mar. 2017.

[3] Sujit Choudhry, Migration as a New Metaphor in Comparative Constitutional Law. *In*: Sujit Choudhry. (ed.), *The Migration of Constitutional Ideas*. New York: Cambridge University Press, 2005, p. 1-35. Sobre o tema, em língua portuguesa, v. Alonso Freire, O Supremo Tribunal Federal e a migração de ideias constitucionais: considerações sobre a análise comparativa na interpretação dos direitos fundamentais. In: Clèmerson Merlin Clève e Alexandre Freire (orgs.), *Direitos Fundamentais e Jurisdição Constitucional*. São Paulo: Revista dos Tribunais, 2014, p. 99-125.

[4] Vlad Perju, Cosmopolitanism in constitutional law. *Cardozo Law Review 35*:710, 2013.

[5] Luís Roberto Barroso, "Here, there, and everywhere": human dignity in contemporary law and in the transnational discourse. *Boston College International & Comparative Law Review 35*:331 (2012).

expressa em uma gramática e em uma semântica que os aproximam em valores e propósitos.[6] O pacote básico do constitucionalismo contemporâneo contém muitas ideias, conceitos e instituições que tiveram sua origem na prática dos Estados Unidos.[7] Ao circularem pelo mundo, no entanto, foram adquirindo novas cores e sabores, incorporando sotaques e agregando valores.[8] O ensaio que se segue analisa alguns processos típicos da atualidade do direito constitucional, sob uma perspectiva que não é local ou particular, mas que procura incorporar o conjunto de concepções que fizeram do constitucionalismo um projeto global.[9]

3 Americanização e globalização do direito constitucional

Duas das primeiras Constituições escritas do mundo – a americana, de 1787, e a francesa, de 1791[10] – deram origem a dois modelos de constitucionalismo bastante diferentes. No modelo francês, que se irradiou pela Europa continental, a Constituição tinha uma dimensão essencial-

---

[6] Um estudo quantitativo feito com as constituições promulgadas ao longo das últimas seis décadas confirma a existência de várias tendências constitucionais globais. Uma delas é a presença de um conjunto nuclear de direitos constitucionais que são comuns à grande maioria das constituições nacionais, referidos como "direitos constitucionais genéricos" (*"generic constitutional rights"*). Dentre eles se destacam as liberdades de religião e de expressão, o direito de propriedade e as garantias de igualdade. V. David S. Law e Mila Versteeg, The Evolution and Ideology of Global Constitucionalism. *California Law Review 99*:1163 (2011).

[7] Apesar das diferenças importantes no que diz respeito às competências alargadas conferidas aos Presidentes e quanto ao desenho do Federalismo em cada país, a maioria das constituições na América Latina repetiu traços constitucionais essenciais do modelo americano até o final do século XIX. Essa similaridade, no entanto, diminui ao longo do século XX, especialmente após a Segunda Guerra Mundial. V. Zachary Elkins, Tom Ginsburg e James Melton, *The Endurance of National Constitutions*. Cambridge: Cambridge University Press, 2009, 25-26.

[8] Atualmente, sugere-se que a circulação mundial de ideias constitucionais surgidas originariamente nas principais democracias constitucionais teria feito emergir um "direito constitucional genérico", que pode ser definido como um conjunto de princípios, práticas, instituições e desafios comuns a todas as jurisdições, principalmente em temas envolvendo direitos civis e liberdades fundamentais. V. David S. Law, Generic Constitutional Law. *Minnesota Law Review 89*:652 (2005)

[9] Em livro com muitos *insights* relevantes sobre a importância da abertura intelectual para o mundo, Stephen Breyer identificou "an ever-growing need for American courts to develop an understanding of, and working relationships with, foreign courts and legal institutions". E, na conclusão da obra, assinalou: "This book shows how and why the Supreme Court must increasingly consider the world beyond our national frontiers. In its growing interdependence, this world of laws offers new opportunities for the exchange of ideas, together with a host of new challenges that bear upon our job of interpreting statutes and treaties and even our Constitution". V. Stephen Breyer, *The court and the world:* American law and the new global realities". New York: Alfred A. Knopf, 2015, p. 7 e 281.

[10] Embora pouco conhecida, a segunda Constituição escrita do mundo moderno foi editada pela Commonwealth Polônia – Lituânia, em 3 de maio de 1791, com breve duração de 19 meses. Assim, a Constituição francesa de 1791 foi, na verdade, a terceira Constituição escrita.

mente política, não comportando aplicação direta e imediata pelo Poder Judiciário.[11] O grande princípio era o da *supremacia do Parlamento*, sendo que as leis não eram passíveis de controle de constitucionalidade. Já o constitucionalismo americano, desde *Marbury v. Madison*,[12] julgado em 1803, caracterizou-se pelo reconhecimento de uma dimensão jurídica à Constituição, com a possibilidade de sua aplicação direta e imediata por todos os órgãos do Poder Judiciário.[13] O grande princípio aqui, desde o começo, foi o da *supremacia da Constituição*, em que juízes e tribunais, e especialmente a Suprema Corte, podiam exercer o controle de constitucionalidade e, consequentemente, deixar de aplicar as normas que considerassem incompatíveis com a Constituição. Antes de meados do século passado, supremas cortes ou cortes constitucionais com poderes para aplicar diretamente a Constituição e invalidar leis com ela incompatíveis eram uma raridade.[14]

Após a Segunda Guerra Mundial, o modelo americano prevaleceu na maior parte do mundo democrático.[15] Embora a fórmula dos tribunais constitucionais, adotada na Europa, tenha estrutura e procedimentos diferentes do americano, o conceito subjacente é o mesmo: a

---

[11] Os revolucionários franceses de 1789 viam o Judiciário com suspeição, reputando-o contrário às reformas sociais e ligado ao Antigo Regime. Por isso mesmo, desde a primeira hora, foi proibido o controle de constitucionalidade (*judicial review*) de leis e atos administrativos, inicialmente por lei de agosto de 1790 e, na sequência, por dispoisção expressa da Constituição de 1791: "Courts cannot interfere with the exercise of legislative powers, supend the application of laws, nor can they infringe on administrative functions, or take cognizance of administrative acts of any kind" (Tit. III, Cap. V, art. 3º). Sobre o ponto, v. Alec Stone Sweet, Why Europe rejected American judicial review. *Michigan Law Review 101*:2744, 2003, p. 2744-2746.

[12] 5 U.S. 137 (1803).

[13] O *judicial review*, na verdade, remonta à experiência colonial, com as cartas coloniais e constituições estaduais. Embora a Constituição de 1787 não seja explícita a respeito, a prática foi "assumida" por seus autores (*Founding Fathers*) e justificada em uma longa passagem do Federalista nº 78, escrito por Alexander Hamilton. V. Saikrishna B. Prakash e John C. Yoo, The origins of judicial review. *The University of Chicago Law Review 70*:887 (2003), p. 915, 933 e 982. Para uma minuciosa revisão das origens históricas do *judicial review*, v. Mary Bilder, The corporate origins of judicial review. *The Yale Law Journal 116*:502, 2006-2007, p. 504: "(...) [J]udicial review arose from a longstanding English corporate practice under which a corporation's ordinances were reviewed for repugnancy to the laws of England. This English corporation law subsequently became a transatlantic constitution binding American colonial law by a similar standard of not being repugnant to the laws of England. After the Revolution, this practice of bounded legislation slid inexorably into a constitutional practice, as 'the Constitution' replaced 'the laws of England'."

[14] V. Dieter Grimm, *Constitutionalism: past, presente, and future*. Oxford: Oxford University Press, 2016, p. 199.

[15] V. Luís Roberto Barroso, The americanization of constitutional law and its paradoxes: constitutional theory and constitutional jurisdiction in the contemporary world. *ILSA – Journal of International & Comparative Law 16*:579, 2009-2010.

Constituição é dotada de supremacia e os atos dos outros Poderes que sejam incompatíveis com ela podem ser invalidados por um tribunal. Como se sabe, sob inspiração de Hans Kelsen, a Constituição da Áustria, de 1920, previu um órgão específico, fora da estrutura ordinária do Poder Judiciário, para desempenhar o controle de constitucionalidade. Porém, foi com a implantação do Tribunal Constitucional Federal alemão, em 1951, que este formato de prestação de jurisdição constitucional se difundiu pelo mundo. Hoje em dia, mais de 80% dos países atribuem a cortes supremas ou a tribunais constitucionais o poder de invalidar legislação incompatível com a Constituição.[16] Também no seu conteúdo, muitas Constituições contemporâneas se aproximam, na essência, do padrão concebido na Filadélfia, em 1787. De fato, este é o estado da arte do direito constitucional na maior parte dos países democráticos: Constituições escritas que são dotadas de supremacia, estabelecem a separação de Poderes, definem direitos fundamentais e preveem o controle de constitucionalidade, a cargo de uma Suprema Corte ou de um Tribunal Constitucional. Essa relativa homogeneidade não encobre, é certo, a perda de influência da Constituição americana,[17] as distinções ideológicas entre constituições contemporâneas,[18] nem tampouco as discrepâncias na interpretação de dispositivos idênticos por tribunais diferentes.[19]

---

[16] Tom Ginsburg e Mila Versteeg, Why do countries adopt constitutional review?. *The Journal of Law, Economics & Organization 30*:587, 2013, p. 587.

[17] V. David. S. Law e Mila Versteeg. The declining influence of the United States constitution. *New York University Law Review 87*:762, 2012.

[18] De acordo com David S. Law e Mila Versteeg, The evolution and ideology of global constitucionalism. *California Law Review 99*:1163, 2011, do ponto de vista ideológico, as constituições na atualidade se dividem em dois grupos bastante distintos. O primeiro deles é formado por constituições que podem ser ditas como libertárias, no sentido de que elas representam uma tradição de liberdade negativa, exigindo, em sua maior parte, uma abstenção do Estado. O segundo é constituído por constituições que, ao contrário, exigem a intervenção do Estado na realização de direitos, especialmente os de cunho social. Embora haja essa polarização, as constituições que se enquadram em cada um desses dois grupos estão cada vez mais convergentes em seu conteúdo. Nas palavras dos autores, à p. 1164: "Nós mostramos que as Constituições do mundo estão crescentemente se dividindo em dois grupos distintos – um de caráter libertário e outro estatista. Dentro de cada grupo, as constituições estão ficando cada vez mais parecidas, mas os grupos entre si estão cada vez mais distintos um do outro. A dinâmica da evolução constitucional, em outras palavras, envolve a combinação entre convergência ideológica e polarização ideológica".

[19] Como sabido, a intepretação jurídica sofre influência decisiva da história, da religião, da cultura e do sistema jurídico de cada país, o que dificulta uma concordância universal sobre valores constitucionais e direitos fundamentais. Sobre o tema, v. Alan Richter, Dennis Davis e Cheryl Saunders (eds.) *An inquiry into the existence of global values through the lens of comparative constitutional law*. Oxford: Hart Publishing, 2015, p. 470: "Não obstante o crescimento exponencial das constituições nacionais que buscam, ao menos na sua textualidade,

Parte I
Ascensão do Judiciário, judicialização e ativismo judicial

I A judicialização da vida

Simultaneamente à expansão da jurisdição constitucional no mundo, verificou-se, igualmente, uma vertiginosa ascensão política e institucional do Poder Judiciário. Sobretudo nos países de tradição romano-germânica, juízes e tribunais deixaram de ser uma espécie de departamento técnico especializado do governo para se transformarem em um verdadeiro Poder, que em alguma medida disputa espaço com os demais[20] e atua com grande importância na governança nacional.[21] Há causas de naturezas diversas para o fenômeno. A primeira delas foi o reconhecimento, após a 2ª Guerra Mundial, da importância de um Judiciário forte e independente como elemento essencial das democracias modernas, para a proteção dos direitos fundamentais e do Estado de direito. A segunda causa envolve uma certa desilusão com a política majoritária, em razão da crise de representatividade e de funcionalidade dos parlamentos em geral. Há uma terceira: atores políticos, muitas vezes, preferem que o Judiciário seja a instância decisória de certas questões polêmicas, em relação às quais exista desacordo moral razoável na sociedade. Com isso, evitam o próprio desgaste na deliberação de temas divisivos, como uniões homoafetivas, aborto ou mesmo descriminalização de drogas leves, como a maconha.

Mas há também razões estratégicas de natureza política para o fortalecimento das Cortes Constitucionais e Supremas Cortes ao redor do mundo, especialmente nas últimas décadas. Cientistas políticos têm oferecido explicações para o curioso interesse de elites políticas empoderarem Cortes Constitucionais e Supremas Cortes em momentos constituintes. Duas teorias geraram debates mais intensos. Uma delas, fundada em relevante estudo de Cortes do Leste Asiático feito por Tom Ginsburgh, é a de que o fortalecimento das Cortes, sempre

---

promover formas similares de direitos humanos, este estudo demonstrou que não há aplicação consistente de nenhum dos direitos que transcendem as fronteiras naturais".

[20] Esta mudança nas democracias romano-germânicas, onde tradicionalmente se negava qualquer papel criativo aos juízes, é registrada com surpresa por C. Neal Tate e Torbjörn Vallinder (eds.), *The global expansion of judicial power*, New York: New York University Press, 1995, p. 519: "Ainda assim, é possível que se encontrem nesses países os casos contemporâneos mais significativos de expansão do poder judicial".

[21] Diana Kapiszewski, Gordon Silverstein, Robert A. Kagan. *Consequential Courts:* Judicial roles in global perspective. Cambridge: Cambridge University Press, 2013.

associada ao entrincheiramento de direitos e liberdades fundamentais nas Constituições, é feito como uma forma de "seguro político".[22] Elas seriam uma solução para o problema da incerteza política sobre o impacto distributivo futuro de novas instituições e direitos. Outra explicação é oferecida por Ran Hirschl, que afirma que o fortalecimento desses tribunais é uma forma encontrada pelas elites de preservar sua hegemonia em um futuro incerto.[23] Adiante se voltará ao ponto. Por ora, o que se pretende enfatizar é que esta posição proeminente assumida por juízes e tribunais deu lugar ao fenômeno da judicialização.

Judicialização significa que questões relevantes do ponto de vista político, social ou moral estão sendo decididas, em caráter final, pelo Poder Judiciário. Trata-se, como intuitivo, de uma transferência de poder para as instituições judiciais, em detrimento das instâncias políticas tradicionais, que são o Legislativo e o Executivo. Essa expansão da jurisdição e do discurso jurídico, embora mais comum em países como os Estados Unidos, constitui uma mudança drástica no modo de se pensar e de se praticar o Direito no mundo romano-germânico.[24] Fruto da conjugação de circunstâncias diversas,[25] o fenômeno é mundial, alcançando até mesmo países que tradicionalmente seguiram o modelo inglês – a chamada democracia ao estilo de Westminster –, com soberania parlamentar e ausência de controle de constitucionalidade.[26] Na América Latina o

---

[22] Tom Ginsburg. *Judicial review in new democracies: Constitutional courts in Asian cases*. New York: Cambridge University Press, 2003.

[23] Ran Hirschl. *Towards juristocracy:* The origins and consequences of the new constitutionalism. Cambridge, MA: Harvard University Press, 2004.

[24] V. Alec Stone Sweet, *Governing with judges: constitutional politics in Europe*. Oxford: Oxford University Press, 2000, p. 35-36 e 130. A visão prevalecente nas democracias parlamentares tradicionais de ser necessário evitar um "governo de juízes", reservando ao Judiciário apenas uma atuação como legislador negativo, já não corresponde à prática política atual. Tal compreensão da separação de Poderes encontra-se em "crise profunda" na Europa continental.

[25] Para uma análise das condições para o surgimento e consolidação da judicialização, v. C. Neal Tate e Torbjörn Vallinder (eds.), *The global expansion of judicial power*, New York: New York University Press, 1995, p. 117.

[26] V. Ran Hirschl, The new constitutionalism and the judicialization of pure politics worldwide, *Fordham Law Review 75*:721, 2006-2007, p. 721. A referência envolve países como Canadá, Israel, Nova Zelândia e o próprio Reino Unido. Anote-se que, no Reino Unido, com a aprovação do *Human Rights Act*, de 1998, passou a ser possível a declaração, pelo Judiciário, da incompatibilidade entre uma lei inglesa e a Convenção Europeia de Direitos Humanos. Tal declaração, todavia, não acarreta a nulidade da lei, cabendo ao Parlamento a sua revogação ou modificação. No Canadá, por sua vez, a Carta de Direitos e Liberdades permite que os legislativos estaduais mantenham uma lei "nada obstante" (*"notwithstanding"*) tenha sido reconhecido que ela se encontra em violação à Carta. Sobre esta forma fraca de controle de constitucionalidade (*weak-form judicial review*), v. Stephen Gardbaum, *The new commonwealth model of constitutionalism:* theory and practice, Cambridge University Press, 2013; e Mark

fenômeno também é acentuado.[27] Exemplos numerosos e inequívocos de judicialização ilustram a fluidez da fronteira entre política e justiça no mundo contemporâneo, documentando que nem sempre é nítida a linha que divide a criação e a interpretação do Direito. Os precedentes podem ser encontrados em países diversos e distantes entre si, como Canadá,[28] Estados Unidos,[29] Israel,[30] Turquia,[31] Hungria[32] e Coreia,[33] dentre muitos outros. Na América Latina,[34] o fenômeno é particularmente intenso no Brasil[35] e na Colômbia.[36] Muitas vezes, decisões judiciais provocam reações intensas no Executivo ou no Legislativo.[37]

Tushnet, *Weak Courts, Strong Rights: Judicial Review and Social Welfare Rights in Comparative Constitutional Law*. Princeton, NJ: Princeton University Press, 2003.

[27] V. Alexandra Huneeus, Javier A. Couso e Rachel Sieder (eds.), *Cultures of legality*: Judicialization and political activism in Latin America. Cambridge: Cambridge University Press, 2010. V, também, Alan Angell, Line Schjolden e Rachel Sieder (eds.), *The judicialization of politics in Latin America*. New York: Springer, 2005.

[28] Decisão da Suprema Corte sobre a constitucionalidade de os Estados Unidos fazerem testes com mísseis em solo canadense. Este exemplo e os seguintes vêm descritos em maior detalhe em Ran Hirschl, The judicialization of politics. In: Whittington, Kelemen e Caldeira (eds.), *The Oxford handbook of law and politics*, 2008, p. 124-5.

[29] Decisão da Suprema Corte que definiu a eleição de 2000, em *Bush v. Gore*.

[30] Decisão da Suprema Corte sobre a compatibilidade, com a Constituição e com os atos internacionais, da construção de um muro na fronteira com o território palestino.

[31] Decisões da Suprema Corte destinadas a preservar o Estado laico contra o avanço do fundamentalismo islâmico. A situação na Turquia mudou dramaticamente após o fracassado golpe de Estado de 2016, com graves implicações para o secularismo e a democracia.

[32] Decisão da Corte Constitucional sobre a validade de plano econômico de grande repercussão sobre a sociedade.

[33] Decisão da Corte Constitucional restituindo o mandato de presidente destituído por *impeachment*.

[34] Sobre o fenômeno na América Latina, v. Rachel Sieder, Line Schjolden e Alan Angell (eds.), *The judicialization of politics in Latin America*, New York: Palgrave Macmillan, 2005.

[35] V. Luís Roberto Barroso, Constituição, democracia e supremacia judicial: direito e política no Brasil contemporâneo. *Revista Jurídica da Presidência 96*:5, 2010.

[36] De acordo com Rodrigo Uprimny Yepes, Judicialization of politics in Colombia, *International Journal on Human Rights 6*:49, 2007, p. 50, algumas das mais importantes hipóteses de judicialização da política na Colômbia envolveram: a) luta contra a corrupção e para mudança das práticas políticas; b) contenção do abuso das autoridades governamentais, especialmente em relação à declaração do estado de emergência ou estado de exceção; c) proteção das minorias, assim como a autonomia individual; d) proteção das populações estigmatizadas ou aqueles em situação de fraqueza política; e e) interferência com políticas econômicas, em virtude da proteção judicial de direitos sociais.

[37] Nos Estados Unidos, a decisão em *Citizens United v. Federal Election Commission*, invalidando os limites à participação financeira das empresas em campanhas eleitorais, foi duramente criticada pelo Presidente Barak Obama. V. *New York Times*, 24 jan. 2010, p. A-20. No Brasil, diante da decisão da Primeira Turma do Supremo Tribunal Federal descriminalizando o aborto até o terceiro mês de gestação, a Câmara dos Deputados constituiu comissão especial para apresentar proposta de emenda à Constituição revertendo a decisão. V. Fernanda Calgaro, "Maia cria comissão para rever decisão do STF sobre aborto", *G1*, 30 nov. 2016.

Nos Estados Unidos, a judicialização de questões políticas vem de longe, talvez desde sempre. Na passagem frequentemente lembrada de Alexis de Tocqueville, "é rara uma questão política nos Estados Unidos que não se transforme, mais cedo ou mais tarde, em uma questão judicial".[38] Os exemplos se multiplicam, e incluem temas como segregação racial, divisão de distritos eleitorais, separação de Poderes, direitos dos acusados em processos criminais, liberdade de expressão, financiamento de campanha, ações afirmativas, proteção dos direitos de mulheres, *gays* e transexuais, em meio a muitos outros. Algumas decisões dividiram a sociedade, como na questão do aborto. Outras enfrentaram o poder político e econômico das grandes corporações, como as limitações e indenizações impostas à indústria do tabaco. Em alguns casos, tribunais procuraram enfrentar a crônica ineficiência ou inapetência dos outros órgãos de governo para lidar com assuntos de pouco apelo político, como a reforma do sistema prisional. Em todos estes casos, o discurso jurídico sobrepôs-se à linguagem parlamentar, e os tribunais funcionaram como substitutos do processo político convencional.[39]

A judicialização, portanto, constitui um *fato* inelutável, uma circunstância decorrente do desenho institucional adotado na maior parte dos países democráticos. Esse arranjo inclui o acesso à justiça, a definição constitucional de direitos fundamentais e a existência de Supremas Cortes ou Cortes Constitucionais com o papel de dar-lhes cumprimento. Desnecessário dizer que a judicialização é potencializada nos países de Constituições mais analíticas, sobretudo as que consagram direitos econômicos e sociais, como é o caso da África do Sul, da Colômbia e do Brasil, por exemplo.

Disponível em http://g1.globo.com/politica/noticia/2016/11/maia-cria-comissao-para-rever-decisao-do-stf-sobre-aborto.html. Acesso em 21 jan. 2017.

[38] Alexis de Tocqueville, *Democracy in America*, 1990, v. 1, p. 280. Na continuação da frase, escreveu Tocqueville: "Assim, todas as partes são obrigadas a tomar emprestadas, nas suas disputas diárias, as ideias e mesmo a linguagem peculiar aos processos judiciais". Destacando este fato – de que o fenômeno aqui relatado é mais profundo do que a mera judicialização, por envolver também a linguagem, o formalismo jurídico e a substituição da política ordinária por decisões judiciais –, alguns autores propõem o emprego do termo *juridicização* (*juridification*). V. Gordon Silverstein, *Law's Allure:* how law shapes, constrains, saves, and kills politics. N. York: Cambridge University Press, 2009, p. 3-5. Outros autores europeus, por ele citados, seguem na mesma trilha, como Jürgen Habermas, Law as Medium and Law as Institution. In GuntherTeubner (ed), *Dilemmas of Law in the Welfare State*, 1986, 203-220.

[39] V. Gordon Silverstein, *Law's Allure:* how law shapes, constrains, saves, and kills politics. N. York: Cambridge University Press, 2009, p. 2.

II O ativismo judicial

Judicialização e ativismo judicial não são a mesma pessoa. São primos. Vêm da mesma família, frequentam os mesmos lugares, mas têm origens e causas imediatas diversas. *Ativismo judicial* é uma expressão cunhada nos Estados Unidos[40] e que foi empregada, sobretudo, como rótulo para qualificar a atuação da Suprema Corte durante os anos em que foi presidida por Earl Warren, entre 1954 e 1969.[41] Ao longo desse período, ocorreu uma revolução profunda e silenciosa em relação a inúmeras práticas políticas, conduzida por uma jurisprudência progressista em matéria de direitos fundamentais.[42] Todas essas transformações foram efetivadas sem qualquer ato do Congresso ou decreto presiden-

---

[40] A locução "ativismo judicial" foi utilizada, pela primeira vez, em artigo de um historiador sobre a Suprema Corte americana no período do *New Deal*, publicado em revista de circulação ampla. V. Arthur M. Schlesinger, Jr., The Supreme Court: 1947, *Fortune*, jan. 1947, p. 208, *apud* Keenan D. Kmiec, The origin and current meanings of 'judicial activism', *California Law Review* 92:1441, 2004, p. 1446. A descrição feita por Schlesinger da divisão existente na Suprema Corte, à época, é digna de transcrição, por sua atualidade no debate contemporâneo: "Esse conflito pode ser descrito de diferentes maneiras. O grupo de Black e de Douglas acredita que a Suprema Corte pode desempenhar um papel afirmativo na promoção do bem-estar social; o grupo de Frankfurter e Jackson defende uma postura de auto-contenção judicial. Um grupo está mais preocupado com a utilização do poder judicial em favor de sua própria concepção do bem social; o outro, com a expansão da esfera de atuação do Legislativo, mesmo que isso signifique a defesa de pontos de vista que eles pessoalmente condenam. Um grupo vê a Corte como instrumento para a obtenção de resultados socialmente desejáveis; o segundo, como um instrumento para permitir que os outros Poderes realizem a vontade popular, seja ela melhor ou pior. Em suma, Black-Douglas e seus seguidores parecem estar mais voltados para a solução de casos particulares de acordo com suas próprias concepções sociais; Frankfurter-Jackson e seus seguidores, com a preservação do Judiciário na sua posição relevante, mas limitada, dentro do sistema americano".

[41] Jim Newton, *Justice for all*: Earl Warren and the Nation he made. N. York: Riverhead Books, 2006; Morton J. Horwitz, *The Warren Court and the pursuit of justice*, 1998; Richard H. Sayler, Barry B. Boyer e Robert E. Gooding, Jr (eds.), *The Warren Court:* a critical analysis. 1968; Epstein Lee; Thomas G. Walker, *Constitutional law for achanging America: institutional powers and constraints*, 995; Peter Charles Hoffer, Williamjames Hull Hoffer e N.E.H. Hull, *The Supreme Court: an essential history*, 2007; Robert J. Cottrol, Raymond T. Diamond e Leland B. Ware, *Brown v. Board of Education:* caste, culture, and the Constitution, 2003; Kermit L. Hall (editor), *The Oxford companion to the Supreme Court of the United States*, 2005; Grier Stephenson Jr., The judicial bookshelf, *Journal of Supreme Court History 31*:306; Michael E. Parrish, Review essay: Earl Warren and the American judicial tradition. *Law & Social Inquiry*, volume 7, oct. 1982. Em língua portuguesa, v. Sergio Fernando Moro, A corte exemplar: considerações sobre a Corte de Warren, *Revista da Faculdade de Direito da UFPR 36*:337, 2001.

[42] Alguns exemplos representativos: considerou-se ilegítima a segregação racial nas escolas (*Brown v. Board of Education*, 1954); foram assegurados aos acusados em processo criminal o direito de defesa por advogado (*Gideon v. Wainwright*, 1963) e o direito à não-auto-incriminação (*Miranda v. Arizona*, 1966); e de privacidade, sendo vedado ao Poder Público a invasão do quarto de um casal para reprimir o uso de contraceptivos (*Griswold v. Connecticut*, 1965). Houve decisões marcantes, igualmente, no tocante à liberdade de imprensa (*New York Times v. Sullivan*, 1964) e a direitos políticos (*Baker v. Carr*, 1962). Em 1973, já sob a presidência de Warren Burger, a Suprema Corte reconheceu direitos de igualdade às mulheres (*Richardson*

cial.[43] A partir daí, por força de uma intensa reação conservadora, a expressão ativismo judicial assumiu, nos Estados Unidos, uma conotação negativa, depreciativa, equiparada ao exercício impróprio do poder judicial.[44] Todavia, depurada dessa crítica ideológica – até porque pode ser progressista ou conservadora[45] – a ideia de ativismo judicial está associada a uma participação mais ampla e intensa do Judiciário na concretização dos valores e fins constitucionais, com maior interferência no espaço de atuação dos outros dois Poderes.[46] Em muitas situações, sequer há confronto, mas mera ocupação de espaços vazios. Ativismo não precisa ter uma conotação ideológica ou partidarizada.

---

v. Frontiero, 1973), assim como em favor dos seus direitos reprodutivos, vedando a criminalização do aborto até o terceiro mês de gestação (*Roe v. Wade*).

[43] Jim Newton, *Justice for all*: Earl Warren and the Nation he made. N. York: Riverhead Books, 2006, p. 405.

[44] V. Randy E. Barnett, Constitututional clichês, *Capital University Law Review 36*:493, 2007, p. 495; e Frank B. Cross and Stephanie A. Lindquist, The scientific study of judicial activism. *Minnesota Law Review 91*:1752, 2007, p. 1754: "The term "activism" has become devoid of meaningful content as it often reflects nothing more than an ideological harangue. Nevertheless, the underlying concern – that activist judges may act improperly – is legitimate in light of our commitment to democratic values". Keenan D. Kmiec, The origin and current meanings of 'judicial activism', *California Law Review 92*:1441, 2004, p. 1463 e s. afirma que não se trata de um conceito monolítico e aponta cinco sentidos em que o termo tem sido empregado no debate americano, no geral com uma conotação negativa: a) declaração de inconstitucionalidade de atos de outros Poderes que não sejam claramente inconstitucionais; b) ignorar precedentes aplicáveis; c) legislação pelo Judiciário; d) distanciamento das metodologias de interpretação normalmente aplicadas e aceitas; e e) julgamentos em função dos resultados.

[45] Como assinalado no texto, a expressão ativismo judicial foi amplamente utilizada para estigmatizar a jurisprudência progressista da Corte Warren. É bem de ver, no entanto, que o ativismo judicial precedeu a criação do termo e, nas suas origens, era essencialmente conservador. De fato, foi na atuação proativa da Suprema Corte que os setores mais reacionários encontraram amparo para a segregação racial (*Dred Scott v. Sanford*, 1857) e para a invalidação das leis sociais em geral (Era *Lochner*, 1905-1937), culminando no confronto entre o Presidente Roosevelt e a Corte, com a mudança da orientação jurisprudencial contrária ao intervencionismo estatal (*West Coast v. Parrish*, 1937). A situação se inverteu no período que foi de meados da década de 50 a meados da década de 70 do século passado. Todavia, depois da guinada conservadora da Suprema Corte, notadamente no período da presidência de William Rehnquist (1986-2005), coube aos progressistas a crítica severa ao ativismo judicial que passou a desempenhar. V. Frank B. Cross e Stefanie A. Lindquistt, The scientific study of judicial activism, *Minnesota Law Review 91*:1752, 2006-2007, p. 1753 e 1757-8; Cass Sunstein, Tilting the scales rightward, *New York Times*, 26 abr. 2001 ("um notável período de ativismo judicial direitista") e Erwin Chemerinsky, Perspective on Justice: and federal law got narrower, narrower, *Los Angeles Times*, 18 mai. 2000 ("ativismo judicial agressivo e conservador").

[46] Em importante trabalho sobre o tema, assim concluiu Carlos Alexandre de Azevedo Campos, *Dimensões do ativismo judicial*. São Paulo: Gen, 2014, p. 358: "Com efeito, é possível defender um Supremo ativista na tarefa de expandir os significados da Constituição, em face do poder político, para avançar posições de liberdade e igualdade e, ao mesmo tempo, repudiar suas posturas de soberania judicial: a dimensão antidialógica é a única manifestação aprioristicamente ilegítima de ativismo judicial".

Para citar um exemplo bem visível, o Tribunal Constitucional Federal alemão é mais ativista do que a Suprema Corte americana, mas bem menos politizado.[47] Dificilmente uma decisão como *Bush v. Gore*[48] teria vindo de Karlsruhe.

A judicialização, como demonstrado anteriormente, é um fato, uma circunstância do desenho institucional das democracias contemporâneas. Já o ativismo é uma *atitude*, a escolha de um modo específico e proativo de interpretar a Constituição, expandindo o seu sentido e alcance. Normalmente, ele se instala em situações de retração do Poder Legislativo, de um certo descolamento entre a classe política e a sociedade civil, impedindo que determinadas demandas sociais sejam atendidas de maneira efetiva. Ou pela necessidade de certos avanços sociais que não se consigam fazer por via da política majoritária. O oposto do ativismo é a *autocontenção judicial*, conduta pela qual o Judiciário procura reduzir sua interferência nas ações dos outros Poderes.[49] A principal diferença metodológica entre as duas posições está em que, em princípio, o ativismo judicial legitimamente exercido procura extrair o máximo das potencialidades do texto constitucional, inclusive e especialmente construindo regras específicas de conduta a partir de enunciados vagos (princípios, conceitos jurídicos indeterminados).[50] Por sua vez, a autocontenção se caracteriza justamente por abrir mais espaço à atuação dos Poderes políticos, tendo por nota fundamental a forte deferência em relação às suas ações e omissões.[51]

---

[47] V. Dieter Grimm, *Constitutionalism: past, present, and future*. Oxford: Oxford University Press, 2016, p. 210.

[48] 531 U.S. 98 (2000).

[49] Por essa linha, juízes e tribunais (i) evitam aplicar diretamente a Constituição a situações que não estejam no seu âmbito de incidência expressa, aguardando o pronunciamento do legislador ordinário; (ii) utilizam critérios rígidos e conservadores para a declaração de inconstitucionalidade de leis e atos normativos; e (iii) abstêm-se de interferir na definição das políticas públicas.

[50] Ronald Dworkin, *Freedom's law*: the moral reading of the American Constitution, 1996, p. 2: "The moral reading proposes that we all – judges, lawyers, citizens – interpret and apply these abstract clauses (of the U. S. Constitution) on the understanding that they invoke moral principles about political decency and justice. (...) The moral reading therefore brings political morality into the heart of constitutional law".

[51] Para uma influente defesa da atuação *minimalista* dos tribunais, v. Cass R. Sunstein, *One case at a time:* judicial minimalism on the Suprem Court, 1999. De acordo com essa visão, decisões judiciais devem ser "limitadas em vez de abrangentes" (*"narrow rather than wide"*) e "rasas em vez de profundas" (*"shallow rather than deep"*). Ao revisitar o tema em texto posterior, Sunstein atenuou o argumento de que o minimalismo seja invariavelmente o melhor curso de ação. Afirmou, assim, que em certos contextos é necessário "ir bem além do minimalismo" (*"go well beyond minimalism"*) e que "in the most glorious moments in democratic life" as decisões refletem "theoretical depth, and they are wide rather than narrow" E cita como exemplos julgados como o que declarou a inconstitucionalidade da segregação racial, o que

Em tese, portanto, o ativismo judicial pode traduzir ora um comportamento legítimo, ora um comportamento ilegítimo. Quando se trate de proteger grupos historicamente vulneráveis, como mulheres, negros ou homossexuais, a atuação expansiva do Judiciário para assegurar seus direitos fundamentais contra discriminações é percebida como algo positivo pela maioria dos juristas e pela sociedade.[52] Ainda assim, à vista do desgaste do termo ativismo, é boa hora para se encontrar um novo termo para identificar essa atuação judicial quando virtuosa e humanista. Por outro lado, quando o juiz ou tribunal, em lugar de aplicar o direito vigente, ignora-o ou contorna-o de maneira artificial, com o propósito de promover os seus próprios valores, crenças ou preferências políticas, não haveria dúvida de se estar diante de um comportamento judicial impróprio. Faz parte do conhecimento estabelecido que não é papel do Judiciário criar o direito, mas aplicar o direito em vigor.

As coisas, todavia, são um pouco menos simples do que se poderia supor à primeira vista. É que, para se saber se o juiz está criando ou aplicando o direito, é preciso determinar (i) o que é o direito e (ii) qual é o direito. A discussão sobre *o que é o direito* exigiria longo desvio por um sinuoso caminho repleto de sutilezas filosóficas, que não se poderá percorrer aqui. Entre elas: direito é o texto da norma, a intenção original de quem a criou ou o propósito para o qual foi criada? Direito é a aplicação pura e simples da lei ou a busca da justiça do caso concreto? Ou, quem sabe, a aplicação do direito é uma complexa combinação de valores ou princípios fundamentais, como justiça, segurança jurídica, legitimidade, igualdade e prudência?[53] Porém, mesmo deixando de lado essas complexidades, e assumindo a existência de norma expressa ou precedente específico sobre o tema a ser decidido, ainda assim nem sempre será objetiva a verificação de *qual é o direito* aplicável. Em muitas situações, a ambiguidade ou vagueza da linguagem, a colisão de normas ou de valores a ela subjacentes, bem como os desacordos morais razoáveis inflacionam de subjetividade a operação de dizer qual

---

afirmou que a liberdade de expressão tem raízes no ideal democrático de autogoverno e o que assentou que o princípio da igualdade impede que as diferenças entre os sexos sejam fonte de sistemática desvantagems sociais. V. Cass R. Sunstein, Beyond judicial minimalism. *Tulsa Law Review 43*:825, 2007-2008, p. 825 e 841.

[52] Dificilmente se encontram, nos dias de hoje, autores críticos da decisão em *Brown v. Board of Education*. E é crescente o suporte para decisões como *Obergefell v. Hodges*.

[53] Para uma análise das diferentes concepções sobre o que é o direito, bem como dos respectivos modelos de atuação judicial – que divide em legalismo, idealismo e pluralismo –, v. Gonçalo de Almeida Ribeiro, Judicial activism and fidelity to law. In Luís Pereira Coutinho, Massimo La Torre e Steven Smith (eds), *Judicial activism:* an interdisciplinary approach to the American and European Experiences, 2015.

é o direito.[54] Já vai ficando distante o tempo em que se podia aceitar, sem maior questionamento, a crença de Hans Kelsen de que o juiz constitucional funcionaria como um "legislador negativo".[55] O juiz contemporâneo, não apenas nos países do *common law*, mas também na tradição de direito civil, é, com frequência, coparticipante do processo de criação do direito. Não se trata de uma opção filosófica ou metodológica, mas de uma imposição da realidade da vida.

III Críticas à expansão do Judiciário e sua justificação

As críticas à ascensão do Judiciário e à sua atuação mais expansiva vêm de diversas frentes. Registram-se aqui três delas. A primeira consiste em uma *crítica ideológica*: o Judiciário é uma instância tradicionalmente conservadora das distribuições de poder e riqueza na sociedade. Nessa perspectiva, a judicialização funcionaria como uma reação das elites tradicionais contra a democratização, um antídoto contra a participação popular e a política majoritária.[56] A segunda crítica diz respeito às *capacidades institucionais* dos tribunais – que podem não ser o melhor *locus*

---

[54] Para citar exemplos recorrentes, basta indagar se é legítimo: realizar pesquisas com células-tronco embrionárias, deixar de realizar transfusão de sangue em adepto da religião Testemunha de Jeová que se encontre sob risco de morte ou proibir a prática de arremesso de anão em casas noturnas.

[55] Segundo Kelsen, legisladores desempenham um papel "criativo" e "positivo", elaborando livremente as leis, limitados apenas pelos procedimentos impostos pela Constituição. Já o poder de invalidar as leis possui uma conotação estritamente "negativa". Em suas palavras: "To annul a law is to assert a general [legislative] norm, because the annulment of a law has the same character as it elaboration – only with a negative sign attached.... A tribunal which has the power to annul a law is, as a result, an organ of legislative power". V. Hans Kelsen, La garantie juridicitionnelle de la Constitution. *Revue du Droit Public 45:*197, 1928, p. 221-41. Sobre a visão kelseniana da jurisdição constitucional, v. Alec Stone Sweet, Why Europe rejected American judicial review. *Michigan Law Review 101:*2744, 2003, p. 2765-69.

[56] V. Ran Hirschl, *Towrds juristocracy:* the origins and consequences of the new constitutionalism, 2004. Após analisar as experiências de Canadá, Nova Zelândia, Israel e África do Sul, o autor conclui que o aumento do poder judicial por via da constitucionalização é, no geral, "um pacto estratégico entre três partes: as elites políticas hegemônicas (e crescentemente ameaçadas) que pretendem proteger suas preferências políticas contra as vicissitudes da política democrática; as elites econômicas que comungam da crença no livre mercado e da antipatia em relação ao governo; e cortes supremas que buscar fortalecer seu poder simbólico e sua posição institucional" (p. 214). Nos Estados Unidos, em linha análoga, uma corrente de pensamento referida como "constitucionalismo popular" também critica a ideia de supremacia judicial. V., dentre muitos, Mark Tushnet, *Taking the constitution away from the courts*, 1999, p. 177, onde escreveu: "Os liberais (progressistas) de hoje parecem ter um profundo medo do processo eleitoral. Cultivam um entusiasmo no controle judicial que não se justifica, diante das experiências recentes. Tudo porque têm medo do que o povo pode fazer"; e Larry Kramer, *The people themselves*: popular constitutionalism and judicial review, 2004.

para a tomada de decisões envolvendo aspectos técnicos ou científicos de grande complexidade – e ao risco de *efeitos sistêmicos* imprevisíveis e indesejáveis decorrentes dessas decisões. Ambas as circunstâncias recomendam cautela e deferência.[57] Uma terceira crítica diz respeito ao fato de que a judicialização limita, de um lado, a participação no debate aos poucos que têm acesso ao mundo jurídico – com seus ritos formais e custos elevados – e, por outro lado, oferece o risco de politização indevida da justiça. Ou seja: pode produzir apatia nas forças sociais[58] ou levar paixões a um ambiente que deve ser presidido pela razão.[59] Todas as críticas merecem ser levadas em conta com seriedade.

A jurisdição constitucional pode não ser um componente indispensável do constitucionalismo democrático, mas tem servido bem à causa, de uma maneira geral.[60] Ela é um espaço de legitimação discursiva ou argumentativa das decisões políticas, que coexiste com a legitimação majoritária. Isso vale para democracias tradicionais e pode ser vital para países de democratização mais recente, onde o amadurecimento institucional ainda precisa enfrentar uma tradição de hegemonia do Executivo e uma persistente fragilidade do sistema representativo.[61]

---

[57] V. Cass Sunstein e Adrian Vermeulle, Interpretation and institutions, *Public Law and Legal Theory Working Paper No. 28*, 2002: "Ao chamarmos atenção para as capacidades institucionais e para os efeitos sistêmicos, estamos sugerindo a necessidade de um tipo de virada institucional no estudo das questões de interpretação jurídicas" (p. 2). Sobre o tema, v. tb. Adrian Vermeule, Foreword: system effects and the constitution, *Harvard Law Review 123*:4, 2009.

[58] Rodrigo Uprimny Yepes, Judicialization of politics in Colombia, *International Journal on Human Rights 6*:49, 2007, p. 63: "O uso de argumentos jurídicos para resolver problemas sociais complexos pode dar a impressão de que a solução para muitos problemas políticos não exige engajamento democrático, mas em vez disso juízes e agentes públicos providenciais". A esse propósito, v. tb. Gordon Silverstein, *Law's Allure:* how law shapes, constrains, saves, and kills politics, 2009, p. 269: "O Direito pode salvar a política ao romper as barreiras que são parte do sistema americano; o Direito pode matar a política quando a deferência à autoridade judicial, aos precedentes e a padrões desconstrutivos retiram o vento das velas políticas". (*"Law can save politics by breaking through the barriers that are a part of the American system; law can kill politics when deference to judicial authority, precedent cycles, and deconstructive patterns take the wind out of the political sails..."*).

[59] V. Luís Roberto Barroso, Constituição, democracia e supremacia judicial: direito e política no Brasil contemporâneo. *Revista Jurídica da Presidência 96*:5, 2010.

[60] V. Dieter Grimm, *Constitutionalism:* past, present, and future, 2016, p. 215: "[T]here is neither a fundamental contradiction nor a necessary connection between constitutional adjudication and democracy. Judicial review has a number of democratic advantages, but it also creates some democratic risks".

[61] Um dos principais críticos da *judicial review*, isto é, à possibilidade de cortes de justiça declararem a inconstitucionalidade de atos normativos, Jeremy Waldron, no entanto, reconhece que ela pode ser necessária para enfrentar patologias específicas, em um ambiente em que certas características políticas e institucionais das democracias liberais não estejam totalmente presentes. V. Jeremy Waldron, The core case against judicial review, *The Yale Law Journal 115*:1346, p. 1359 e s.

As constituições contemporâneas desempenham dois grandes papéis: (i) expressar as decisões políticas essenciais em que se funda uma dada sociedade, inclusive e sobretudo no que diz respeito aos direitos fundamentais; e (ii) disciplinar o processo democrático, propiciando o governo da maioria e a alternância no poder.[62] De longa data se tem reconhecido que aí está o grande papel das supremas cortes e cortes constitucionais: proteger e promover os direitos fundamentais, assegurar o governo da maioria e resguardar as regras do jogo democrático. Eventual atuação contramajoritária do Judiciário em defesa dos elementos essenciais da Constituição se dará a favor e não contra a democracia.[63]

Nas demais situações – isto é, quando não estejam em jogo os direitos fundamentais ou os procedimentos democráticos –, juízes e tribunais devem acatar as escolhas legítimas feitas pelo legislador, assim como ser deferentes com o exercício razoável de discricionariedade pelo administrador, abstendo-se de sobrepor-lhes sua própria valoração política.[64] Isso deve ser feito não só por razões ligadas à legitimidade democrática, como também em atenção às capacidades institucionais dos órgãos judiciários e sua impossibilidade de prever e administrar os efeitos sistêmicos das decisões proferidas em casos individuais. Não se deve cultivar o equívoco de supor que a judicialização possa substituir a política. Em uma democracia, política é gênero de primeira necessidade e seu *locus*, por excelência, é o Legislativo. É fato que certas práticas de retardamento, obstrução e barganha que têm lugar no processo político majoritário podem muitas vezes trazer frustração e desalento. Daí a tentação de substituí-lo pela promessa de que nos tribunais tudo

---

62 Luís Roberto Barroso, *Curso de direito constitucional contemporâneo*, 2009, p. 89-90.

63 Esta visão corresponde ao conhecimento convencional e tem prevalecido de longa data. Tom Ginsburg e Mila Versteeg, em trabalho baseado em alentada pesquisa empírica, afirmam não haver encontrado evidências suficientes que comprovem esta tese, que incluiu na categoria de "teorias idealizadas" (*"ideational theories"*). Segundo eles, a adoção da jurisdição constitucional (*constitutional review*) é motivada pela política eleitoral doméstica e funciona como uma forma de "seguro político" (*"political insurance"*). Isso significa, em essência, que os constituintes (*constitution-makers*) confiam ao Judiciário a proteção de determinados valores substantivos que desejam ver preservados, quando já não mais estiverem no poder. V. Tom Ginsburg e Mila Versteeg, Why do countries adopt constitutional review? *The Journal of Law, Economics & Organization 30*:587, 2013, p. 588 e 616. Seria possível argumentar que esses valores substantivos são precisamente os direitos fundamentais e as regras do jogo democrático. Mas não se vai abrir esta discussão aqui.

64 Na jurisprudência norte-americana, o caso *Chevron* é o grande precedente da teoria da *deferência administrativa* em relação à *interpretação razoável* dada pela Administração. De fato, em *Chevron USA Inc. vs. National Resources Defense Council Inc.* (467 U.S. 837 (1984) ficou estabelecido que, havendo ambiguidade ou delegação legislativa para a agência, o Judiciário somente deve intervir se a Administração (no caso, uma agência reguladora) tiver atuado *contra legem* ou de maneira irrazoável.

será mais rápido, linear e transparente.[65] Mas a vida real não é simples assim. Primeiro, porque juízes não são imunes a erros.[66] E, ademais, se tribunais se enredassem no varejo da política, em breve incorporariam algumas das mesmas vicissitudes que pretendem superar.[67]

Além de tudo isso, o fato de a última palavra acerca da interpretação da Constituição ser formalmente do Judiciário não o transforma no único – nem no principal – foro de debate e de reconhecimento da vontade constitucional a cada tempo. A jurisdição constitucional não deve suprimir nem oprimir a voz das ruas, o movimento social, os canais de expressão da sociedade. Ao contrário, deve funcionar como uma etapa de uma interlocução mais ampla com o legislador e com a esfera pública.[68] Nunca é demais lembrar que o poder emana do *povo*, não dos juízes. O constitucionalismo democrático reconhece a legitimidade dos diferentes atores que se articulam pelo cumprimento da Constituição, sejam os representantes eleitos, a cidadania mobilizada ou os tribunais.[69] Cada um com sua lógica e mecanismos de ação. Trata-se de um jogo dialético e repleto de nuances, no qual ninguém é o dono da bola. A esse propósito, não parece sustentável – ou, pelo menos, não será universalizável – a crítica de que os tribunais sejam necessariamente porta-vozes das elites. Em muitos casos, têm eles avançado direitos

---

[65] V. Gordon Silverstein, *Law's Allure:* how law shapes, constrains, saves, and kills politics, 2009, p. 266: "Trabalhar no âmbito do sistema político pode ser lento e frustrante – e, por vezes, inútil. (...) Parte do fascínio do Direito (da judicialização) é precisamente a aparente promessa de ações decisivas relativamente rápidas e baratas, em lugar das barganhas, trocas, negociações e persuasão que podem, ao final, ser bloqueadas ou desviadas por todo o tipo de obstáculo político e institucional". (*"To work within the political system is slow and often frustrating – and sometimes futile. (...) Part of law's allure is precisely the apparent promise of relatively quick, relatively cheap, and relatively decisive action in place of the bargaining, tradeoffs, negotiations, and persuasion that might, in the end, be blocked or sidetracked by all sorts of political and institutional roadblocks"*).

[66] No Brasil, o Supremo Tribunal Federal, ao considerar inconstitucional a lei que estabelecia a cláusula de barreira para partidos políticos, contribuiu para a criação de um modelo de multipartidarismo disfuncional e fomentador da corrupção.

[67] A esse propósito, também na Suprema Corte do Brasil, em mais de uma ocasião, juízes foram acusados de utilizar o pedido de suspensão do julgamento para melhor exame (pedido de vista) com a finalidade de impedir a conclusão de processo de cujo resultado discordavam.

[68] V. Conrado Hubner Mendes, *Constitutional courts and deliberative democracy*, 2013, p. 3. O autor faz uma vigorosa defesa das cortes constitucionais como instâncias deliberativas, e conclui: "In that sense, there would be no ultimate authority on constitutional meaning but a permanent interactive enteprise".

[69] V. Robert Post e Reva Siegel, Roe rage: democratic constitutionalism and backlash. *Harvard Civil Rights and Civil Liberties Law Review* 42:373, 2007. *Faculty Scholarship Series*. 169. Acessível em: http://digitalcommons.law.yale.edu/fss_papers/169, p. 379: "Democratic constitutionalism affirms the role of representative government and mobilized citizens in enforcing the Constitution at the same time as it affirms the role of courts in using professional reason to interpret the Constitution".

fundamentais de negros, mulheres,[70] *gays* e desfavorecidos,[71] inclusive direitos econômicos e sociais,[72] sendo que, em alguns países, por motivos diversos, o Judiciário é mais progressista do que o Legislativo.[73]

Parte II
Direito e política: a tênue fronteira

I A concepção tradicional

A separação entre Direito e política tem sido considerada como essencial no Estado constitucional democrático. Na política, vigoram a soberania popular e o princípio majoritário. O domínio da vontade. No Direito, vigora o primado da lei (*the rule of law*) e do respeito aos direitos fundamentais. O domínio da razão. A crença mitológica nessa distinção tem resistido ao tempo e às evidências. Ainda hoje, já avançado o século XXI, mantém-se a divisão tradicional entre o espaço da política e o espaço do Direito.[74] No plano de sua *criação*, não há como o Direito ser separado da política, na medida em que é produto do processo constituinte ou do processo legislativo, isto é, da vontade das maiorias. O Direito é, na verdade, um dos principais produtos da

---

[70] V. Linda C. McClain e James E. Fleming, *Constitutionalism, judicial review, and progressive change. Texas Law Review 84*:433, 2005. Em resenha ao livro de Ran Hirschl, *Towards juristocracy*: the origins and consequences of the new constitutionalism, 2004, os autores argumentam que se a definição de "mudanças progressistas" ("*progressive change*") fosse feita de modo mais abrangente, para incluir avanços nas relações de gênero e de família, a conclusão seria outra.

[71] V. Luís Roberto Barroso e Aline Osorio, "Sabe con quién está hablando?": algunos apuntes sobre el principio de la igualdad en el Brasil contemporáneo. SELA 2015, *La desigualdad:* Seminario en Latinoamérica de Teoría Constitucional y Política, 2015, p. 11-27.

[72] Para uma reflexão profunda e original acerca da concretização dos direitos sociais, v. Katherine G. Young, *Constituting economic and social rights*, 2012. Para uma breve descrição de algumas experiências na África do Sul, v. Albie Sachs, *The strange alchemy of life and law*, 2011, p. 161-201.

[73] V. Luís Roberto Barroso, Reason without vote: the representative and majoritarian function of constitutional courts. In Thomas Bustamante e Bernardo Gonçalves Fernandes (eds.), *Democratizing constitutional law*, 2016, p. 71: "For many reasons, it is not unusual or surprising that the Judiciary, in certain contexts, is the best interpreter of the majority sentiment". V. tb., Luís Roberto Barroso, A ascensão política das supremas cortes e do Judiciário. *Consultor Jurídico*, 6 de jun. 2012: "[É] possível sustentar que, na atualidade brasileira, o STF está à esquerda do Congresso Nacional". Disponível em http://www.conjur.com.br/2012-jun-06/luis-roberto-barroso-ascensao-politica-supremas-cortes-judiciario. Acesso em 21 jan. 2017.

[74] V. Larry Kramer, *The people themselves*: popular constitutionalism and judicial review, 2004, p. 7.

política, o troféu pelo qual muitas batalhas são disputadas.[75] Em um Estado de direito, a Constituição e as leis, a um só tempo, legitimam e limitam o poder político.

Já no plano da *aplicação* do Direito, sua separação da política é tida como possível e desejável. Tal pretensão se realiza, sobretudo, por mecanismos destinados a evitar a ingerência do poder político sobre a atuação judicial. Para blindar a atuação judicial da influência imprópria da política, a cultura jurídica tradicional sempre se utilizou de dois grandes instrumentos: a independência do Judiciário em relação aos órgãos propriamente políticos de governo; e a vinculação ao Direito, pela qual juízes e tribunais têm sua atuação determinada pela Constituição, pelas leis e pelas categorias convencionais próprias da teoria e da técnica jurídicas. Essa separação entre Direito e política é potencializada por uma visão tradicional e formalista do fenômeno jurídico. Nela se cultivam crenças como a da neutralidade científica, da completude do Direito e a da interpretação judicial como um processo puramente mecânico de concretização das normas jurídicas, em valorações estritamente técnicas.[76] Tal perspectiva esteve sob fogo cerrado ao longo de boa parte do século passado, tendo sido criticada por tratar questões políticas como se fossem linguísticas, e por ocultar escolhas entre diferentes possibilidades interpretativas por trás do discurso da única solução possível.[77] Mais recentemente, autores diversos têm procurado resgatar o formalismo jurídico, em uma versão requalificada, cuja ênfase é a valorização das regras e a contenção da discricionariedade judicial.[78]

---

[75] V. Keith E. Whittington, R. Daniel Kelemen e Gregory A. Caldeira (eds.), *The Oxford handbook of law and politics*, 2008, p. 3.

[76] O termo *formalismo* é empregado aqui para identificar posições que exerceram grande influência em todo o mundo, como a da Escola da Exegese, na França, a Jurisprudência dos Conceitos, na Alemanha, e o Formalismo Jurídico, nos Estados Unidos, cuja marca essencial era a da concepção mecanicista do direito, com ênfase na lógica formal e grande desconfiança em relação à interpretação judicial.

[77] Para Brian Z. Tamahana, *Beyond the formalist-realist divide*: the role of politics in judging, 2010, a existência do formalismo jurídico, com as características que lhe são atribuídas, não corresponde à realidade histórica. Segundo ele, ao menos nos Estados Unidos, essa foi uma invenção de alguns realistas jurídicos, que se apresentaram para combater uma concepção que jamais existiu, ao menos não com tais características: autonomia e completude do direito, soluções únicas e interpretação mecânica. A tese refoge ao conhecimento convencional e suscita polêmica.

[78] V. Frederick Schauer, Formalism: legal, constitutional, judicial. In: Keith E. Whittington, R. Daniel Kelemen e Gregory A. Caldeira (eds.), *The Oxford handbook of law and politics*, 2008, p. 428-36; e Noel Struchiner, Posturas interpretativas e modelagem institucional: a dignidade (contingente) do formalismo jurídico. In: Daniel Sarmento (coord.), *Filosofia e teoria constitucional contemporânea*, 2009, p. 463-82. Sobre as ambiguidades do termo *formalismo*,

Não está em questão que as escolhas políticas devem ser feitas, como regra geral, pelos órgãos eleitos, isto é, pelo Congresso e pelo Presidente. Os tribunais desempenham um papel importante na vida democrática, mas não o papel principal. Órgãos judiciais, ensina o conhecimento convencional, não exercem vontade própria, mas concretizam a vontade política majoritária manifestada pelo constituinte e pelo legislador, ou materializada em costumes e precedentes. A atividade de interpretar e aplicar normas jurídicas é regida por um conjunto de princípios, regras, convenções, conceitos e práticas que dão especificidade ao mundo do Direito e à teoria jurídica. Este, portanto, o discurso padrão: juízes são independentes da política e limitam-se a aplicar o direito vigente, de acordo com critérios aceitos pela comunidade jurídica. Direito é, certamente, diferente da política. Mas não é possível ignorar que a linha divisória entre ambos, que existe inquestionavelmente, nem sempre é nítida, e certamente não é fixa.

II O modelo real

Não há dúvida de que, pelo mundo afora, Cortes Constitucionais e Supremas Cortes terminam por interferir relevantemente no domínio da política e da formulação de políticas públicas. De fato, tanto em democracias mais recentes (*e.g.* África do Sul e Brasil), como em democracias estabelecidas de longa data (*e.g.* Canadá e Nova Zelândia), elas têm sido chamadas para resolver questões divisivas como: (i) disputas entre políticos no poder e seus adversários; (ii) conflitos entre defensores de valores seculares e valores religiosos; (iii) conflitos entre centros de poder concorrentes dentro de governos nacionais ou entre governos centrais e governos subnacionais culturalmente ou politicamente divergentes; (iv) conflitos que decorrem da indignação popular em relação à corrupção; e (v) conflitos que refletem o fracasso do governo em reconhecer ou implementar direitos constitucionalmente prometidos.[79]

No mundo real, portanto, a despeito da vigorosa pretensão de autonomia que o Direito deve ter em relação à política, as superposições

v. Martin Stone, verbete "formalismo". In: Jules Coleman e Scott Shapiro (Eds), *The Oxford handbook of jurisprudence and philosophy of law*, 2002, p. 166-205.

[79] V. Diana Kapiszewski, Gordon Silverstein, Robert A. Kagan. *Consequential courts*: Judicial roles in global perspective. Cambridge: Cambridge University Press, 2013.

terminam sendo inevitáveis.[80] Por vezes, em razão das implicações imediatas da decisão. Se um tribunal declara inconstitucional a resolução de uma agência reguladora, a cobrança de um tributo ou a lei que regula o financiamento de campanha, há vencedores e perdedores na arena política. Outras vezes, a subjetividade do intérprete terá papel decisivo, como na atribuição de sentido a termos vagos ou ambíguos (punição inusual ou cruel, dignidade humana), na ponderação de normas aparentemente conflitantes (liberdade de expressão *versus* direito de privacidade, proteção da propriedade intelectual *versus* interesse dos consumidores) ou na solução de questões que envolvam desacordos morais razoáveis (suicídio assistido, pesquisas com células-tronco embrionárias). E, muito embora o juiz não deva projetar os seus próprios valores pessoais ao decidir, há uma dimensão mínima em que isso é inevitável: a da sua valoração do que seja correto, justo e legítimo.

Ainda há uma outra razão que retira, em medida significativa, a objetividade plena do Direito, sua capacidade de fornecer soluções *a priori* para os problemas da vida. A sociedade contemporânea tem a marca da complexidade. Fenômenos positivos e negativos se entrelaçam, produzindo uma globalização a um tempo do bem e do mal. De um lado, há a rede mundial de computadores, o aumento do comércio internacional e o maior acesso aos meios de transporte intercontinentais, potencializando as relações entre pessoas, empresas e países. De outro, mazelas como o tráfico de drogas e de armas, o terrorismo e a multiplicação de conflitos internos e regionais, consumindo vidas, sonhos e projetos de um mundo melhor. Uma era desencantada, em que a civilização do desperdício, do imediatismo e da superficialidade convive com outra, feita de bolsões de pobreza, fome e violência. Paradoxalmente, houve avanço da democracia e dos direitos humanos em muitas partes do globo, com redução da mortalidade infantil e aumento significativo da expectativa de vida.

No plano doméstico, os países procuram administrar, da forma possível, a diversidade entre pessoas, marcada pela multiplicidade cultural, étnica, religiosa e ideológica. Buscam-se arranjos institucionais e regimes jurídicos que permitam a convivência harmoniosa entre diferentes, fomentando a tolerância e regras que propiciem que cada um viva, de maneira não excludente, as suas próprias convicções. Ainda assim, não são poucas as questões suscetíveis de gerar conflitos

[80] O termo "política" está sendo utilizado em uma acepção ampla, que transcende uma conotação partidária ou de luta pelo poder. Tal como aqui empregado, refere-se a qualquer influência extrajurídica capaz de afetar o resultado de um julgamento.

entre visões de mundo antagônicas. No plano internacional, elas vão de mutilações sexuais à imposição de religiões oficiais e conversões forçadas. No plano doméstico, em numerosos países, as controvérsias incluem o casamento de pessoas do mesmo sexo, a interrupção da gestação e o ensino religioso em escolas públicas. Quase tudo transmitido ao vivo, em tempo real. A vida transformada em *reality show*. Sem surpresa, as relações institucionais, sociais e interpessoais enredam-se nos desvãos dessa sociedade complexa e plural, sem certezas plenas, verdades seguras ou consensos apaziguadores. E, num mundo em que tudo se judicializa mais cedo ou mais tarde, tribunais e cortes constitucionais defrontam-se com situações para as quais não há respostas fáceis ou eticamente simples. Alguns exemplos:

a) pode um casal surdo-mudo utilizar a engenharia genética para gerar um filho surdo-mudo e, assim, habitar o mesmo universo existencial que os pais?
b) uma pessoa que se encontrava no primeiro lugar da fila, submeteu-se a um transplante de fígado. Quando surgiu um novo fígado, destinado ao paciente seguinte, o paciente que se submetera ao transplante anterior sofreu uma rejeição e reivindicava o novo fígado. Quem deveria recebê-lo?
c) pode um adepto da religião Testemunha de Jeová recusar terminantemente uma transfusão de sangue, mesmo que indispensável para salvar-lhe a vida, por ser tal procedimento contrário à sua convicção religiosa?
d) pode uma mulher pretender engravidar do marido que já morreu, mas deixou o seu sêmen em um banco de esperma?
e) pode uma pessoa, nascida fisiologicamente homem, mas considerando-se uma transexual feminina, celebrar um casamento entre pessoas do mesmo sexo com outra mulher?

Nenhuma dessas questões é teórica. Todas elas correspondem a casos concretos levados aos tribunais. A característica comum a elas é a ausência de uma solução inequívoca que pudesse ser colhida na legislação ou nos precedentes. As dificuldades decorrem de fatores diversos, já mencionados anteriormente, que incluem (i) a ambiguidade ou vagueza da linguagem, (ii) os conflitos entre normas ou entre os valores nela abrigados, assim como (iii) desacordos morais razoáveis. Em muitas situações, pessoas esclarecidas e bem intencionadas veem o mundo de perspectivas totalmente diversas. Surgem, então, os *casos difíceis*, como tal entendidos aqueles que não têm uma solução pré-pronta no ordenamento jurídico, à disposição do intérprete.[81] A solução, portanto, precisa ser construída lógica e argumentativamente pelo juiz, que se torna, assim, coparticipante do processo de criação do Direito. Tal papel pode parecer natural e óbvio para um jurista anglo-saxão, mas tem uma dose de extravagância para um europeu continental. A legitimação da decisão, assim, à falta de um precedente ou de uma norma, se transfere para a argumentação jurídica, para a capacidade do intérprete de demonstrar a racionalidade, a justiça e a adequação constitucional da solução que construiu.[82] Surge aqui o conceito interessante de *auditório*.[83] A legitimidade da decisão vai depender da capacidade de o intérprete convencer o auditório a que se dirige de que aquela é a solução correta e justa.[84] O tema apresenta grande fascínio, mas não será possível fazer o desvio aqui.

III Fatores que influenciam as decisões judiciais

Na concepção tradicional, há uma visão frequentemente idealizada de que o Direito é imune às influências políticas, por força de diferentes institutos e mecanismos. Basicamente, eles consistiriam, como já observado, na independência do Poder Judiciário – autonomia administrativa, financeira e garantias aos juízes, como a vitaliciedade – e na vinculação dos juízes ao sistema jurídico. Julgar é diferente de legislar e de administrar e os tribunais não podem fugir de doutrinas, conceitos e princípios manejados pela comunidade jurídica em geral. Há uma visão bem oposta a esta, que se poderia denominar de uma concepção cética, que descrê da autonomia do Direito, professada por movimentos teóricos de expressão, como o realismo jurídico, a teoria

---

[81] Casos difíceis não têm uma solução claramente definida pela lei ou por precedentes. Sobre o tema, v. H. L. A. Hart, *The concept of the law*, 1988 (a 1ª edição é de 1961); e Ronald Dworkin, Hard cases. *Harvard Law Review 88*:1057 (1975); e Aharon Barak, "A Judge on Judging: e Role of a Supreme Court in a Democracy" (2002). Faculty Scholarship Series. Paper 3692. http://digitalcommons.law.yale.edu/fss_papers/3692.

[82] Sobre o tema, v. Robert Alexy, *A theory of legal argumentation*, 2010; Neil MacCormick, *Legal reasoning and legal theory*, 2003; e Manuel Atienza, *Curso de argumentación jurídica*, 2012.

[83] V. Chaim Perelman e Lucie Olbrechts-Tyteca, *Tratado da argumentação:* a nova retórica, 1996, p. 22: "É por essa razão que, em matéria de retórica, parece preferível definir o auditório como *o conjunto daqueles que o orador quer influenciar com sua argumentação*. Cada orador pensa, de uma forma mais ou menos consciente, naqueles que procuram persuadir e que constituem o auditório ao qual se dirigem seus discursos".

[84] Tribunais, em geral, e cortes constitucionais, em particular, precisam ser capazes de convencer os demais atores políticos, nos outros Poderes e na sociedade, do acerto de seus pronunciamentos. V. Mark C. Miller, *The view of the courts from the hill:* interactions between Congress and the Federal Judiciary, 2009, p. 7.

crítica e boa parte das ciências sociais contemporâneas. Decisões judiciais refletem as preferências pessoais dos juízes, proclama o realismo jurídico; são essencialmente políticas, verbera a teoria crítica; são influenciadas por inúmeros fatores extrajurídicos, registram os cientistas sociais. Nessa linha, proclamam essas correntes, o juiz produzirá, em última análise, a solução que melhor atenda às suas preferências pessoais, à sua ideologia ou a fatores externos. Ele sempre agirá assim, tenha ou não consciência disso.

O modelo real, como não é difícil de intuir, não estará em nenhum dos dois extremos. O Direito pode e deve ter uma vigorosa pretensão de autonomia em relação à política. Isso é essencial para a subsistência do conceito de Estado de direito e para a confiança da sociedade nas instituições judiciais. A realidade, contudo, revela que essa autonomia será sempre relativa. Existem razões institucionais, funcionais e humanas para que seja assim. Decisões judiciais, com frequência, refletirão fatores extrajurídicos. Por longo tempo, a teoria do Direito procurou negar esse fato, a despeito das muitas evidências. Pois bem: a energia despendida na construção de um muro de separação entre o Direito e a política deve voltar-se agora para outra empreitada.[85] Cuida-se de entender melhor os mecanismos dessa relação intensa e inevitável, com o propósito relevante de preservar, no que é essencial, a especificidade e, sobretudo, a integridade do Direito.

Sobre os diferentes fatores aptos a influenciar uma decisão judicial, sobretudo da Suprema Corte, há uma vasta literatura produzida sobretudo nos Estados Unidos.[86] É possível agrupar os múltiplos elementos apontados por diferentes autores em três grandes categorias ou modelos. O primeiro deles é o *modelo legalista*, que identifica a influência decisiva dos materiais jurídicos nos pronunciamentos dos tribunais. Portanto, a Constituição, as leis, os precedentes, as doutrinas

---

[85] V. Barry Friedman, The politics of judicial review, *Texas Law Review 84*:257, 2005, p. 267 e p. 269, onde averbou: "Se, como os juristas vêm crescentemente reconhecendo, direito e política não podem ser mantidos separados, ainda precisamos de uma teoria que possa integrá-los, sem abrir mão dos compromissos com o Estado de direito que esta sociedade tanto preza".

[86] V. Jeffrey A. Segal e Harold J. Spaeth, *The Supreme Court and the attitudinal model revisited*, 2002; Lee Epstein e Jack Knight, *The choices justices make*, 1998; Richard Posner, How judges think?, 2008, p. 19-56, identifica "nove teorias de comportamento judicial": ideological, estratégica, organizacional, econômica, psicológica, sociológica, pragmática, fenomenológica e legalista. V. tb. Cass Sunstein, David Schkade, Lisa M. Ellman e Andres Sawicki, *Are judges political? An empirical analysis of the Federal Judiciary*, 2006. No Brasil, merece destaque o trabalho de Patricia Perrone Campos Mello, *Nos bastidores do STF*, 2016, cuja terminologia – legalista, ideológico e institucional – é aqui utilizada.

aplicáveis, os princípios próprios e os conceitos fundamentais naturalmente têm um papel de destaque que não pode ser minimizado. Em segundo lugar, os autores identificam o denominado *modelo ideológico*. Juízes são inevitavelmente influenciados por sua visão de mundo, suas convicções pessoais, seu ponto de observação da vida. Por evidente, um juiz não pode ser partidarizado ou ter interesse nos processos que julga. Mas como toda e qualquer pessoa, ele terá uma concepção do bem, do justo, e ela estará presente, consciente ou inconscientemente, nas suas decisões. Por fim, há o que pode denominar de *modelo institucional*, que reúne fatores externos ao processo, ao Direito e à própria subjetividade do juiz. Entre eles estão as relações entre Poderes, as influências da sociedade, da mídia e da opinião pública, a viabilidade de cumprimento da decisão, entre outros. Não deve ficar de fora, a propósito, um fator igualmente capaz de interferir com a formulação de decisões, que é a relação entre julgadores nos órgãos colegiados.[87]

Não será difícil intuir que nenhum dos três modelos prevalece em sua pureza: a vida real é feita da combinação dos três. Sem embargo das influências ideológicas, institucionais e mesmo estratégicas, o Direito conservará sempre um grau relevante de autonomia.[88] O aprofundamento na compreensão desses fatores e modelos constitui uma fronteira fascinante na interseção entre o direito constitucional, a ciência política e as ciências comportamentais. Deixa-se aqui o registro importante, mas não será possível fazer o desvio para explorar esse domínio.

Parte III
Papéis desempenhados pelas Supremas Cortes e Tribunais Constitucionais

A missão institucional das supremas cortes e tribunais constitucionais é fazer valer a Constituição diante de ameaças oferecidas pelos outros Poderes ou mesmo por particulares. Na rotina da vida, a

---

[87] Sobre o tema, v. José Carlos Barbosa. Notas sobre alguns fatores extrajurídicos no julgamento colegiado. Caderno de doutrina e jurisprudência da Escola da Magistratura da 15ª Região, *1*:79 (2005). Disponível em http://bdjur.stj.jus.br/dspace/handle/2011/22668. Acesso em 2 abr. 2017.

[88] Este é, também, o ponto de vista de Michael Dorf, em *No litmus test:* Law versus politics in the twentieth century, 2006, xix. O autor defende uma posição intermediária entre os extremos representados pelo realismo e pelo formalismo. Em suas palavras: "Os realistas prestam um serviço importante ao corrigirem a visão exageradamente mecânica que os formalistas têm do direito. Mas vão longe demais ao sugerirem que não há nada de especificamente *jurídico* na metodologia de decisão empregada pelos tribunais e outros atores jurídicos".

situação mais corriqueira se dá quando determinada lei, isto é, um ato do Poder Legislativo, é questionado em face do texto constitucional. Na grande maioria dos casos, ao exercer o controle de constitucionalidade, as cortes constitucionais mantêm a legislação impugnada, julgando improcedente o pedido. Isto se deve à primazia que a Constituição deu ao Legislativo para a tomada de decisões políticas e à deferência que os tribunais devem aos atos dos outros ramos do governo, em nome do princípio da separação de Poderes. Como consequência, uma quantidade relativamente pequena de leis é declarada inconstitucional.

É oportuna aqui a observação de que nos Estados Unidos a *judicial review* é um conceito que, como regra geral, se restringe à possibilidade de uma corte de justiça, e particularmente a Suprema Corte, declarar uma lei inconstitucional. Em outros países, sobretudo os de Constituições mais analíticas, como Alemanha, Itália, Espanha, Portugal e Brasil, a *jurisdição constitucional,* termo mais comumente utilizado, abriga um conceito mais abrangente, que inclui outros comportamentos dos tribunais, diferentes da pura invalidação de atos legislativos. Essas outras atuações alternativas dos tribunais podem incluir: (i) a aplicação direta da Constituição a determinadas situações, com atribuição de sentido a determinada cláusula constitucional;[89] (ii) a interpretação conforme a Constituição, técnica que importa na exclusão de determinado sentido possível de uma norma, porque incompatível com a Constituição, e na afirmação de uma interpretação alternativa, esta sim em harmonia com o texto constitucional;[90] e (iii) a criação temporária de normas para sanar hipóteses conhecidas como de *inconstitucionalidade por omissão,* que ocorrem quando determinada norma constitucional depende de regulamentação por lei, mas o Legislativo se queda inerte, deixando de editá-la.[91]

São três os papéis desempenhados pelas supremas cortes e tribunais constitucionais quando acolhem o pedido e interferem com atos praticados pelo Poder Legislativo. O primeiro deles é o papel *contramajoritário,* que constitui um dos temas mais estudados pela teoria constitucional dos diferentes países. Em segundo lugar, cortes constitucionais desempenham, por vezes, um papel *representativo,* atuação

---

[89] Por exemplo: a liberdade de expressão protege a divulgação de fatos verdadeiros, não podendo ser afastada pela invocação do chamado direito ao esquecimento.

[90] Por exemplo: é legítima a reserva de vaga de um percentual de cargos públicos para negros, desde que sejam aprovados em concurso público, preenchendo os requisitos mínimos estabelecidos.

[91] Por exemplo: até que o Congresso aprove lei disciplinando a greve de servidores públicos, como prevê a Constituição, será ela regida pela lei que disciplina a greve no setor privado.

que é largamente ignorada pela doutrina em geral, que não parece ter se dado conta da sua existência. Por fim, e em terceiro lugar, supremas cortes e tribunais constitucionais podem exercer, em certos contextos limitados e específicos, um papel *iluminista*. Nos Estados Unidos, como a jurisdição constitucional é sempre vista em termos de *judicial review* (controle de constitucionalidade das leis), o acolhimento do pedido envolverá, como regra, a invalidação da norma e, consequentemente, de acordo com a terminologia usual, uma atuação contramajoritária. Como se verá um pouco mais à frente, este papel contramajoritário poderá – ou não – vir cumulado com uma dimensão representativa ou iluminista.

I O papel contramajoritário

Supremas cortes e tribunais constitucionais, na maior parte dos países democráticos, detêm o poder de controlar a constitucionalidade dos atos do Poder Legislativo (e do Executivo também), podendo invalidar normas aprovadas pelo Congresso ou Parlamento. Essa possibilidade, que já havia sido aventada nos *Federalist Papers* por Alexander Hamilton,[92] teve como primeiro marco jurisprudencial a decisão da Suprema Corte americana em *Marbury v. Madison*, julgado em 1803.[93] Isso significa que os juízes das cortes superiores, que jamais receberam um voto popular, podem sobrepor a sua interpretação da Constituição à que foi feita por agentes políticos investidos de mandato representativo e legitimidade democrática. A essa circunstância, que gera uma aparente incongruência no âmbito de um Estado democrático, a teoria constitucional deu o apelido de "dificuldade contramajoritária".[94]

A despeito de resistências teóricas pontuais,[95] esse papel contramajoritário do controle judicial de constitucionalidade tornou-se quase

---

[92] V. Federalist nº 78: "A constitution is, in fact, and must be regarded by the judges as, a fundamental law. It, therefore, belongs to them to ascertain its meaning, as well as the meaning of any particular act proceeding from the legislative body. If there should happen to be an irreconcilable variance between the two, that which has the superior obligation and validity ought, of course, to be preferred; or, in other words, the Constitution ought to be preferred to the statute, the intention of the people to the intention of their agents".

[93] 5 U.S. 137 (1803).

[94] A expressão se tornou clássica a partir da obra de Alexander Bickel, *The least dangerous branch:* the Supreme Court at the bar of politics, 1986, p. 16 e s. A primeira edição do livro é de 1962.

[95] E.g., Jeremy Waldron, The core of the case against judicial review. *The Yale Law Journal 115:*1346, 2006; Mark Tushnet, *Taking the Constitution away from the courts*, 2000; e Larry Kramer, *The people themselves:* popular constitutionalism and judicial review, 2004.

universalmente aceito. A legitimidade democrática da jurisdição constitucional tem sido assentada com base em dois fundamentos principais: a) a proteção dos direitos fundamentais, que correspondem ao mínimo ético e à reserva de justiça de uma comunidade política,[96] insuscetíveis de serem atropelados por deliberação política majoritária; e b) a proteção das regras do jogo democrático e dos canais de participação política de todos.[97] A maior parte dos países do mundo confere ao Judiciário e, mais particularmente à sua suprema corte ou corte constitucional, o *status* de sentinela contra o risco da tirania das maiorias.[98] Evita-se, assim, que possam deturpar o processo democrático ou oprimir as minorias. Há razoável consenso, nos dias atuais, de que o conceito de democracia transcende a ideia de governo da maioria, exigindo a incorporação de outros valores fundamentais. A imagem frequentemente utilizada para justificar a legitimidade da jurisdição constitucional é extraída do Canto XIV da Odisseia, de Homero: para evitar a tentação do canto das sereias, que levava as embarcações a se chocarem contra os recifes, Ulysses mandou colocar cera nos ouvidos dos marinheiros que remavam e fez-se amarrar ao mastro da embarcação.[99] Sempre me fascinou o fato de que ele evitou o risco sem se privar do prazer.

Um desses valores fundamentais é o direito de cada indivíduo a igual respeito e consideração,[100] isto é, a ser tratado com a mesma dignidade dos demais – o que inclui ter os seus interesses e opiniões levados em conta. A democracia, portanto, para além da dimensão procedimental de ser o governo da maioria, possui igualmente uma dimensão substantiva, que inclui igualdade, liberdade e justiça. É isso que a transforma, verdadeiramente, em um projeto coletivo de autogoverno, em que ninguém é deliberadamente deixado para trás. Mais do que o direito de participação igualitária, democracia significa que os vencidos no processo político, assim como os segmentos minoritários em geral, não estão desamparados e entregues à própria sorte. Justamente ao contrário, conservam a sua condição de membros igualmente dignos

---

[96] A equiparação entre direitos humanos e reserva mínima de justiça é feita por Robert Alexy em diversos de seus trabalhos. V., *e.g.*, *La institucionalización de la justicia*, 2005, p. 76.

[97] Para esta visão processualista do papel da jurisdição constitucional, v. John Hart Ely, *Democracy and distrust*, 1980.

[98] A expressão foi utilizada por John Stuart Mill, *On Liberty*, 1874, p. 13: "A tirania da maioria é agora geralmente incluída entre os males contra os quais a sociedade precisa ser protegida (...)".

[99] V., *e.g.*, John Elster, *Ulysses and the sirens*, 1979.

[100] Ronald Dworkin, *Taking rights seriously*, 1997, p. 181. A primeira edição é de 1977.

da comunidade política.[101] Em quase todo o mundo, o guardião dessas promessas[102] é a suprema corte ou o tribunal constitucional, por sua capacidade de ser um fórum de princípios[103] – isto é, de valores constitucionais, e não de política – e de razão pública – isto é, de argumentos que possam ser aceitos por todos os envolvidos no debate.[104] Seus membros não dependem do processo eleitoral e suas decisões têm de fornecer argumentos normativos e racionais que a suportem.

Esse papel contramajoritário é normalmente exercido pelas supremas cortes com razoável parcimônia. De fato, nas situações em que não estejam em jogo direitos fundamentais e os pressupostos da democracia, a Corte deve ser deferente para com a liberdade de conformação do legislador e a razoável discricionariedade do administrador. Nos Estados Unidos, por exemplo, segundo dados de 2012, em pouco mais de 220 anos houve apenas 167 decisões declaratórias da inconstitucionalidade de atos do Congresso.[105] É interessante observar que, embora o período da Corte Warren (1953-1969) seja considerado um dos mais ativistas da história americana, diversos autores apontam para o fato de que sob a presidência de William Rehnquist (1924-2005) houve intenso ativismo de índole conservadora, tendo como protagonistas os *Justices* Antonin Scalia, indicado por Ronald Reagan, e Clarence Thomas, indicado por George W. Bush.[106] Seja como for, o ponto que se quer

---

[101] V. Eduardo Mendonça, *A democracia das massas e a democracia das pessoas:* uma reflexão sobre a dificuldade contramajoritária, tese de doutorado, UERJ, mimeografada, 2014, p. 84.

[102] A expressão consta do título do livro de Antoine Garapon, *O juiz e a democracia:* o guardião das promessas, 1999.

[103] V. Ronald Dworkin, *A matter of principle*, 1985, p. 69-71. "O controle de constitucionalidade judicial assegura que as questões mais fundamentais de moralidade política serão apresentadas e debatidas como questões de princípio, e não apenas de poder político. Essa é uma transformação que não poderá jamais ser integralmente bem-sucedida apenas no âmbito do Legislativo".

[104] John Rawls, *Political liberalism*, 1996, p. 212 e s., especialmente p. 231-40. Nas suas próprias palavras: "(A razão pública) se aplica também, e de forma especial, ao Judiciário e, acima de tudo, à suprema corte, onde haja uma democracia constitucional com controle de constitucionalidade. Isso porque os Ministros têm que explicar e justificar suas decisões, baseadas na sua compreensão da Constituição e das leis e precedentes relevantes. Como os atos do Legislativo e do Executivo não precisam ser justificados dessa forma, o papel especial da Corte a torna um caso exemplar de razão pública". Para uma crítica da visão de Rawls, v. Jeremy Waldron, Public reason and 'justification' in the courtroom, *Journal of Law, Philosophy and Culture 1*:108, 2007.

[105] V. Kenneth Jost, *The Supreme Court from A to Z*, 2012, p. xx. Um número bem maior de leis estaduais e locais foi invalidado, superior a 1200, segundo o mesmo autor. Na Alemanha, apenas cerca de 5% das leis federais foram invalidadas. C. Neal Tate e Torbjörn Vallinder (eds.), *The global expansion of judicial power*, 1995, p. 308.

[106] Nesse sentido, apontando o fato de que juízes conservadores também atuam proativamente, a despeito da retórica de autocontenção, v. Frank B. Cross and Stephanie A. Lindquist, The

aqui destacar é que tanto nos Estados Unidos, como em outros países, a invalidação de atos emanados do Legislativo é a exceção, e não a regra.

II O papel representativo

A democracia contemporânea é feita de votos, direitos e razões, o que dá a ela três dimensões: representativa, constitucional e deliberativa. A *democracia representativa* tem como elemento essencial o *voto popular* e como protagonistas institucionais o Congresso e o Presidente, eleitos por sufrágio universal. A *democracia constitucional* tem como componente nuclear o respeito aos direitos fundamentais, que devem ser garantidos inclusive contra a vontade eventual das maiorias políticas. O árbitro final das tensões entre vontade da maioria e direitos fundamentais e, portanto, protagonista institucional dessa dimensão da democracia, é a Suprema Corte. Por fim, a *democracia deliberativa*[107] tem como seu componente essencial o oferecimento de *razões*, a discussão de ideias, a troca de argumentos. A democracia já não se limita ao momento do voto periódico, mas é feita de um debate público contínuo que deve acompanhar as decisões políticas relevantes. O protagonista da democracia deliberativa é a sociedade civil, em suas diferentes instâncias, que incluem o movimento social, imprensa, universidades, sindicatos, associações e cidadãos comuns. Embora o oferecimento de razões também possa ser associado aos Poderes Legislativo[108] e Executivo, o fato é que eles são, essencialmente, o *locus* da vontade, da decisão política. No universo do oferecimento de razões, merecem destaque os órgãos do Poder Judiciário: a motivação e a argumentação constituem matéria prima da sua atuação e fatores de legitimação das

---

scientific study of judicial activism. *Minnesota Law Review 91*:1752, 2007, p. 1755: "Para alguns Ministros que professam a autocontenção, as evidências sugerem que em alguns casos sua jurisprudência coerentemente espelham a sua retórica (como o *Justice* Rehnquist). No entanto, para outros (*Justices* Scalia e Thomas), as evidências não confirmam suas posições retóricas acerca do ativismo judicial; estes Ministros não costumam demonstrar uma abordagem de autocontenção. Em verdade, nos anos mais recentes (1994-2004), o que se tem verificado é que o comportamentos dos juízes mais conservadores reflete uma orientação relativamente ativista, ainda que em grau menor do que os liberais da Corte Warren". V. tb. Paul Gewirtz e Chad Golder, So who are the activists? *New York Times*, op-ed, 6 jul. 2005.

[107] A ideia de democracia deliberativa tem como precursores autores como John Rawls, com sua ênfase na razão, e Jürgen Habermas, com sua ênfase na comunicação humana. Sobre democracia deliberativa, v., entre muitos, em língua inglesa, Amy Gutmann e Dennis Thompson, *Why deliberative democracy?*, 2004; em português, Cláudio Pereira de Souza Neto, *Teoria constitucional e democracia deliberativa*, 2006.

[108] V. Ana Paula de Barcellos, *Direitos fundamentais e direito à justificativa:* devido procedimento na elaboração normativa, 2016.

decisões judiciais. Por isso, não deve causar estranheza que a Suprema Corte, por exceção e nunca como regra geral, funcione como intérprete do sentimento social. Em suma: o voto, embora imprescindível, não é a fonte exclusiva da democracia e, em certos casos, pode não ser suficiente para concretizá-la.

À luz do que se vem de afirmar, é fora de dúvida que o modelo tradicional de separação de Poderes, concebido no século XIX e que sobreviveu ao século XX, já não dá conta de justificar, em toda a extensão, a estrutura e funcionamento do constitucionalismo contemporâneo. Para utilizar um lugar-comum, parodiando Antonio Gramsci, vivemos um momento em que o velho já morreu e novo ainda não nasceu.[109] A doutrina da dificuldade contramajoritária, estudada anteriormente, assenta-se na premissa de que as decisões dos órgãos eletivos, como o Congresso Nacional, seriam sempre expressão da vontade majoritária. E que, ao revés, as decisões proferidas por uma corte suprema, cujos membros não são eleitos, jamais seriam. Qualquer estudo empírico desacreditaria as duas proposições.

Por numerosas razões, o Legislativo nem sempre expressa o sentimento da maioria.[110] De fato, há muitas décadas, em todo o mundo democrático, é recorrente o discurso acerca da crise dos parlamentos e das dificuldades da representação política. Da Escandinávia às Américas, um misto de ceticismo, indiferença e insatisfação assinala a relação da sociedade civil com a classe política. Nos países em que o voto não é obrigatório, os índices de abstenção revelam o desinteresse geral. Em países de voto obrigatório, um percentual muito baixo de eleitores é capaz de se recordar em quem votou nas últimas eleições parlamentares. Há problemas associados (i) a falhas do sistema eleitoral e partidário, (ii) às minorias partidárias que funcionam como *veto players*,[111] obstruindo

---

[109] Antonio Gramsci, *Cadernos do Cárcere*, 1926-1937. Disponível, na versão em espanhol, em http://pt.scribd.com/doc/63460598/Gramsci-Antonio-Cuadernos-de-La-Carcel-Tomo-1-OCR: "A crise consiste precisamente no fato de que o velho está morrendo e o novo não pode nascer. Nesse interregno, uma grande variedade de sintomas mórbidos aparecem". V. tb., entrevista do sociólogo Zigmunt Bauman, disponível em http://www.ihu.unisinos.br/noticias/24025-%60%60o-velho-mundo-esta-morrendo-mas-o-novo-ainda-nao-nasceu%60%-60-entrevista-com-zigmunt-bauman.

[110] Sobre o tema, v. Corinna Barret Lain, Upside-down judicial review, *The Georgetown Law Review 101*:113, 2012-2103. V. tb. Michael J. Klarman, The majoritarian judicial review: the entrenchment problem, *The Georgetown Law Journal 85*:49, 1996-1997.

[111] *Veto players* são atores individuais ou coletivos com capacidade de parar o jogo ou impedir o avanço de uma agenda. Para um estudo aprofundado do tema, v. George Tsebelis, *Veto players:* how political institutions work. Princeton, NJ: Princeton Univesity Press, 2002. Em língua portuguesa, v. Pedro Abramovay, *Separação de Poderes e medidas provisórias*, 2012, p. 44 e s.

o processamento da vontade da própria maioria parlamentar e (iii) à captura eventual por interesses especiais. A doutrina, que antes se interessava pelo tema da dificuldade contramajoritária dos tribunais constitucionais, começa a voltar atenção para o déficit democrático da representação política.[112]

Essa crise de legitimidade, representatividade e funcionalidade dos parlamentos gerou, como primeira consequência, em diferentes partes do mundo, um fortalecimento do Poder Executivo.[113] Nos últimos anos, porém, em muitos países, tem-se verificado uma expansão do Poder Judiciário e, notadamente, das supremas cortes. Nos Estados Unidos, esse processo teve mais visibilidade durante o período da Corte Warren, mas a verdade é que nunca refluiu inteiramente. Apenas houve uma mudança de equilíbrio entre liberais e conservadores. O ponto aqui enfatizado é que, em certos contextos, por paradoxal que pareça, cortes acabem sendo mais representativas dos anseios e demandas sociais do que as instâncias políticas tradicionais. Algumas razões contribuem para isso. A primeira delas é o modo como juízes são indicados. Em diversos países, a seleção se dá por concurso público, com ênfase, portanto, na qualificação técnica, sem influência política. Porém, mesmo nos Estados Unidos, onde a escolha tem uma clara dimensão política, há um mínimo de qualificação profissional que funciona como pressuposto das indicações.

Outra razão é a vitaliciedade, que faz com que juízes não estejam sujeitos às circunstâncias de curto prazo da política eleitoral. Ademais, juízes não atuam por iniciativa própria: dependem de provocação das partes e não podem decidir além do que foi pedido. E finalmente, mas não menos importante, decisões judiciais precisam ser motivadas. Isso significa que para serem válidas, jamais poderão ser um ato de pura

---

112 V., *e.g.*, Mark A. Graber, The countermajoritarian difficulty: from courts to Congress to constitutional order, *Annual Review of Law and Social Science 4*:361-62 (2008). Em meu texto *Neoconstitucionalismo e constitucionalização do Direito:* o triunfo tardio do direito constitucional no Brasil, *Revista de Direito Administrativo 240*:1, 2005, p. 41, escrevi: "Cidadão é diferente de eleitor; governo do povo não é governo do eleitorado. No geral, o processo político majoritário se move por interesses, ao passo que a lógica democrática se inspira em valores. E, muitas vezes, só restará o Judiciário para preservá-los. O *deficit* democrático do Judiciário, decorrente da dificuldade contramajoritária, não é necessariamente maior que o do Legislativo, cuja composição pode estar afetada por disfunções diversas, dentre as quais o uso da máquina administrativa, o abuso do poder econômico, a manipulação dos meios de comunicação".

113 Esta concentração de poderes no Executivo se deu até mesmo em democracias tradicionais e consolidadas, do que é exemplo a Constituição da 5ª República francesa, que retirou poderes da Assembleia Nacional e transferiu para um presidente eleito. V. C. Neal Tate e Torbjörn Vallinder (eds.), *The global expansion of judicial power*, 1995, p. 519.

vontade discricionária: a ordem jurídica impõe ao juiz de qualquer grau o dever de apresentar razões, isto é, os fundamentos e argumentos do seu raciocínio e convencimento. Convém aprofundar um pouco mais esse último ponto. Em uma visão tradicional e puramente majoritária da democracia, ela se resumiria a uma *legitimação eleitoral* do poder. Por esse critério, o fascismo na Itália ou o nazismo na Alemanha poderiam ser vistos como democráticos, ao menos no momento em que se instalaram no poder e pelo período em que tiveram apoio da maioria da população. Mas a legitimidade não se mede apenas no momento da investidura, mas também pelos meios empregados no exercício do poder e os fins a que ele visa.

Cabe aqui retomar a ideia de democracia deliberativa, que se funda, precisamente, em uma *legitimação discursiva*: as decisões políticas devem ser produzidas após debate público livre, amplo e aberto, ao fim do qual se forneçam as *razões* das opções feitas. Por isso se ter afirmado, anteriormente, que a democracia contemporânea inclui votos e argumentos.[114] Um *insight* importante nesse domínio é fornecido pelo jusfilósofo alemão Robert Alexy, que se refere à corte constitucional como *representante argumentativo da sociedade*. Segundo ele, a única maneira de reconciliar a jurisdição constitucional com a democracia é concebê-la, também, como uma representação popular. Pessoas racionais são capazes de aceitar argumentos sólidos e corretos. O constitucionalismo democrático possui uma legitimação discursiva, que é um projeto de institucionalização da razão e da correção.[115]

Cabe fazer duas observações adicionais. A primeira delas é de caráter terminológico. Se se admite a tese de que os órgãos representativos podem não refletir a vontade majoritária, decisão judicial que infirme um ato do Congresso pode não ser contramajoritária. O que ela será, invariavelmente, é contralegislativa, ou contracongressual ou contraparlamentar. A segunda observação é que o fato de não estarem sujeitas a certas vicissitudes que acometem os dois ramos políticos dos Poderes não é, naturalmente, garantia de que as supremas cortes se inclinarão em favor das posições majoritárias da sociedade. A verdade, no entanto, é que uma observação atenta da realidade revela que é

---

[114] Para o aprofundamento dessa discussão acerca de legitimação eleitoral e discursiva, v. Eduardo Mendonça, *A democracia das massas e a democracia das pessoas:* uma reflexão sobre a dificuldade contramajoritária, mimeografado, 2014, p. 64-86.

[115] V. Robert Alexy, Balancing, constitutional review, and representation, *International Journal of Constitutional Law 3*:572, 2005, p. 578 e s.

isso mesmo o que acontece. Nos Estados Unidos, décadas de estudos empíricos demonstram o ponto.[116]

A esse propósito, é bem de ver que algumas decisões emblemáticas da Suprema Corte americana tiveram uma dimensão claramente representativa a legitimá-las. Uma delas foi *Griswold v. Connecticut*,[117] proferida em 1965, que considerou inconstitucional lei do Estado de Connecticut que proibia o uso de contraceptivos mesmo por casais casados. Ao reconhecer um *direito de privacidade* que não vinha expresso na Constituição, mas podia ser extraído das "penumbras" e "emanações" de outros direitos constitucionais, a Corte parece ter tido uma atuação que expressava o sentimento majoritário da época. Assim, embora a terminologia tradicional rotule esta decisão como contramajoritária – na medida em que invalidou uma lei estadual (o Connecticut Comstock Act de 1879) –, ela era, seguramente, *contralegislativa*, mas provavelmente não contramajoritária. Embora não haja dados totalmente seguros nem pesquisas de opinião do período, é possível intuir que a lei não expressava o sentimento majoritário em meados da década de 60[118] – cenário da revolução sexual e do movimento feminista –, de modo que a decisão foi, na verdade, *representativa*.

Outro exemplo de atuação representativa da Suprema Corte americana foi a decisão em *Lawrence v. Texas*,[119] de 2003, invalidando lei do Estado do Texas que criminalizava relações íntimas entre homossexuais. Ao reverter julgado anterior, no caso *Bowers v. Hardwick*,[120] o acórdão lavrado pelo *Justice* Anthony Kennedy assentou que os recorrentes tinham direito ao respeito à sua vida privada e que, sob a cláusula do

---

[116] Corinna Barret Lain, Upside-down judicial review, *The Georgetown Law Review 101*:113, 2012-2103, p. 158. V. tb. Robert A. Dahl, Decision-making in a democracy: the Supreme Court as a national policy-maker, *Journal of Public Law 6*: 279, 1957, p. 285; e Jeffrey Rosen, *The most democratic branch:* how the courts serve America, 2006, p. xii: "Longe de proteger as minorias contra a tirania das maiorias ou contrabalançar a vontade do povo, os tribunais, ao longo da maior parte da história americana, têm se inclinado por refletir a visão constitucional das maiorias". V. tb. Robert McCloskey, *The American Supreme Court*, 1994, p. 209: "We might come closer to the truth if we said that the judges have often agreed with the main current of public sentiment because they were themselves part of that current, and not because they feared to disagree with it."

[117] 381 U.S. 479 (1965)

[118] V. Jill Lepore, To have and to hold: reproduction, marriage, and the Constitution. *The New Yorker Magazine*, 25 mai. 2015: "Banir contraceptivos numa época em que a esmagadora maioria dos americanos os utilizava era, evidentemente, ridículo". (*"Banning contraception at a time when the overwhelming majority of Americans used it was, of course, ridiculous"*). A decisão em *Griswold* veio a ser estendida em Eisenstadt v. Baird, julgado em 1972, aos casais não casados.

[119] 539 U.S. 558 (2003).

[120] 478 U.S. 186 (1986).

devido processo legal substantivo da 14ª Emenda, tinham protegida a sua liberdade de manter relações sexuais consentidas. Embora grupos religiosos tenham expressado veemente opinião contrária,[121] parece fora de questão que a maioria da população americana – e mesmo, provavelmente, do próprio Estado do Texas – não considerava legítimo tratar relações homossexuais como crime. De modo que também aqui, embora rotulada de contramajoritária, a decisão do Tribunal foi mesmo é contralegislativa. Mas certamente representativa de uma maioria que, já nos anos 2000, se tornara tolerante em relação à orientação sexual das pessoas.

No Brasil, coube à jurisdição constitucional uma série de decisões apoiadas pela maioria da população que não tiveram acolhida na política majoritária. Esse foi o caso da decisão do Supremo Tribunal Federal que reconheceu a constitucionalidade da proibição de contratar cônjuge, companheiro ou parentes para o exercício de funções de confiança e de cargos públicos na estrutura do Poder Judiciário (nepotismo),[122] proibição que foi, posteriormente, estendida pela jurisprudência do Tribunal para os Poderes Executivo e Legislativo.[123] Na mesma linha, a Corte declarou a inconstitucionalidade do financiamento privado das campanhas eleitorais, por ter verificado que, como estava estruturado, tal financiamento reforçava a influência do poder econômico sobre o resultado das eleições e distorcia o sistema representativo.[124] Em outro caso importante, afirmou a possibilidade de prisão, após a confirmação da condenação pelo tribunal de segunda instância, mesmo quando ainda cabíveis recursos especial e extraordinário para os tribunais superiores.[125] Os três julgados contaram com amplo apoio popular e representam mudanças que poderiam ter sido promovidas no âmbito da política majoritária, mas não foram.[126]

---

[121] V. Carpenter Dale, Flagrant conduct: the story of Lawrence v. Texas: how a bedroom arrest decriminalized gay Americans, 2012, p. 268.

[122] STF, Pleno, ADC 12, rel. Min. Ayres Britto, DJe, 18.12.2009.

[123] STF, Súmula Vinculante nº 13: "A nomeação de cônjuge, companheiro ou parente em linha reta, colateral ou por afinidade, até o terceiro grau, inclusive, da autoridade nomeante ou de servidor da mesma pessoa jurídica investido em cargo de direção, chefia ou assessoramento, para o exercício de cargo em comissão ou de confiança ou, ainda, de função gratificada na administração pública direta e indireta em qualquer dos Poderes da União, dos Estados, do Distrito Federal e dos Municípios, compreendido o ajuste mediante designações recíprocas, viola a Constituição Federal."

[124] STF, Pleno, ADI 4650, rel. Min. Luiz Fux, Pleno, *DJe*, 24 fev. 2016.

[125] STF, Pleno, HC 126.292, Rel. Min. Teori Zavascki, j. 17.02.2016, DJe, 07.02.2017; ADCs 43 e 44 MC, Rel. Min. Marco Aurélio, j. 05.10.2016.

[126] A confirmação da vedação ao nepotismo foi considerada uma "vitória da sociedade" pelo então presidente nacional da Ordem dos Advogados do Brasil. Disponível em: http://www.

A função representativa das cortes pode ser constatada também em outras ordens constitucionais. A título de ilustração, a Corte Constitucional da Colômbia reconheceu o direito à água como direito fundamental de todos os cidadãos colombianos. Atribuiu ao Estado o dever de assegurar seu fornecimento em quantidade e qualidade adequadas. Além disso, determinou que os cidadãos hipossuficientes fazem jus ao volume mínimo de 50 litros de água ao dia, ainda que não possam custeá-lo.[127] No Quênia,[128] recente decisão da Suprema Corte declarou a inconstitucionalidade de artigo do Código Penal que criminalizava a difamação, com pena de até dois anos de prisão.[129] A decisão foi tida como um relevante avanço na proteção da liberdade de expressão dos quenianos, já que a disposição penal era frequentemente utilizada por políticos e autoridades públicas para silenciar críticas

---

ambito-juridico.com.br/site/?n_link=visualiza_noticia&id_caderno=&id_noticia=2322, acesso em 31 mar. 2017. Manifestações semelhantes foram veiculadas no portal do Supremo Tribunal Federal. Disponível em: http://www.stf.jus.br/portal/cms/verNoticiaDetalhe.asp?idConteudo=115820, acesso em 31 mar. 2017. No que respeita ao financiamento privado de campanha, pesquisa de opinião demonstrou que 74% da população eram contra tal modalidade de financiamento e que 79% estavam convictos de que ele estimulava a corrupção. SOUZA, André. Datafolha: Três em cada quatro brasileiros são contra o financiamento de campanha por empresas privadas. *O Globo*, Rio de Janeiro, 06 jul. 2015. Disponível em http://oglobo.globo.com/brasil/datafolha-tres-em-cada-quatro-brasileiros-sao-contra-financiamento-de-campanha-por-empresas-privadas-16672767. Acesso em 05 ago. 2015. Por fim, a decisão que reconheceu a possibilidade de prisão antes do trânsito em julgado da sentença penal condenatória rendeu acusações ao STF de que o tribunal estaria se curvando à opinião pública. VASCONCELLOS, LUCHETE e GRILLO. Para advogados, STF curvou-se à opinião pública ao antecipar cumprimento de pena. *Conjur*, 17 fev. 2016. Disponível em http://www.conjur.com.br/2016-fev-17/advogados-stf-curvou-opiniao-publica-antecipar-pena. Acesso em 21 mar. 2017.

[127] O direito fundamental à água é objeto de diversas decisões proferidas pela Corte Constitucional da Colômbia, tais como T-578/1992, T-140/1994, T-207/1995. A sentença T-740/2011 produz uma consolidação da matéria, relacionando tal direito aos direitos à dignidade, à vida e à saúde. No caso, a entidade prestadora do serviço de fornecimento de água potável havia suspendido o serviço em virtude do não pagamento das tarifas devidas por uma usuária. A Corte entendeu ilegítima a suspensão, por se tratar de usuária hipossuficiente, e determinou à entidade: (i) o restabelecimento do fornecimento; e (ii) a revisão das cobranças, com base na capacidade econômica da beneficiária, a fim de possibilitar o adimplemento das prestações. Em caso de impossibilidade de pagamento, a Corte estabeleceu, ainda, como mencionado acima, (iii) a obrigação da entidade de fornecer, ao menos, 50 litros de água ao dia, por pessoa, ou de disponibilizar uma fonte pública de água que assegure a mesma quantidade do recurso.

[128] A Constituição do Quênia, promulgada em 2010, tem sido considerada como responsável por notáveis progressos no que diz respeito à efetivação de direitos fundamentais e combate à corrupção. O país também contou com a boa sorte de ter um Chief Justice transformador. Ndung'u Wainaina "Only Judiciary Can Save This Country." *The Nairobi Law Monthly*, February 4, 2015. Available at http://nairobilawmonthly.com/index.php/2015/02/04/only-judiciary-can-save-this-country/.

[129] Corte Superior do Kenya, *Jacqueline Okuta & another v Attorney General & 2 others* [2017] eKLR, Disponível em: http://kenyalaw.org/caselaw/cases/view/130781/.

e denúncias de corrupção veiculadas por jornalistas ou mesmo por cidadãos comuns. No Canadá, a Suprema Corte reconheceu, em 1988, o direito fundamental ao aborto, invalidando dispositivo do Código Penal que criminalizava o procedimento.[130] Seu caráter representativo é evidenciado por pesquisas de opinião que apontavam que, já em 1982 (*i.e.*, 6 anos antes da decisão), mais de 75% da população canadense entendia que o aborto era uma questão de escolha pessoal da mulher.[131]

III O papel iluminista

Além do papel representativo, descrito no tópico anterior, supremas cortes desempenham, ocasionalmente, um papel iluminista. Trata-se de uma competência perigosa, a ser exercida com grande parcimônia, pelo risco democrático que ela representa e para que cortes constitucionais não se transformem em instâncias hegemônicas. Ao longo da história, alguns avanços imprescindíveis tiveram de ser feitos, em nome da razão, contra o senso comum, as leis vigentes e a vontade majoritária da sociedade.[132] A abolição da escravidão ou a proteção de mulheres, negros, homossexuais, transgêneros e minorias religiosas, por exemplo, nem sempre pôde ser feita adequadamente pelos mecanismos tradicionais de canalização de reivindicações sociais. A seguir, breve justificativa do emprego do termo *iluminista* no contexto aqui retratado.

Iluminismo designa um abrangente movimento filosófico que revolucionou o mundo das ideias ao longo do século XVIII.[133] As

---

[130] Suprema Corte do Canadá, *Morgentaler, Smoling and Scott v. The Queen*, [1988] 1 S.C.R. 30. Disponível em: https://scc-csc.lexum.com/scc-csc/scc-csc/en/item/1053/index.do.

[131] Disponível em: http://www.nytimes.com/1982/12/13/world/canadian-doctor-campaigns-for-national-abortion-clinics.html.

[132] Contra a ideia de que Cortes possam atuar como instrumento da razão, v. Steven D. Smith, Judicial activism and "reason". In Luís Pereira Coutinho, Massimo La Torre e Steven D. Smith (eds.), *Judicial activism:* an interdisciplinary approach to the American and European Experiences, 2015, p. 30: "And thus judicial discourse, once it is detached from the mundane conventions of reading texts and precedents in accordance with their natural or commonsensical meanings, loftily aspires to be the realization of "reason" but instead ends up degenerating into a discourse of mean-spirited denigration". O texto manifesta grande inconformismo contra a decisão da Suprema Corte em *United States v. Windsor* (133 S. Ct. 1675, 2013), que considerou inconstitucional a seção do *Defense of Marriage Act (DOMA)* que limitava o casamento à união entre homem e mulher.

[133] Além da *Encyclopédie*, com seus 35 e volumes, coordenada por Diderot e D'Alambert e publicada entre 1751 a 1772, foram autores e obras marcantes do Iluminismo: Montesquieu, *O espírito das leis* (1748), Jean-Jacques Rousseau, *Discurso sobre a desigualdade* (1754) e *O contrato social* (1762); Voltaire, *Dicionario filosófico* (1764); Immanuel Kant, *O que é Iluminismo* (1784); John Locke, *Dois tratados de governo*, (1689); David Hume, *Tratado sobre a natureza humana*

Lumières, na França, o *Enlightment*, na Inglaterra, o *Illuminismo* na Itália ou *Aufklärung*, na Alemanha, foi o ponto culminante de um ciclo histórico iniciado com o Renascimento, no século XIV, e que teve como marcos a Reforma Protestante, a formação dos Estados nacionais, a chegada dos europeus à América e a Revolução Científica. A *razão* passa para o centro do sistema de pensamento, dissociando-se da fé e dos dogmas da teologia cristã. Nesse ambiente, cresce o ideal de conhecimento e de liberdade, com a difusão de valores como a limitação do poder, a tolerância religiosa, a existência de direitos naturais inalienáveis e o emprego do método científico, entre outros. Estava aberto o caminho para as revoluções liberais, que viriam logo adiante, e para a democracia, que viria bem mais à frente, já na virada do século XX. Historicamente, portanto, o Iluminismo é uma ideia associada à razão humanista, a direitos inalienáveis da condição humana, à tolerância, ao conhecimento científico, à separação entre Estado e religião e ao avanço da história rumo à emancipação intelectual, social e moral das pessoas.

É nesse sentido que o termo é empregado neste tópico: o de uma razão humanista que conduz o processo civilizatório e empurra a história na direção do progresso social e da liberação de mulheres e homens. Para espancar qualquer maledicência quanto a uma visão autoritária ou aristocrática da vida, Iluminismo, no presente contexto, não guarda qualquer semelhança com uma postura análoga ao *despotismo esclarecido*[134] ou aos *reis filósofos* de Platão.[135] A analogia mais próxima, eventualmente, seria com uma tradição filosófica que vem de Tomás de Aquino, Hegel e Kant de que a história é um fluxo contínuo na

(1739); Adam Smith, *A riqueza das nações* (1776) e Cesare Beccaria, *Dos delitos e das penas* (1764), em meio a outros.

[134] A expressão se refere aos monarcas absolutos que, na segunda metade do século XVIII, procuraram incorporar ao seu governo algumas ideias advindas do Iluminismo, distinguindo-se, assim, do modelo tradicional. A ideia de contrato social começa a superar a de direito divino dos reis, mas o poder remanesceria com o monarca, que teria maior capacidade de determinar e de realizar o melhor interesse dos seus súditos. Exemplos frequentemente citados são os de Frederico, o Grande, que governou a Prússia de 1740 a 1786; Catarina II, imperatriz da Rússia de 1762 a 1796; e José II, de Habsburgo, imperador do Sacro Império Romano-Germânico. Também se inclui nesta lista o Marquês de Pombal, primeiro-ministro de Portugal de 1750 a 1777. V. o verbete *Enlightened despotism*, in *Encyclopedia of the Enlightenment* (Alan Charles Kors ed., Oxford University Press, 2005).

[135] V. Platão, *A República*, 2015 (a edição original é de cerca de 380 a.C), Livro VI. Na sociedade ideal e justa, cujo delineamento procurou traçar nesta obra, Platão defendeu a ideia de que o governo deveria ser conduzido por reis-filósofos, escolhidos com base na virtude e no conhecimento. No comentário de Fredeick Copleston, *A history of Philosophy*, v. I, 1993, p. 230: "O princípio democrático de governo é, de acordo com Platão, absurdo: o governante deve governar em virtude do conhecimento, e este conhecimento há de ser o conhecimento da verdade".

direção do bem e do aprimoramento da condição humana.[136] A razão iluminista aqui propagada é a do pluralismo e da tolerância, a que se impõe apenas para derrotar as superstições e os preconceitos, de modo a assegurar a dignidade humana e a vida boa para todos. As intervenções humanitárias que o papel iluminista dos tribunais permite não são para impor valores, mas para assegurar que cada pessoa possa viver os seus, possa professar as suas convicções, tendo por limite o respeito às convicções dos demais.

Retomando os exemplos esboçados acima. Houve tempos, no processo de evolução social, em que (i) a escravidão era natural; (ii) mulheres eram propriedade dos maridos; (iii) negros não eram cidadãos; (iv) judeus eram hereges; (v) deficientes eram sacrificados; e (vi) homossexuais eram mortos.[137] Mas a história da humanidade é a história da superação dos preconceitos, do obscurantismo, das superstições, das visões primitivas que excluem o outro, o estrangeiro, o diferente. Ao longo dos séculos, ao lado da vontade do monarca, da vontade da nação ou da vontade das maiorias, desenvolveu-se uma razão humanista que foi abrindo caminhos, iluminando a escuridão, empurrando a história. Desde a antiguidade, com Atenas, Roma e Jerusalém, o Direito "sempre foi encontrado na interseção entre história, razão e vontade".[138]

Com a limitação do poder e a democratização do Estado e da sociedade, procurou-se abrigar a vontade majoritária e a razão iluminista dentro de um mesmo documento, que é a Constituição. O poder dominante, como regra geral, emana da vontade majoritária e das instituições através das quais ela se manifesta, que são o Legislativo e o Executivo. Vez por outra, no entanto, é preciso acender luzes na escuridão, submeter a vontade à razão. Nesses momentos raros, mas decisivos, as cortes constitucionais podem precisar ser os agentes da história. Não é uma missão fácil nem de sucesso garantido, como demonstram alguns exemplos da própria experiência americana.

---

[136] Sobre o ponto, v. o notável artigo de Paulo Barrozo, The great alliance: history, reason, and will in modern law, *Law and Contemporary Problems 78*:235, 2015, p. 257-258.

[137] Durante a Inquisição, homossexuais foram condenados à morte na fogueira. V. o verbete *Death by burning*, in *Wikipedia*, https://en.wikipedia.org/wiki/Death_by_burning: "Na Espanha, os primeiros registros de execuções pelo crime de sodomia são dos séculos 13 e 14, e é importante observar que o modo preferido de execução era a morte na fogueira".

[138] V. Paulo Barrozo, The great alliance: history, reason, and will in modern law, *Law and Contemporary Problems 78*:235, 2015, p. 270.

Brown v. Board of Education,[139] julgado pela Suprema Corte dos Estados Unidos em 1954, é o exemplo paradigmático de decisão iluminista, pelo enfrentamento aberto do racismo então dominante no Congresso e na sociedade.[140] Em decisão unânime articulada pelo novo *Chief Justice*, Earl Warren, nomeado por Eisenhower, a Corte considerou que "havia uma intrínseca desigualdade na imposição de escolas separadas para negros e brancos" (*"separate educational facilities are inherently unequal"*), em violação à 14ª Emenda à Constituição americana, que impõe a igualdade perante a lei. A decisão enfatizou a importância da educação nas sociedades modernas e afirmou que a segregação trazia para as crianças negras "um sentimento de inferioridade quanto ao seu *status* na comunidade". E, baseando-se em estudos de ciências sociais, concluiu que a segregação trazia significativas desvantagens psicológicas e sociais para as crianças negras.[141] O caráter iluminista do julgado se manifestou na superação do senso comum majoritário – que escondia o preconceito por trás da doutrina do "separados, mas

---

[139] 347 U.S. 483 (1954). O julgamento de *Brown* foi, na verdade, a reunião de cinco casos diversos, originários de diferentes estados: *Brown* propriamente dito, *Briggs v. Elliott* (ajuizado na Carolina do Sul), *Davis v. County School Board of Prince Edward County* (ajuizado na Virginia), *Gebhart v. Belton* (ajuizado em Delaware), and *Bolling v. Sharpe* (ajuizado em Washington D.C.).

[140] A decisão envolveu a declaração de inconstitucionalidade de diversas leis e, nesse sentido, ela tem uma dimensão contramajoritária ou, mais propriamente, contralegislativa. Ademais, há autores que consideram que em meados da década de 50, já fosse majoritária na sociedade americana a posição contrária à segregação racial nas escolas. V. Corinna Barret Lain, Upside-down Judicial Review. *The Georgetown Law Journal 101:*113, 2012, p. 121-22, com remissão a Michael J. Klarman, Cass R. Sunstein e Jack Balkin. Isso faria com que *Brown* fosse uma decisão *representativa*, na categorização proposta neste trabalho. O argumento é questionável, sendo certo que, à época, leis de 17 estados previam a segregação racial, enquanto 16 a proibiam. Além disso, em primeiro grau de jurisdição, os autores das cinco ações foram derrotados. Em apelação, o Tribunal de Delaware assegurou o direito de 11 crianças frequentarem escolas juntamente com brancos. E o de Kansas reconheceu que a segregação produzia consequências negativas para as crianças negras. V. Jesse Greespan, *10 Things You Should Know About Brown v. Board of Education,* May 16, 2014, in History.com, disponível em http://www.history.com/news/10-things-you-should-know-about-brown-v-board-of-education. Seja como for, mesmo que a posição fosse de fato majoritária, ela não tinha como superar o bloqueio dos Senadores do sul a qualquer legislação federal nesse sentido. Gordon Silverstein, *Law's Allure:* how law shapes, constrains, saves, and kills politics, 2009, p. 270-1.

[141] Na nota de rodapé n. 11, a decisão cita os seguintes estudos: K.B. Clark, Effect of Prejudice and Discrimination on Personality Development (Mid-century White House Conference on Children and Youth, 1950); Witmer and Kotinsky, Personality in the Making (1952), c. VI; Deutscher and Chein, The Psychological Effects of Enforced Segregation A Survey of Social Science Opinion, 26 J.Psychol. 259 (1948); Chein, What are the Psychological Effects of Segregation Under Conditions of Equal Facilities?, 3 Int.J.Opinion and Attitude Res. 229 (1949); Brameld, Educational Costs, in Discrimination and National Welfare (MacIver, ed., 1949), 44-48; Frazier, The Negro in the United States (1949), 674-681. *And see generally* Myrdal, An American Dilemma (1944).

iguais"[142] – e na consequente mudança de paradigma em matéria racial, tendo funcionado como um catalisador do moderno movimento pelos direitos civis.[143] As reações do *status quo* vieram de formas diversas: resistência ao cumprimento da decisão,[144] a crítica política – a Corte teria agido como "uma terceira câmara legislativa"[145] e a crítica doutrinária: *Brown* não teria observado "princípios neutros" de interpretação constitucional.[146]

Outras importantes decisões da Suprema Corte americana podem ser consideradas iluministas na acepção aqui utilizada. *Loving v. Virginia*,[147] julgado em 1967, considerou inconstitucional lei que interditava os casamentos entre pessoas brancas e negras. A decisão, também unânime, reverteu o precedente firmado em *Pace v. Alabama*,[148] de 1883. Desde os tempos coloniais, diversos estados possuíam leis antimiscigenação. Em 1967, quando da decisão em *Loving*, todos os 16 estados do sul tinham leis com esse conteúdo.[149] É possível, embora não absolutamente certo, que a maioria da população americana fosse

---

[142] Plessy v. Ferguson, 163 US 537 (1896).

[143] V. Brown v. Board of Education, *Leadership Conference on Civil and Human Rights*: "The *Brown* case served as a catalyst for the modern civil rights movement, inspiring education reform everywhere and forming the legal means of challenging segregation in all areas of society". In http://www.civilrights.org/education/brown/?, acesso em 17 jan. 2017.

[144] A decisão não explicitou o modo como seria executada para pôr fim à segregação racial nas escolas públicas. No ano seguinte, em um julgamento conhecido como Brown II (Brown v. Board of Education 349 U.S. 294 (1955), a Suprema Corte delegou às cortes distritais a missão de dar cumprimento à decisão da Suprema Corte, cunhando a expressão que se tornaria célebre (e problemática): "com toda a velocidade recomendável" (*"with all deliberate speed"*. *Deliberate* também pode ser traduzido para o português como cautelosa.

[145] Learned Hand, The Bill of Rights (Atheneum 1977), 1958, p. 55. V. tb. Michael Klarman, *The Supreme Court, 2012 Term - Comment: Windsor and Brown: Marriage Equality and Racial Equality*, 127 Harv. L. Rev. 127, 143 (2013).

[146] Herbert Wechsler, Toward Neutral Principles of Constitutional Law. *Harvard Law Review 73*:1, 1959, p. 34: "Dada uma situação em que o Estado precisa escolher entre negar a integração àqueles indivíduos que a desejam ou impô-la àqueles que querem evitá-la, é possível sustentar, com base em princípios neutros, que a Constituição exige que a reinvindicação dos que querem a integração deve prevalecer?".

[147] 388 U.S. 1 (1967).

[148] 106 U.S. 583 (1883).

[149] O acórdão de *Loving v. Virginia* consignou, em sua nota de rodapé n. 5: "After the initiation of this litigation, Maryland repealed its prohibitions against interracial marriage, Md.Laws 1967, c. 6, leaving Virginia and 15 other States with statutes outlawing interracial marriage: Alabama, Ala.Const., Art. 4, §102, Ala.Code, Tit. 14, §360 (1958); Arkansas, Ark.Stat.Ann. §55-104 (1947); Delaware, Del.Code Ann., Tit. 13, §101 (1953); Florida, Fla.Const., Art. 16, §24, Fla.Stat. §741.11 (1965); Georgia, Ga.Code Ann. §53-106 (1961); Kentucky, Ky.Rev.Stat. Ann. §402.020 (Supp. 1966); Louisiana, La.Rev.Stat. §14:79 (1950); Mississippi, Miss.Const., Art. 14, §263, Miss.Code Ann. §459 (1956); Missouri, Mo.Rev.Stat. §451.020 (Supp. 1966); North Carolina, N.C.Const., Art. XIV, §8, N.C.Gen.Stat. §14-181 (1953); Oklahoma, Okla. Stat., Tit. 43, §12 (Supp. 1965); South Carolina, S.C.Const., Art. 3, §33, S.C.Code Ann. §20-7

contrária a tais leis, o que transformaria a decisão em representativa, no âmbito nacional, embora iluminista em relação aos estados do sul, por impor, heteronomamente, uma concepção de igualdade diversa da que haviam praticado até então. Cabe lembrar, uma vez mais, que o termo iluminista está sendo empregado para identificar decisão que não corresponde à vontade do Congresso nem ao sentimento majoritário da sociedade, mas ainda assim é vista como correta, justa e legítima. Alguém poderá perguntar: e quem certifica o caráter iluminista da decisão? Por vezes, os próprios contemporâneos vivem um processo de tomada de consciência após a sua prolação, captando o espírito do tempo (*Zeitgeist*). Quando isso não ocorre, cabe à história documentar se foi iluminismo ou, ao contrário, um descompasso histórico.

Duas últimas decisões aqui apontadas como iluministas apresentam as complexidades dos temas associados a convicções religiosas. Em relação a elas, a palavra iluminismo chega mais perto das suas origens históricas. Em *Roe v. Wade,*[150] julgado em 1973, a Suprema Corte, por 7 votos a 2, afirmou o direito de uma mulher praticar aborto no primeiro trimestre de gravidez, com total autonomia, fundada no direito de privacidade. Posteriormente, em *Planned Parenthood v. Casey*[151] (1992), o critério do primeiro trimestre foi substituído pelo da viabilidade fetal, mantendo-se, todavia, a essência do que foi decidido em *Roe.* A decisão é celebrada por muitos, em todo o mundo, como a afirmação de uma série de direitos fundamentais da mulher, incluindo sua autonomia, seus direitos sexuais e reprodutivos e a igualdade de gênero. Não obstante isso, a sociedade americana, em grande parte por impulso religioso, continua agudamente dividida entre os grupos pró-escolha e pró-vida.[152] Há autores que afirmam que a decisão da Suprema Corte teria interrompido o debate e a tendência que se delineava a favor do reconhecimento do direito ao aborto, provocando a reação

---

(1962); Tennessee, Tenn.Const., Art. 11, §14, Tenn.Code Ann. §36-402 (1955); Texas, Tex.Pen. Code, Art. 492 (1952); West Virginia, W.Va.Code Ann. §4697 (1961)".

150 410 U.S. 113 (1973).

151 505 U.S. 833 (1992).

152 De acordo com pesquisas realizadas pelo Gallup, de 1995 a 2008, a maioria dos americanos se manifestou em favor do direito de escolha. De 2009 a 2014, ocorreu uma inversão, com a prevalência dos que opinaram em favor da posição pró-vida. V. Lydia Saad, "More Americans 'Pro-Life' Than 'Pro-Choice' For First Time". In: http://www.gallup.com/poll/118399/More-Americans-Pro-Life-Than-Pro-Choice-First-Time.aspx. Em 2015, ainda segundo o Gallup, o número dos que defendem a posição em favor do direito de escolha voltou a prevalecer. V. Lydia Saad, "Americans Choose 'Pro-Choice' For First Time in Seven Years"'. In: http://www.gallup.com/poll/183434/americans-choose-pro-choice-first-time-seven-years.aspx.

social (*backlash*) dos segmentos derrotados.[153] Talvez. Mas aplica-se aqui a frase inspirada de Martin Luther King Jr, de que "é sempre a hora certa de fazer a coisa certa".[154]

Em *Obergefell v. Hodges*, decidido em 2015, a Suprema Corte julgou que o casamento é um direito fundamental que não pode ser negado a casais do mesmo sexo e que os estados devem reconhecer como legítimos os casamentos entre pessoas do mesmo sexo celebrados em outros estados. Por 5 votos a 4, a maioria dos Ministros entendeu tratar-se de um direito garantido pelas cláusulas do devido processo legal e da igualdade inscritas na 14ª Emenda à Constituição. A decisão foi o ponto culminante de uma longa história de superação do preconceito e da discriminação contra homossexuais, que atravessou os tempos. Na própria Suprema Corte houve marcos anteriores, aqui já citados, como *Bowers v. Hardwick*,[155] que considerou legítima a criminalização de relações íntimas entre pessoas do mesmo sexo, e *Lawrence v. Texas*,[156] que superou este entendimento, afirmando o direito de casais homossexuais à liberdade e à privacidade, com base na cláusula do devido processo legal da 14ª Emenda à Constituição. Em seu voto em nome da maioria, o *Justice* Anthony Kennedy exaltou a "transcendente importância do casamento" e sua "centralidade para a condição humana". Merece registro a crítica severa e exaltada do falecido *Justice* Antonin Scalia, acusando a maioria de fazer uma "revisão constitucional", criar liberdades que a Constituição e suas emendas não mencionam e "roubar do povo (...) a liberdade de se autogovernar". *Obergefell* representa um contundente embate entre iluminismo e originalismo. De acordo com algumas pesquisas, uma apertada maioria da população apoiava o casamento entre pessoas do mesmo sexo,[157] significando que a decisão

---

[153] Cass R. Sunstein, Three Civil Rights Fallacies. *California Law Review 79*:751, 1991, p. 766: "By 1973, however, state legislatures were moving firmly to expand legal access to abortion, and it is likely that a broad guarantee of access would have been available even without *Roe. (...) [T]*he decision may well have created the Moral Majority, helped defeat the equal rights amendment, and undermined the women's movement by spurring opposition and demobilizing potential adherents". Sobre o tema, v. tb. Robert Post e Reva Siegel, *Roe* rage: democratic constitutionalism and backlash. *Harvard Civil Rights-Civil Liberties Law Review 42*:373, 2007.

[154] Martin Luther King Jr., *The Future of Integration*. Palestra apresentada em Oberlin, 22 out. 1964. No original: *"The time is always right to do what's right"*.

[155] 478 U.S. 186 (1986).

[156] 539 U.S. 558 (2003).

[157] V. Justin McCarthy, U.S. Support for Gay Marriage Stable After High Court Ruling. In: http://www.gallup.com/poll/184217/support-gay-marriage-stable-high-court-ruling.aspx, 17 jul. 2015. A pesquisa realizada pelo Gallup, em que se baseia a matéria, aponta um percentual de apoio de 58%. Pesquisa da Associated Press exibiu índices mais apertados: 42% a favor e

da Suprema Corte, em verdade, poderia ser considerada representativa, ainda que contralegislativa.

A verdade, porém, é que mesmo decisões iluministas, capazes de superar bloqueios institucionais e empurrar a história, precisam ser seguidas de um esforço de persuasão, de convencimento racional. Os derrotados nos processo judiciais que envolvam questões políticas não devem ter os seus sentimentos e preocupações ignorados ou desprezados. Portanto, os vencedores, sem arrogância, devem continuar a expor com boa-fé, racionalidade e transparência suas motivações. Devem procurar ganhar, politicamente, o que obtiveram em juízo.[158] Já houve avanços iluministas conduzidos pelos tribunais que não prevaleceram, derrotados por convicções arraigadas no sentimento social. Foi o que se passou, por exemplo, em relação à pena de morte. Em *Furman v. Georgia*,[159] julgado em 1972, a Suprema Corte considerou inconstitucional a pena de morte, tal como aplicada em 39 Estados da Federação.[160] O fundamento principal era o descritério nas decisões dos júris e o impacto desproporcional sobre as minorias. Em 1976, no entanto, a maioria dos Estados havia aprovado novas leis sobre pena de morte, contornando o julgado da Suprema Corte. Em *Gregg v. Georgia*,[161] a Suprema Corte terminou por reconhecer a validade da nova versão da legislação penal daquele Estado.

O constitucionalismo é produto de um conjunto de fatores históricos que incluem o contratualismo, o iluminismo e o liberalismo. Supremas Cortes de Estados democráticos devem atuar com fidelidade aos valores subjacentes a esses movimentos políticos e filosóficos que conformaram a condição humana na modernidade, assim como suas instituições. Porém, a realização da justiça, como qualquer

---

40% contra. Curiosamente, quando perguntados, na mesma pesquisa, se apoiavam ou não a decisão da Suprema Corte, 39% disseram-se a favor e 41% contra. V. David Crary e Emily Swanson, AP Poll: Sharp Divisions After High Court Backs Gay Marriage. In: http://www.lgbtqnation.com/2015/07/ap-poll-sharp-divisions-after-high-court-backs-gay-marriage/, 19 jul. 2015.

[158] Gordon Silverstein, *Law's Allure:* how law shapes, constrains, saves, and kills politics, 2009, p. 268: "O uso mais efetivo para as decisões judiciais é quando elas funcionam como um aríete, quebrando barreiras políticas e institucionais. Mas a omissão em dar continuidade ao debate sobre o tema, utilizando a arte política da persuasão, coloca esses ganhos em risco se – e quase inevitavelmente, quando – o Judiciário mudar, novos juízes assumirem e novas correntes de interpretação ou novas preferências judiciais emergirem".

[159] 408 U.S. 238 (1972).

[160] Para um estudo da questão, v. Corinna Barret Lain, Upside-down judicial review, (January 12, 2012). Disponível no sítio Social Science Research Network - SSRN: http://ssrn.com/abstract=1984060 or http://dx.doi.org/10.2139/ssrn.1984060, p. 12 e s.

[161] 428 U.S. 153 (1976).

empreendimento sob o céu, está sujeita a falhas humanas e a acidentes. Por vezes, em lugar de conter a violência, ser instrumento da razão e assegurar direitos fundamentais, tribunais podem eventualmente fracassar no cumprimento de seus propósitos. Na história americana, pelo menos duas decisões são fortes candidatas a símbolo das trevas, e não das luzes. A primeira foi *Dred Scott v. Sandford,*[162] de 1857, em que a Suprema Corte afirmou que negros não eram cidadãos americanos e, consequentemente, não tinham legitimidade para estar em juízo postulando a própria liberdade. A decisão é considerada, historicamente, o pior momento da Suprema Corte.[163] Também merece figurar do lado escuro do constitucionalismo americano a decisão em *Korematsu v. United States,*[164] julgado em 1944, quando a Suprema Corte validou o ato do Executivo que confinava pessoas de origem japonesa, inclusive cidadãos americanos, em campos de internação (e encarceramento). A decisão, que afetou 120.000 pessoas,[165] é generalizadamente criticada,[166] tendo sido referida como "uma mancha na jurisprudência americana".[167]

No Brasil, o Supremo Tribunal Federal proferiu diversas decisões que podem ser consideradas iluministas no sentido exposto acima. A Corte, por exemplo, reconheceu as uniões entre pessoas do mesmo sexo como entidade familiar e estendeu-lhes o regime jurídico aplicável às uniões estáveis heteroafetivas, com base no direito à não discriminação em razão do sexo e na proteção constitucional conferida à família.[168] Em 2016, julgou inconstitucional norma que regulava a vaquejada, antiga manifestação cultural do nordeste do país em que uma dupla

---

[162] 60 U.S. 393 (1857).

[163] Robert A. Burt, What was wrong with *Dred Scott,* what's right about *Brown. Washington and Lee Law Review 42*:1, 1985, p. 1 e 13: "No Supreme Court decision has been more consistently reviled than *Dred Scott v. Sandford.* Other decisions have been attacked, even virulently, by both contemporary and later critics; (...) But of all the repudiated decisions, *Dred Scott* carries the deepest stigma. (...)*Dred Scott* may have proven the Supreme Court's unreliability as a wise guide, as a moral arbiter, for a troubled nation".

[164] 323 U.S. 214 (1944).

[165] Evan Bernick, "Answering the Supreme Court's Critics: The Court Should Do More, Not Less to Enforce the Constitution". *The Huffington Post,* 23 out. 2015. Disponível em: http://www.huffingtonpost.com/evan-bernick/answering-the-supreme-cou_b_8371148.html. Acesso em 18 jan. 2016.

[166] Noah Feldman. "Why Korematsu Is Not a Precedent". *The New York Times,* 18 nov. 2016. Disponível em: https://www.nytimes.com/2016/11/21/opinion/why-korematsu-is-not-a-precedent.html?_r=0. Acesso em 18 jan. 2016.

[167] V. Carl Takei, "The incarceration of Japanese Americans in World War II Does Not Provide a Legal Cover for Muslim Registry. *Los Angeles Times,* 27 nov. 2016. Disponível em: http://www.latimes.com/opinion/op-ed/la-oe-takei-constitutionality-of-japanese-internment-20161127-story.html. Acesso em 18 jan. 2016.

[168] STF, Pleno, ADI 4277, Rel. Min. Ayres Britto, DJe, 14.10.2011.

de vaqueiros, montada a cavalos, busca derrubar o touro em uma área demarcada. Apesar da popularidade da prática, o Tribunal entendeu que ela ensejava tratamento cruel de animais, vedado pela Constituição Federal.[169] Mais recentemente, a Corte declarou a inconstitucionalidade do crime de aborto até o terceiro mês de gestação, com base nos direitos sexuais e reprodutivos das mulheres, em seu direito à autonomia, à integridade física e psíquica e à igualdade.[170] No que tange a tais casos, evidências indicam que o Tribunal decidiu em desacordo com a visão dominante na população e no Legislativo, marcadamente conservador.[171]

O papel iluminista também se manifesta em diversos casos paradigmáticos decididos por cortes estrangeiras. No famoso caso Lüth,[172] o Tribunal Constitucional Federal alemão reconheceu a possibilidade de reinterpretar normas infraconstitucionais de direito privado, à luz dos valores expressos pelos direitos fundamentais.[173] A decisão foi considerada o marco inicial do processo de constitucionalização do direito, e possibilitou, na Alemanha, uma verdadeira revolução no direito civil.[174] Contudo, sua relevância era possivelmente difícil de acessar, à época, pela população em geral.[175] Em 1995, em sua primeira grande

---

[169] STF, Pleno, ADI 4983, Rel. Min. Marco Aurélio, j. 16.12.2016. Lamentavelmente, uma Emenda Constitucional foi aprovada posteriormente à decisão, com vistas a superá-la, procurando legitimar a prática considerada cruel pelo STF. V. Emenda Constitucional 96, promulgada em 6 jun. 2017.

[170] STF, Primeira Turma, HC 124.306, Rel. Min. Marco Aurélio, Rel. p/ acórdão Min. Luís Roberto Barroso, j. 29.11.2016.

[171] Quanto às uniões homoafetivas, pesquisa do IBOPE indicou que 55% da população eram contra seu reconhecimento (Ibope: 55% da população é contra união civil gay. *Revista Época*, 28 jul. 2011, disponível em: http://revistaepoca.globo.com/Revista/Epoca/0,,EMI252815-15228,00.html; A decisão a respeito da vaquejada foi objeto de emenda constitucional com o propósito de assegurar a continuidade da prática. A emenda foi aprovada no Senado e seguiu para apreciação da Câmara dos Deputados (disponível em: https://www25.senado.leg.br/web/atividade/materias/-/materia/127262, acesso em: 27 mar. 2017). Por fim, a declaração de inconstitucionalidade da criminalização do aborto no primeiro trimestre de votação motivou protestos de parlamentares e provocou a constituição de comissão na Câmara dos Deputados para buscar reverter a decisão do STF (ROSSI, Marina. Câmara faz ofensiva para rever decisão do Supremo sobre aborto: Na mesma noite em que o STF determina que aborto até o terceiro mês não é crime, deputados instalam comissão para rever a decisão. *El País*. Brasil. 2 dez. 2016; disponível em: http://brasil.elpais.com/brasil/2016/11/30/politica/1480517402_133088.html, acesso em: 27 mar. 2017). acesso em 27 mar. 2017).

[172] *BVerfGE 7*, 198, Lüth-Urteil, j. 15.01.1958.

[173] QUINT, Peter E. Free Speech and Private Law in German Constitutional Theory. Maryland Law Review, v. 48, n. 2, 1989, p. 247-290.

[174] Barroso, Luís Roberto. Neoconstitucionalismo e constitucionalização do direito: o triunfo tardio do Direito Constitucional no Brasil. *Jus Navigandi*, nov. 2005. Disponível em: https://jus.com.br/artigos/7547/neoconstitucionalismo-e-constitucionalizacao-do-direito/2. Acesso em: 31 mar. 2017.

[175] No caso, Lüth, presidente do Clube de Imprensa de Hamburgo, defendeu, com base no direito constitucional à liberdade de expressão, a legitimidade da convocação de um boicote

decisão, e ainda sob a Constituição interina que regeu a transição no país, a recém-criada Suprema Corte da África do Sul aboliu a pena de morte, pondo fim a uma prática de décadas de execução de criminosos condenados por crimes graves, em sua grande maioria, negros.[176] Diferentemente do que se possa imaginar, a decisão foi contrária a boa parte da população, havendo, ainda hoje, partidos e grupos organizados formados por brancos e negros em favor do retorno da pena capital. Em 2014, em um caso que se tornou bastante famoso devido ao seu ineditismo, a Suprema Corte da Índia reconheceu aos transgêneros o direito à autoidentificação de seu sexo como masculino, feminino ou "terceiro gênero".[177] Também ordenou que o governo tome medidas para promover a conscientização da população e promova políticas que facilitem o acesso de transgêneros a empregos e instituições de ensino.

Antes de concluir, é pertinente uma última reflexão. Foi dito que cortes constitucionais podem desempenhar três papéis: contramajoritário, representativo e iluminista. Isso não quer significar que suas decisões sejam sempre acertadas e revestidas de uma legitimação *a priori*. Se o Tribunal for contramajoritário quando deveria ter sido deferente, sua linha de conduta não será defensável. Se ele se arvorar em ser representativo quando não haja omissão do Congresso em atender determinada demanda social, sua ingerência será imprópria. Ou se ele pretender desempenhar um papel iluminista fora das situações excepcionais em que deva, por exceção, se imbuir da função de agente da história, não haverá como absolver seu comportamento. Além disso, cada um dos papéis pode padecer do vício da desmedida ou do excesso: o papel contramajoritário pode degenerar em excesso de intervenção no espaço da política, dando lugar a uma indesejável ditadura do Judiciário; o papel representativo pode desandar em populismo judicial, que é tão ruim quanto qualquer outro; e a função iluminista tem como antípoda o desempenho eventual de um papel obscurantista, em que a suprema corte ou tribunal constitucional, em lugar de empurrar, atrasa a história.

---

a um filme dirigido por um cineasta nazista. O cineasta e seus parceiros comerciais, por sua vez, alegavam que o Código Civil Alemão vedava a medida. Na oportunidade em que o caso foi decidido pelo Tribunal Constitucional Federal, o filme já havia sido veiculado e fora um sucesso de bilheteria, de modo que, neste aspecto prático, a decisão tinha baixa repercussão pública. V. COLLINGS, Justin. *Democracy's Guardians: A History of the German Federal Constitutional Court 1951-2001*. Nova Iorque: Oxford University Press, 2015, p. 57-62; NOACK, Frank. *Veit Harlan: The Life and Work of a Nazi Filmmaker*. Lexington: The University Press of Kentucky, 2016.

[176] *S v Makwanyane and Another* (CCT3/94) [1995].

[177] *National Legal Services Authority v. Union of India*, 2014

Felizmente, sociedades democráticas e abertas, com liberdade de expressão, debate público e consciência crítica, costumam ter mecanismos eficientes para evitar esses males. Para que não haja dúvida: sem armas nem a chave do cofre, legitimado apenas por sua autoridade moral, se embaralhar seus papéis ou se os exercer atrabiliariamente, qualquer Tribunal caminhará para o seu ocaso político. Quem quiser se debruçar sobre um *case* de prestígio mal exercido, de capital político malbaratado, basta olhar o que se passou com as Forças Armadas no Brasil de 1964 a 1985. E quantos anos no sereno e com comportamento exemplar têm sido necessários para a recuperação da própria imagem.

Conclusão
O poder emana do povo, não dos juízes

O presente ensaio procurou explorar alguns temas relevantes e recorrentes do direito constitucional contemporâneo, dentro de um cenário de intensa circulação mundial de ideias, inúmeras publicações específicas e de sucessivos encontros internacionais envolvendo acadêmicos e juízes constitucionais de diferentes países. Cultiva-se, crescentemente, a imagem de um constitucionalismo global. Para evitar ilusões, deve-se registrar, desde logo, que ele não corresponde à criação de uma ordem jurídica única, com órgãos supranacionais destinados a fazê-la cumprir. Esta é uma ambição fora de alcance na quadra atual. Mais realisticamente, constitucionalismo global se traduz na existência de um patrimônio comum de valores, conceitos e instituições que aproximam os países democráticos, criando uma gramática, uma semântica e um conjunto de propósitos comuns.

A título de conclusão, gostaria de destacar alguns pontos específicos desenvolvidos ao longo do texto. O primeiro deles é que judicialização e ativismo judicial não são a mesma coisa. Judicialização significa que algumas das grandes questões políticas, morais e sociais do nosso tempo têm alguns dos seus capítulos decisivos perante os tribunais. Isto se deve ao arranjo institucional das democracias contemporâneas, que facultam e facilitam o acesso à justiça por diferentes mecanismos. Já o ativismo judicial é uma atitude, uma atuação expansiva do Judiciário, ocupando espaços tradicionalmente percebidos como sendo do Legislativo. A despeito da conotação negativa que o termo assumiu ao longo do tempo, esta intervenção mais abrangente dos tribunais não é necessariamente ruim. Pelo contrário, alguns dos momentos mais importantes do constitucionalismo mundial se deram por uma postura mais ativista das cortes constitucionais. Era boa hora de se encontrar um termo alternativo, que permita distinguir a atuação imprópria do Judiciário da que se dá legitimamente, sobretudo para defesa de direitos fundamentais.

O segundo ponto é que o direito deve, mesmo, ter uma vigorosa pretensão de autonomia em relação à política. Mas esta autonomia será sempre relativa. No tocante à sua *criação*, o Direito é inequivocamente um produto da política, da manifestação de vontade das maiorias. É na *aplicação* do Direito que o distanciamento em relação à política se impõe. Porém, nas sociedades complexas contemporâneas, a lei não é capaz de eliminar um expressivo grau de subjetividade na atuação dos tribunais. Subsistirão sempre ambiguidades, normas que protegem valores contrapostos e desacordos morais. Como consequência, ao menos nos casos difíceis, sempre haverá uma dimensão criativa – e, portanto, inevitavelmente política – nas decisões dos tribunais.

O terceiro ponto é que as democracias contemporâneas são feitas de votos, direitos e razões. Juízes e tribunais, como regra, não dependem de votos, mas vivem da proteção de direitos e do oferecimento de razões. Nesse ambiente, Supremas Cortes e Cortes Constitucionais desempenham três grandes papéis: contramajoritário, quando invalidam atos dos Poderes eleitos; representativo, quando atendem demandas sociais não satisfeitas pelas instâncias políticas; e iluminista, quando promovem avanços civilizatórios independentemente das maiorias políticas circunstanciais. Esta última competência, como intuitivo, deve ser exercida em momentos excepcionais e com grande cautela, pelo risco autoritário que envolve. Mas a proteção de negros, mulheres, homossexuais e minorias em geral não pode mesmo depender de votação majoritária ou pesquisa de opinião.

Por fim, mesmo nos países em que uma Corte dá a última palavra sobre a interpretação da Constituição e a constitucionalidade das leis, tal fato não a transforma no único – nem no principal – foro de debate e de reconhecimento da vontade constitucional a cada tempo. A jurisdição constitucional deve funcionar como uma etapa da interlocução mais ampla com o legislador e com a esfera pública, sem suprimir ou oprimir a voz das ruas, o movimento social e os canais de expressão da sociedade. Nunca é demais lembrar que o poder emana do povo, não dos juízes.

PARTE II

CINCO VOTOS EM QUESTÕES EMBLEMÁTICAS NO STF

I

FORO PRIVILEGIADO: REDUÇÃO DRÁSTICA DE UM INSTITUTO NÃO REPUBLICANO

QUESTÃO DE ORDEM NA AÇÃO PENAL 937 RIO DE JANEIRO

RELATOR	:	MIN. ROBERTO BARROSO
REVISOR	:	MIN. EDSON FACHIN
AUTOR(A/S)(ES)	:	MINISTÉRIO PÚBLICO FEDERAL
PROC.(A/S)(ES)	:	PROCURADOR-GERAL DA REPÚBLICA
RÉU(É)(S)	:	MARCOS DA ROCHA MENDES
ADV.(A/S)	:	CARLOS MAGNO SOARES DE CARVALHO

Ementa: DIREITO CONSTITUCIONAL E PROCESSUAL PENAL. QUESTÃO DE ORDEM EM AÇÃO PENAL. LIMITAÇÃO DO FORO POR PRERROGATIVA DE FUNÇÃO AOS CRIMES PRATICADOS NO CARGO E EM RAZÃO DELE. ESTABELECIMENTO DE MARCO TEMPORAL DE FIXAÇÃO DE COMPETÊNCIA.

I. Quanto ao sentido e alcance do foro por prerrogativa

1. O foro por prerrogativa de função, ou foro privilegiado, na interpretação até aqui adotada pelo Supremo Tribunal Federal, alcança todos os crimes de que são acusados os agentes públicos previstos no art. 102, I, *b* e *c* da Constituição, inclusive os praticados *antes* da investidura no cargo e os que *não guardam qualquer relação* com o seu exercício.

2. Impõe-se, todavia, a alteração desta linha de entendimento, para restringir o foro privilegiado aos crimes praticados *no* cargo e *em razão* do cargo. É que a prática atual não realiza adequadamente princípios constitucionais estruturantes, como igualdade e república, por impedir, em grande número de casos, a responsabilização de agentes públicos por crimes de naturezas

diversas. Além disso, a falta de efetividade mínima do sistema penal, nesses casos, frustra valores constitucionais importantes, como a probidade e a moralidade administrativa.

3. Para assegurar que a prerrogativa de foro sirva ao seu papel constitucional de garantir o livre exercício das funções – e não ao fim ilegítimo de assegurar impunidade – é indispensável que haja relação de causalidade entre o crime imputado e o exercício do cargo. A experiência e as estatísticas revelam a manifesta disfuncionalidade do sistema, causando indignação à sociedade e trazendo desprestígio para o Supremo.

4. A orientação aqui preconizada encontra-se em harmonia com diversos precedentes do STF. De fato, o Tribunal adotou idêntica lógica ao condicionar a imunidade parlamentar material – *i.e.*, a que os protege por suas opiniões, palavras e votos – à exigência de que a manifestação tivesse relação com o exercício do mandato. Ademais, em inúmeros casos, o STF realizou interpretação restritiva de suas competências constitucionais, para adequá-las às suas finalidades. Precedentes.

II. Quanto ao momento da fixação definitiva da competência do STF

5. A partir do final da instrução processual, com a publicação do despacho de intimação para apresentação de alegações finais, a competência para processar e julgar ações penais – do STF ou de qualquer outro órgão – não será mais afetada em razão de o agente público vir a ocupar outro cargo ou deixar o cargo que ocupava, qualquer que seja o motivo. A jurisprudência desta Corte admite a possibilidade de prorrogação de competências constitucionais quando necessária para preservar a efetividade e a racionalidade da prestação jurisdicional. Precedentes.

III. Conclusão

6. Resolução da questão de ordem com a fixação das seguintes teses: "(i) *O foro por prerrogativa de função aplica-se apenas aos crimes cometidos durante o exercício do cargo e relacionados* às *funções desempenhadas;* e (ii) *Após o final da instrução processual, com a publicação do despacho de intimação para apresentação de alegações finais, a competência para processar e julgar ações penais não será mais afetada em razão de o agente público vir a ocupar cargo ou deixar o cargo que ocupava, qualquer que seja o motivo*".

7. Aplicação da nova linha interpretativa aos processos em curso. Ressalva de todos os atos praticados e decisões proferidas pelo STF e demais juízos com base na jurisprudência anterior.

8. Como resultado, determinação de baixa da ação penal ao Juízo da 256ª Zona Eleitoral do Rio de Janeiro, em razão de o réu ter renunciado ao cargo de Deputado Federal e tendo em vista que a instrução processual já havia sido finalizada perante a 1ª instância.

VOTO[1]

O Senhor Ministro Luís Roberto Barroso (Relator):

I. Apresentação do tema

I.1. O caso concreto submetido a julgamento

1. Trata-se de questão de ordem suscitada em ação penal proposta pelo Ministério Público Eleitoral do Estado do Rio de Janeiro em face de Marcos da Rocha Mendes, pela prática do crime de captação ilícita de sufrágio – corrupção eleitoral (art. 299 do Código Eleitoral). De acordo com a denúncia, nas eleições municipais de 2008, o réu teria angariado votos para se eleger Prefeito de Cabo Frio por meio da entrega de notas de R$ 50,00 (cinquenta reais) e da distribuição de carne aos eleitores (fls. 2-A/2-D).

2. No caso, o réu teria supostamente cometido o crime quando era candidato à Prefeitura de Cabo Frio. Ao ser denunciado, porém, já ocupava o cargo de Prefeito e, assim, detinha foro por prerrogativa de função perante o Tribunal Regional Eleitoral. O Tribunal Regional Eleitoral do Rio de Janeiro (TRE-RJ) recebeu a denúncia em 30.01.2013 (fls. 329/331). No entanto, com o encerramento do mandato do réu na Prefeitura, o TRE-RJ declinou de sua competência em favor do Juízo da 256ª Zona Eleitoral do Rio de Janeiro (fls. 355). Posteriormente, o TRE, em sede de *habeas corpus*, anulou o recebimento da denúncia e os atos posteriores, já que, à época, o acusado "já não ocupava o cargo que lhe deferia foro por prerrogativa de função" (fls. 443/449).

3. O Juízo eleitoral de 1ª instância proferiu, então, nova decisão de recebimento da denúncia em 14.04.2014 (fls. 452/456) e realizou a instrução processual, com a oitiva das testemunhas e o interrogatório do réu (fls. 500/565). Encerrada a instrução na 1ª instância, o Ministério Público do Estado do Rio de Janeiro, em 19.11.2014, e a Defesa, em 11.12.2014, apresentaram suas alegações finais. Ocorre que, em razão da diplomação do réu, em 10.02.2015, como Deputado Federal, o Juízo da 256ª Zona Eleitoral/RJ declinou da competência para o Supremo

[1] Julgamento iniciado em 31 de maio de 2015 e ainda não concluído. O voto, portanto, não é definitivo e pode ser reajustado em razão dos debates supervenientes.

Tribunal Federal, em decisão de 24.04.2015 (fls. 621). Marcos da Rocha Mendes era o primeiro suplente de deputado federal de seu partido e passou a exercer o mandato por afastamento dos deputados eleitos.

4. Quase um ano depois, em 14.04.2016, Marcos da Rocha Mendes se afastou do mandato, uma vez que os deputados eleitos reassumiram seus cargos. Dias depois, em 19.04.2016, o réu, mais uma vez, assumiu o mandato de Deputado Federal. Já em 13.09.2016, ele foi efetivado no mandato, em virtude da perda de mandato do titular, o Deputado Eduardo Cunha. Finalmente, após o término da instrução processual e a inclusão do presente processo em pauta para julgamento, Marcos da Rocha Mendes foi eleito, novamente, Prefeito de Cabo Frio e renunciou ao mandato de Deputado Federal para assumir a Prefeitura, em 1.01.2017.

I.2. A questão de ordem suscitada

5. Diante das disfuncionalidades práticas do regime de foro por prerrogativa de função (aqui também referido como *foro privilegiado* ou *foro especial*), evidenciadas no caso concreto aqui relatado, em 10.02.2017, afetei a ação penal a julgamento pelo Plenário e suscitei a presente questão de ordem, a fim de que o Supremo Tribunal Federal se manifeste sobre ***duas questões***.

6. A *primeira* diz respeito à possibilidade de se conferir interpretação restritiva às normas da Constituição de 1988 que estabelecem as hipóteses de foro por prerrogativa de função, de modo a limitar tais competências jurisdicionais às acusações por crimes que tenham sido cometidos: (i) *no* cargo, *i.e.*, *após* a diplomação do parlamentar ou, no caso de outras autoridades, *após* a investidura na posição que garanta o foro especial; e (ii) *em razão* do cargo, *i.e.*, que guardem conexão direta ou digam respeito ao desempenho do mandato parlamentar ou de outro cargo ao qual a Constituição assegure o foro privilegiado.

7. A *segunda* questão está relacionada à necessidade de se estabelecer um marco temporal a partir do qual a competência para processar e julgar ações penais – seja do STF ou de qualquer outro órgão – não será mais afetada em razão de posterior investidura ou desinvestidura do cargo por parte do acusado (*e.g.*, renúncia, não reeleição, eleição para cargo diverso). Em outras palavras: é preciso definir um determinado momento processual (como o fim da instrução processual) a partir do qual se dá a prorrogação da competência para julgamento da ação penal, independentemente da mudança de *status* do acusado, em razão, por exemplo, de ter deixado de ser Deputado Federal para se tornar Prefeito ou vice-versa. A esse propósito, o caso em exame é exemplo emblemático de como o "sobe e desce" processual frustra a

aplicação do direito, gerando prescrição de eventual punição, quando não em razão da pena em abstrato, ao menos tendo em conta a pena aplicada em concreto.

Parte I
O foro por prerrogativa de função na Constituição de 1988

II. A extensão do foro privilegiado no texto constitucional e na compreensão atual

8. A Constituição de 1988 prevê que um conjunto amplíssimo de agentes públicos responda por crimes comuns perante tribunais, como o Supremo Tribunal Federal e o Superior Tribunal de Justiça. Estima-se que cerca de 37 mil autoridades detenham a prerrogativa no país[2]. Apenas perante o STF são processados e julgados mais de 800 agentes políticos: o Presidente da República, o Vice-Presidente, 513 Deputados Federais, 81 Senadores, os atuais 31 Ministros de Estado. A competência do STF alcança, ainda, 3 Comandantes militares, 90 Ministros de tribunais superiores, 9 membros do Tribunal de Contas da União e 138 chefes de missão diplomática de caráter permanente. Já o STJ é responsável por julgar mais de 2,7 mil autoridades, incluindo governadores, conselheiros dos tribunais de contas estaduais e municipais e membros dos TJs, TRFs, TRTs e TREs. Há, por fim, mais de 30 mil detentores de foro por prerrogativa nos Tribunais Regionais Federais e Tribunais de Justiça[3].

9. Tamanha extensão do foro por prerrogativa de função não encontra paralelo nem na história constitucional brasileira, nem no Direito Comparado. No Brasil, ainda que a prerrogativa tenha sido prevista em todas as Constituições anteriores, o número de autoridades beneficiadas inicialmente era muito reduzido, tendo sido progressivamente ampliado até chegar ao rol atual[4]. Curiosamente, os membros do Congresso

---

2 Disponível em: <http://epoca.globo.com/politica/noticia/2017/02/foro-privilegiado-quem-deve-ser-julgado-no-supremo.html>. Outras estimativas apontam 22 mil autoridades com foro. Disponível em: <http://politica.estadao.com.br/blogs/fausto-macedo/22-mil-pessoas-tem-foro-privilegiado-no-brasil-aponta-lava-jato/>.

3 Id.

4 Na Constituição de 1824, o foro, perante o Supremo Tribunal de Justiça (atual STF), somente se aplicava aos delitos cometidos por "seus Ministros, os das Relações, os Empregados no Corpo Diplomático, e os Presidentes das Províncias" (art. 164, III; o Imperador era irresponsável, nos termos da Carta imperial). Na Constituição de 1891, eram detentores de foro perante o Supremo o Presidente da República, os Ministros de Estado e os Ministros Diplomáticos (art. 59, I e II). Na Carta de 1934, adicionou-se a esse rol os Ministros da Corte Suprema, o Procurador-Geral da República, juízes dos tribunais federais e das cortes de apelação dos Estados, do DF e territórios, Ministros do Tribunal de Contas, Embaixadores

Nacional apenas passaram a deter foro por prerrogativa de função durante a ditadura militar, com a promulgação da Carta de 1969 (EC 1). Compensou-se a irrelevância política com prerrogativas processuais.

10. Ademais, não há, no Direito Comparado, nenhuma democracia consolidada que consagre a prerrogativa de foro com abrangência comparável à brasileira[5]. No Reino Unido, na Alemanha[6], nos Estados Unidos[7] e no Canadá a prerrogativa de função sequer existe. Entre os países com foro privilegiado, a maioria o institui para um rol reduzido de autoridades. Na Itália, a prerrogativa de foro se aplica somente ao Presidente da República[8]. Na França, o foro especial é instituído apenas para os membros do governo (os Ministros e secretários de Estado)[9]. Em Portugal, são três as autoridades que detêm foro privilegiado: o Presidente da República, o Presidente da Assembleia da República e o Primeiro-Ministro[10].

11. E a extensão incomum do foro por prerrogativa de função no Brasil não decorre exclusivamente do número de autoridades contempladas, mas também em razão dos ilícitos abrangidos. Segundo

---

e Ministros Diplomáticos (art. 76, I, a e b). Com poucas alterações, esse catálogo se manteve nas Constituições de 1937 (arts. 86 e 101, I, a e b, com a exceção do Presidente), de 1946 (art. 101, I, a, b e c) e de 1967 (art. 114, I, a e b). Apenas durante a ditadura militar, com a promulgação da EC 1/1969, os membros do Congresso Nacional passaram a deter foro por prerrogativa de função perante o STF (art. 119, I, a e b).

5 Talvez a Espanha seja o único exemplo de democracia avançada que institui um maior número de hipóteses de foro privilegiado. Nesse país, somente há previsão constitucional de julgamento do Presidente e demais membros do governo (Ministros) perante o Tribunal Supremo (Constituição Espanhola de 1978, art. 102, 1). Porém, admite-se a previsão infraconstitucional de outras hipóteses de foro privilegiado. Nesse sentido, a Lei Orgânica do Poder Judiciário 6/1985, previu a responsabilização de várias autoridades perante o Tribunal Supremo. Ainda assim, o número de autoridades com prerrogativa de foro na Espanha é significativamente inferior ao caso brasileiro.

6 Na Alemanha, a Constituição de 1949 atribui ao Tribunal Federal Constitucional competência para julgar o *impeachment* do Presidente federal (art. 61), o que não se confunde com o foro privilegiado.

7 Nos Estados Unidos, os representantes diplomáticos são processados perante a Suprema Corte (Estados Unidos, Constituição dos Estados Unidos, artigo 3º, seção 2, cláusula 1ª).

8 Na Itália, a Constituição apenas prevê que o Presidente da República é julgado apenas por crimes cometidos fora do exercício das funções presidenciais perante o Tribunal Constitucional (art. 134).

9 Na França, a Constituição de 4.10.1958, art. 68-1, dispõe que "Os membros do governo são penalmente responsáveis pelos atos cometidos no exercício de suas funções e qualificados como crimes ou delitos no momento que praticados. Eles são julgados pela Corte de Justiça da República."

10 Em Portugal, a Constituição da República, no art. 130, e o DL n.º 78/1987, art. 11, determina que: "Compete ao pleno das secções criminais do Supremo Tribunal de Justiça, em matéria penal: a) Julgar o Presidente da República, o Presidente da Assembleia da República e o Primeiro-Ministro pelos crimes praticados no exercício das suas funções".

a compreensão atual, um acusado ou réu que ocupe determinado cargo (*e.g.*, Deputado Federal) será processado e julgado, originariamente, por um juízo de instância superior (*e.g.*, STF) mesmo se o crime a ele imputado não tiver qualquer conexão com as funções desempenhadas (*e.g.*, crime de homicídio da esposa ou corrupção praticada quando ocupava cargo diverso). No Direito Comparado, porém, os países que instituem a prerrogativa de foro, em regra, o fazem apenas quanto a atos ilícitos praticados por autoridades "no exercício de suas funções", como é o caso de Portugal, França e Holanda. Ao considerar os desenhos institucionais e sistemas normativos adotados em diversos países, é possível identificar com maior clareza as inconsistências e problemas na esfera nacional.

III. A disfuncionalidade do foro privilegiado

12. O atual modelo de foro por prerrogativa de função acarreta duas consequências graves e indesejáveis para a justiça e para o Supremo Tribunal Federal. A primeira delas é a de afastar o Tribunal do seu verdadeiro papel, que é o de suprema corte, e não o de tribunal criminal de primeiro grau. Como é de conhecimento amplo, o julgamento da Ação Penal 470 (conhecida como *Mensalão*) ocupou o STF por 69 sessões. Tribunais superiores, como o STF, foram concebidos para serem tribunais de teses jurídicas, e não para o julgamento de fatos e provas. Como regra, o juízo de primeiro grau tem melhores condições para conduzir a instrução processual, tanto por estar mais próximo dos fatos e das provas, quanto por ser mais bem aparelhado para processar tais demandas com a devida celeridade, conduzindo ordinariamente a realização de interrogatórios, depoimentos, produção de provas periciais, etc.[11].

13. A segunda consequência é a ineficiência do sistema de justiça criminal. O Supremo Tribunal Federal não tem sido capaz de julgar de maneira adequada e com a devida celeridade os casos abarcados pela prerrogativa. O foro especial, na sua extensão atual, contribui para o congestionamento dos tribunais e para tornar ainda mais morosa a tramitação dos processos e mais raros os julgamentos e as condenações.

---

[11] A propósito, vale registrar a positivação do princípio da identidade física do juiz no direito processual penal. A Lei 11.719/2008, que introduziu o §2º no art. 399 no Código de Processo Penal, estabeleceu que "O juiz que presidiu a instrução deverá proferir a sentença". Embora tal regra não seja absoluta – sendo possível afastá-la com base na aplicação analógica do art. 132 do CPC (HC 119371, Rel. min. Gilmar Mendes, Segunda Turma, j. em 11/03/2014) –, indica a opção legislativa de valorizar o contato pessoal do magistrado julgador com as provas produzidas na ação penal.

É o que evidenciam as estatísticas. Tramitam atualmente perante o Supremo mais de 500 processos contra agentes políticos (435 inquéritos e 101 ações penais)[12]. Com as operações em curso, em especial a Lava Jato, estima-se que o número de autoridades sob investigação ou respondendo a ação penal perante o STF irá aumentar expressivamente. No entanto, segundo recente estudo "Supremo em Números", produzido pela FGV do Rio de Janeiro, desde 2007, o número de processos novos tem sido sempre superior ao de processos encerrados: ou seja, a cada ano, o STF sequer tem sido capaz de "vencer" a distribuição[13].

14. A tramitação dos processos também é extremamente lenta. Hoje, o prazo médio para recebimento de uma denúncia pela Corte é de 581 dias[14]. Um juiz de 1º grau a recebe, como regra, em menos de uma semana[15]. Além disso, calcula-se que a média de tempo transcorrido desde a autuação de ações penais no STF até o seu trânsito em julgado seja de 1.377 dias[16]. No limite, processos chegam a tramitar por mais de 10 anos na Corte. A título ilustrativo, este foi o caso da AP 345, envolvendo acusação da prática dos crimes de quadrilha e falsificação ideológica contra o Deputado Fernando Giacobo, que, após 11 anos, encerrou-se com a prescrição da pretensão punitiva[17]. E pior: mesmo após longa tramitação, o resultado mais comum em ações penais e inquéritos perante o STF é a frustração da prestação jurisdicional. Segundo o relatório da FGV, em 2 de cada 3 ações penais o mérito da acusação sequer chega a ser avaliado pelo Supremo, em razão do declínio de competência (63,6% das decisões) ou da prescrição (4,7% das decisões)[18]. Também no caso dos inquéritos, quase 40% das decisões do STF são de declínio de competência ou de prescrição.

15. Como se vê, um dos maiores gargalos da prerrogativa de foro no STF são as frequentes modificações de competências. Ainda de acordo com o estudo da FGV, apenas 5,94% das ações penais que

---

[12] Dados de 23.05.2017 fornecidos pela Assessoria de Gestão Estratégica do STF.

[13] V Relatório Supremo em Números: o foro privilegiado. Joaquim Falcão [et al.]. Rio de Janeiro: Escola de Direito do Rio de Janeiro da Fundação Getúlio Vargas, 2017.

[14] Dados de 22.02.2017 fornecidos pela Assessoria de Gestão Estratégica do STF.

[15] É certo que o atual sistema processual, reformado pela Lei 11.719/2008, estabeleceu um regime de duplo recebimento da denúncia em primeira instância, que pode ser um pouco mais demorado. O primeiro se dá de forma bastante célere e apenas viabiliza a citação do réu para apresentação de resposta à acusação, após o que se dá o segundo e definitivo recebimento da denúncia.

[16] V Relatório Supremo em Números: o foro privilegiado. Joaquim Falcão [et al.]. Rio de Janeiro: Escola de Direito do Rio de Janeiro da Fundação Getúlio Vargas, 2017, p. 22.

[17] *Ibid.*, p. 23.

[18] *Ibid.*, p. 22.

terminaram no Supremo resultam de inquéritos iniciados na Corte[19]. Ou seja, na quase totalidade dos casos, ou os processos se iniciam em outra instância e, vindo o réu a ocupar cargo com foro perante o STF, a competência se desloca para esta Casa. Ou, na hipótese inversa, sendo o réu, por exemplo, parlamentar, não vindo a se reeleger ou vindo a se eleger a cargo sem foro no Supremo, a competência deixa de ser do STF e passa a ser de outra instância.

16. Todas essas circunstâncias afetam negativamente a condução do processo, gerando prescrição e impunidade. Não por outro motivo, desde que o STF começou a julgar efetivamente ações penais contra parlamentares (a partir da EC 35/2001, que deixou de condicionar as ações à autorização da casa legislativa), já ocorreram mais de 200 casos de prescrição da pretensão punitiva em ações penais e inquéritos perante a Corte[20]. Na própria ação penal em que se suscita a presente questão de ordem, as diversas declinações de competência estão prestes a gerar a prescrição pela pena provável, de modo a frustrar a realização da justiça, em caso de eventual condenação.

17. Por fim, coloca-se a questão da ausência de duplo grau de jurisdição nos casos de autoridades com prerrogativa de foro perante o Supremo Tribunal Federal, que ficam sujeitas a julgamento por instância única[21]. Esse modelo enfrenta objeções fundadas em tratados internacionais sobre direitos humanos de que o Brasil é signatário. Tanto a Convenção Americana de Direitos Humanos, quanto o Pacto Internacional de Direitos Civis e Políticos[22] asseguram o *"direito de recorrer da sentença para juiz ou tribunal superior"*[23]. É certo que esta Corte tem entendido que a garantia do duplo grau de jurisdição não ostenta caráter absoluto, já que a Constituição de 1988 prevalece sobre tais tratados internacionais, que ostentam *status* supralegal, mas infraconstitucional, na ordem jurídica brasileira (AI 601832 AgR, Rel. Min. Joaquim Barbosa). Nada obstante isso, deve-se levar em consi-

---

19 *Ibid.*, p. 72.

20 Dados de 22.02.2017 fornecidos pela Assessoria de Gestão Estratégica do STF.

21 Conforme apontou o Min. Sepúlveda Pertence "o duplo grau de jurisdição há de ser concebido, à moda clássica, com seus dois caracteres específicos: a possibilidade de um reexame integral da sentença de primeiro grau e que esse reexame seja confiado à órgão diverso do que a proferiu e de hierarquia superior na ordem judiciária (RHC 79785, j. 29.03.2000).

22 O art. 14, 5 do PIDCP prevê que "Toda pessoa declarada culpada por um delito terá direito de recorrer da sentença condenatória e da pena a uma instância superior, em conformidade com a lei".

23 Tais objeções têm sido endossadas pela Corte Interamericana de Direitos Humanos - CIDH, que já emitiu condenações a Estados por violação ao duplo grau de jurisdição em caso de foro privilegiado (CIDH, Caso *Barreto Leiva vs. Venezuela*, j. 17.11.1998).

deração a necessidade de harmonizar as disposições constitucionais com os compromissos internacionais firmados pelo Brasil, bem como de realizar, na maior extensão possível, o princípio do duplo grau de jurisdição em matéria penal.

Parte II
Necessidade de interpretação restritiva do sentido e alcance do foro por prerrogativa de função

IV. Nota inicial

18. Os problemas e disfuncionalidades associados ao foro privilegiado podem e devem produzir modificações na interpretação constitucional. Assim, a fim de melhor compatibilizá-lo com os princípios constitucionais, bem como reduzir as disfunções produzidas, as normas da Constituição de 1988 que estabelecem as hipóteses de foro por prerrogativa de função devem ser interpretadas restritivamente, aplicando-se apenas aos crimes que tenham sido praticados durante o exercício do cargo e em razão dele. Como resultado, se o ilícito imputado foi, por exemplo, praticado anteriormente à investidura no mandato de parlamentar federal, não se justifica a competência do STF. E, ainda que cometido após a investidura no mandato, se o crime não apresentar relação direta com as funções parlamentares, tampouco se pode reconhecer a prerrogativa de foro perante esta Corte.

19. Essa interpretação já foi defendida pelo decano da Corte, o Ministro Celso de Mello, durante o julgamento da AP 470: "*a prerrogativa de foro merece nova discussão, para efeito de uma solução* de jure constituendo, *unicamente a cargo do Congresso Nacional, ou, até mesmo, uma abordagem mais restritiva pela jurisprudência do Supremo Tribunal Federal, em ordem a somente reconhecer a prerrogativa de foro em relação aos delitos praticados* in officio *ou* propter officium, *e que guardem* íntima *conexão com o desempenho da atividade funcional, para que nós não estejamos a julgar membros do Congresso Nacional por supostas práticas delituosas por eles alegadamente cometidas quando prefeitos municipais, vereadores ou deputados estaduais*". A tese também recebeu apoio doutrinário relevante. Com efeito, escreveu o Professor Daniel Sarmento: "*se o foro por prerrogativa de função não constitui um privilégio estamental ou corporativo, mas uma proteção outorgada* às *pessoas que desempenham certas funções, em prol do interesse público, não há porque estendê-lo para fatos estranhos ao exercício destas mesmas funções*"[24].

---

[24] Disponível em: <http://jota.info/constituicao-e-sociedade-4>.

20. Para que se tenha uma ideia do efeito prático da interpretação proposta, estima-se que menos de 10% das ações penais perante o STF envolvam crimes cometidos em razão do cargo e após a investidura nele. De acordo com a FGV, *"apenas 5,44% (intervalo de confiança: 3,43% - 7,45%) das imputações e 5,71% dos processos (intervalo de confiança: 1,75% - 9,68%) da amostra satisfazem ambas condições"* [25]. Assim, conforme conclusão do relatório, *"se essa interpretação houvesse sido adotada em 2006, 19 de cada 20 ações penais processadas pelo Supremo nos* últimos *10 anos teriam corrido em instâncias diferentes"*[26].

21. A limitação do alcance do foro especial aos crimes praticados durante o exercício funcional e que sejam diretamente relacionados às funções desempenhadas é, desse modo, mais condizente com a exigência de assegurar a credibilidade e a efetividade do sistema penal. Além disso, tem a aptidão de promover a responsabilização de todos os agentes públicos pelos atos ilícitos praticados, em atenção ao princípio republicano. O Supremo, ao interpretar suas competências, tem assentado, com base na teoria dos poderes implícitos, que se deve buscar "conferir eficácia real ao conteúdo e ao exercício de dada competência constitucional", sempre como forma de garantir a "integral realização dos fins que lhe foram atribuídos" (voto do Min. Celso de Mello na ADI 2.797). Assim, a capacidade de o Tribunal desempenhar devidamente suas atribuições, com a qualidade e a rapidez desejadas, não pode ser desconsiderada na definição do alcance das competências jurisdicionais que instituem o foro privilegiado[27].

V. Interpretação constitucionalmente adequada da prerrogativa de foro

V.1. Razões de princípio e teleologia da norma

22. A atual conformação do foro por prerrogativa de função constitui uma violação aos *princípios da igualdade e da república,* conferindo

[25] V Relatório Supremo em Números: o foro privilegiado / Joaquim Falcão... [et al.]. Rio de Janeiro: Escola de Direito do Rio de Janeiro da Fundação Getulio Vargas, 2017, p. 80.

[26] *Ibid.*, p. 80.

[27] Esse raciocínio foi, inclusive, utilizado pelo STF para o cancelamento da Súmula 394. A respeito, veja-se o trecho do voto do Min. Sydney Sanches, relator do Inq 687-QO: [Q]uando a Súmula foi aprovada, eram raros os casos de exercício de prerrogativa de foro perante esta Corte. Mas os tempos são outros. (...). E a Corte (...) já está praticamente se inviabilizando com o exercício das competências que realmente tem, expressas na Constituição (...) É de se perguntar, então: deve o Supremo Tribunal Federal continuar dando interpretação ampliativa a suas competências, quando nem pela interpretação estrita tem conseguido exercitá-las a tempo e a hora? Não se trata, é verdade, de uma cogitação estritamente jurídica, mas de conteúdo político, relevante, porque concernente à própria subsistência da Corte, em seu papel de guarda maior da Constituição Federal e de cúpula do Poder Judiciário Nacional.

um privilégio a um número enorme de autoridades, sem fundamento razoável[28]. A igualdade formal veda as discriminações arbitrárias e todos os tipos de privilégios. Trata-se de fundamento central da noção de república. Nas Repúblicas, todos os cidadãos são iguais e devem estar sujeitos às mesmas normas. O princípio republicano, consagrado no art. 1º, *caput*, traduz também a ideia fundamental de responsabilização político-jurídica de todos os agentes estatais, sem exceção, pelos atos que praticarem[29].

23. Na origem, a prerrogativa de foro tinha como fundamento a necessidade de assegurar a independência de órgãos e o livre exercício de cargos constitucionalmente relevantes. Entendia-se que a atribuição da competência originária para o julgamento dos ocupantes de tais cargos a tribunais de maior hierarquia evitaria ou reduziria a utilização política do processo penal contra titulares de mandato eletivo ou altas autoridades, em prejuízo do desempenho de suas funções[30]. Se, em nossa história constitucional, os magistrados de primeira instância tinham suas garantias muitas vezes limitadas, de direito ou de fato, a verdade, porém, é que hoje todos os juízes, independentemente do grau de jurisdição, desfrutam das mesmas garantias destinadas a assegurar independência e imparcialidade. Cabe relembrar, a propósito, que foi a Carta de 1969, outorgada pelos Ministros militares, que estendeu a prerrogativa de foro nos crimes comuns aos membros do Congresso, providência que, até então, jamais fora considerada como necessária para o bom e livre desempenho parlamentar[31].

---

[28] A Constituição Federal contempla a igualdade no art. 5º, *caput*: "*todos são iguais perante a lei, sem distinção de qualquer natureza*".

[29] Cf. Enrique Ricardo Lewandowski. Reflexões em torno do Princípio Republicano. In: Carlos Mário da Silva Velloso; Roberto Rosas; Antonio Carlos Rodrigues do Amaral. (Org.). *Princípios Constitucionais Fundamentais:* estudos em homenagem ao Professor Ives Gandra da Silva Martins. São Paulo: Lex, 2005. p. 375 e sgs.

[30] Nesse sentido, a célebre passagem do voto do Ministro Victor Nunes Leal na Reclamação 473, julgada em 31.1.1962, em que se decidiu que o foro deveria subsistir quando a ação penal é proposta depois de cessada a função (entendimento hoje superado): A jurisdição especial, como prerrogativa de certas funções públicas, é, realmente, instituída não no interesse da pessoa do ocupante do cargo, mas no interesse público do seu bom exercício, isto é, do seu exercício com o alto grau de independência que resulta da certeza de que seus atos venham a ser julgados com plenas garantias e completa imparcialidade. Presume o legislador que os tribunais de maior categoria tenham mais isenção para julgar os ocupantes de determinadas funções públicas, por sua capacidade de resistir, seja à eventual influência do próprio acusado, seja às influências que atuarem contra ele.

[31] Como bem assinalado pelo Ministro Celso de Mello, "***jamais se entendeu*** *que a dignidade do ofício parlamentar e a independência do exercício do mandato legislativo houvessem sido afetadas* ***ou*** *comprometidas* ***pelo fato*** *de os membros do Congresso Nacional estarem submetidos,* ***até então****, à*

24. Assim, parece claro que se o foro privilegiado pretende ser, de fato, um instrumento para garantir o livre exercício de certas funções públicas, e não para acobertar a pessoa ocupante do cargo, não faz sentido estendê-lo aos crimes cometidos antes da investidura nesse cargo e aos que, cometidos após a investidura, sejam estranhos ao exercício de suas funções. Fosse assim, o foro representaria reprovável privilégio pessoal. Trata-se, ainda, de aplicação da clássica diretriz hermenêutica – *interpretação restritiva das exceções* –, extraída do postulado da unidade da Constituição e do reconhecimento de uma hierarquia material ou axiológica entre as normas constitucionais[32]. Não há dúvida de que direitos e princípios fundamentais da Constituição, como o são a igualdade e a república, ostentam uma preferência axiológica em relação às demais disposições constitucionais. Daí a necessidade de que normas constitucionais que excepcionem esses princípios – como aquelas que introduzem o foro por prerrogativa de função – sejam interpretadas sempre de forma restritiva, de modo a garantir que possam se harmonizar ao sistema da Constituição de 1988.

25. Esse postulado foi adotado pelo STF em inúmeros casos[33]. Especificamente em relação à prerrogativa de foro, na ADI 2587, esta Corte declarou a inconstitucionalidade da norma de Constituição estadual que conferia o foro especial aos delegados de polícia. No julgamento, assentou-se que os Estados não têm "carta em branco" para assegurar o privilégio a quem bem entendam, pois não se trata de "simples opção política", mas "*um sistema rígido de jurisdição excepcional, que por diferir dos postulados basilares do Estado de Direito Democrático exige uma interpretação restritiva e expressa*" (Red. p/ acórdão Min. Carlos Britto, j. 01.12.2004). Essa lógica já foi também aplicada pelo Tribunal no julgamento de questão de ordem no Inquérito 687 (Rel. Min. Sydney Sanches, j. 25.08.1999), quando houve o cancelamento da Súmula 394[34] e se passou a entender que, após a cessação do exercício do cargo que conferia ao seu ocupante foro privilegiado, cessa igualmente a competência do STF para o julgamento. Na ocasião, esta Corte assentou que

---

jurisdição penal dos magistrados ***de primeira*** *instância*". (AP 470, Antecipação de voto do Min. Celso de Mello).

[32] A respeito, confira-se: Carlos Maximiliano, *Hermenêutica e Aplicação do Direito*. 20ª ed., 2011. Cláudio Pereira de Souza Neto e Daniel Sarmento, *Direito Constitucional*: teoria, história e métodos de trabalho, 2ª ed., 2015.

[33] A título exemplificativo, ver: STF, RE 669069; ADI 890; HC 70648.

[34] A súmula previa que "*cometido o crime durante o exercício funcional, prevalece a competência especial por prerrogativa de função, ainda que o inquérito ou a ação penal sejam iniciados após a cessação daquele exercício*"

"as prerrogativas de foro, pelo privilégio que, de certa forma, conferem, não devem ser interpretadas ampliativamente, numa Constituição que pretende tratar igualmente os cidadãos comuns".

V.2. Interpretação restritiva das prerrogativas constitucionais e precedentes do STF

26. No caso do foro privilegiado, quando se analisa o tratamento constitucional das demais prerrogativas conferidas a detentores de cargos institucionalmente relevantes, reforça-se a necessidade de exigir-se o nexo de causalidade ora defendido. Esse é o caso das imunidades material e formal atribuídas pela Constituição de 1988 aos parlamentares[35].

27. No caso da *imunidade material*, a Constituição dispõe simplesmente que *"os Deputados e Senadores são invioláveis, civil e penalmente, por quaisquer de suas opiniões, palavras e votos"* (art. 53, *caput*). Embora, à primeira vista, o texto do dispositivo pareça aplicar-se a todas as manifestações dos parlamentares, sem qualquer distinção, este Supremo Tribunal Federal entendeu, em diversos julgados, que só é *legítima* a proteção conferida pelo texto se presente um "nexo de implicação recíproca" com o ofício congressional. Já em 1989, esta Corte assentou que o silêncio do texto quanto à referência ao exercício do mandato *"não tem, todavia, o efeito de tornar extensível, para além do exercício do mandato, a proteção da imunidade material, pois esta não pode ser entendida como um privilégio pessoal do deputado ou senador, mas como verdadeira garantia de independência do exercício do poder legislativo. É assim, inerente ao instituto, o liame indispensável entre a prerrogativa em causa e a função parlamentar"* (Inq 396 QO, Rel. Min. Octavio Gallotti, j. 21.09.1989). Essa interpretação tem vigorado desde então.

28. Mais recentemente, o Ministro Celso de Mello assinalou que somente se legitima a invocação da prerrogativa institucional assegurada em favor de parlamentar *"nas hipóteses em que as palavras e opiniões tenham sido por ele expendidas* ***no exercício do mandato ou em razão deste****"* (AI 401.600, j. 08.10.2009). No mesmo sentido, os seguintes julgados: Inq 1.024 QO (j. 21.11.2002); Inq 2.134 (j. 23.03.2006); Inq 1.400 QO (j. 04.12.2002).

29. Já no caso da *imunidade formal*, a redação originária da Constituição de 1988 condicionava a persecução criminal e a prisão de parlamentares à licença prévia e expressa de sua Casa, de modo que a

---

[35] Espanha, Tribunal Constitucional, Sentença 22/1997, de 11.02.1997.

mera ausência de deliberação impedia a instauração ou o prosseguimento da ação penal (art. 53, §1º). Como resultado da disposição constitucional, nenhum parlamentar foi processado perante o STF desde 1988 até a promulgação da Emenda Constitucional 35, em 2001. Na prática, a prerrogativa representava privilégio odioso e garantia de impunidade aos congressistas. Para alterar esse cenário, foi promulgada a Emenda 35/2001, que fez duas alterações básicas nesse regime. Primeiro, inverteu o procedimento: ao invés de a Casa ter que conceder licença prévia, o processo passou a poder tramitar normalmente perante o STF, mas com a possibilidade de a Casa sustar o andamento da ação. Segundo: limitou-se a imunidade processual aos crimes ocorridos "após a diplomação" (art. 53, §3º), a fim de que, conforme a própria exposição de motivos da PEC, se pudesse permitir o prosseguimento do processo relativo a fatos anteriores ao mandato e, assim, restabelecer "o conceito de igualdade, suprimindo privilégios odiosos"[36].

30. Portanto, é preciso aplicar para a prerrogativa de foro a mesma exigência de relação de causalidade que vale para as demais imunidades: a conexão do crime imputado com o exercício da função, embora não seja requisito expresso textualmente na Constituição, é requisito *inerente* à prerrogativa institucional, necessário para legitimar o regime especial.

V.3. Interpretação restritiva das competências constitucionais e precedentes do STF

3.1. Ademais, não há qualquer impedimento para que o Supremo Tribunal Federal interprete de forma restritiva as normas constitucionais que instituem o foro privilegiado. No caso, tais competências constitucionais são sobreinclusivas, já que, ao abrangerem a possibilidade de que autoridades sejam processadas originariamente perante tribunais por ilícitos inteiramente desvinculados de suas funções, distanciam-se da finalidade que justificou a criação da prerrogativa. Por isso, é possível fazer uma "redução teleológica" das mesmas para que sejam

---

36 Veja-se o trecho da exposição de motivos: "Sob pena de comprometimento do exercício do mandato e da própria representação política, o instrumento da imunidade parlamentar não pode produzir efeitos retroativos, em relação a fatos praticados pelo detentor do mandato quando ainda não investido da condição de autoridade com jurisdição nacional, que constitui a justificativa constitucional da atribuição de tal prerrogativa. (...) A possibilidade ora apresentada, com a presente emenda constitucional, de que a Justiça possa prosseguir seu curso, sem obstáculos ou impedimentos, a apuração da regularidade da conduta daqueles que foram investidos em mandatos eletivos, no período antecedente a tal investidura, restabelece o conceito de igualdade, suprimindo privilégios odiosos, que a consciência democrática repudia".

interpretadas como aplicáveis somente quanto aos crimes praticados *no* cargo e *em razão* dele.

32. O foro especial está previsto em diversas disposições da Carta de 1988. Vejamos alguns exemplos. O art. 102, I, 'b' e 'c', estabelece a competência do STF para *"processar e julgar, originariamente, (...) nas infrações penais comuns, o Presidente da República, o Vice-Presidente, os membros do Congresso Nacional, seus próprios Ministros e o Procurador-Geral da República"*, bem como *"os Ministros de Estado e os Comandantes Militares, os membros dos Tribunais Superiores, os membros do Tribunal de Contas da União e os chefes de missão diplomática de caráter permanente"*. O art. 53, §1º ainda determina que *"Os Deputados e Senadores, desde a expedição do diploma, serão submetidos a julgamento perante o Supremo Tribunal Federal"*. Já o art. 105, I, 'a', define a competência do STJ para *"processar e julgar originariamente, nos crimes comuns, os "Governadores dos Estados e do Distrito Federal"*, e, ainda, *"os desembargadores dos Tribunais de Justiça dos Estados e do Distrito Federal, os membros dos Tribunais de Contas dos Estados e do Distrito Federal, os dos Tribunais Regionais Federais, dos Tribunais Regionais Eleitorais e do Trabalho, os membros dos Conselhos ou Tribunais de Contas dos Municípios e os do Ministério Público da União que oficiem perante tribunais"*. E o art. 29, X, prevê *"o julgamento do Prefeito perante o Tribunal de Justiça"*.

33. Embora se viesse interpretando a literalidade desse dispositivo no sentido de que o foro privilegiado abrangeria todos os crimes comuns, é possível e desejável atribuir ao texto normativo acepção mais restritiva, com base na teleologia do instituto e nos demais elementos de interpretação constitucional[37]. Trata-se da chamada "redução teleológica"[38] ou, de forma mais geral, da aplicação da técnica da "dissociação"[39], que consiste em reduzir o campo de aplicação de uma disposição normativa a somente uma ou algumas das situações de fato previstas por ela segundo uma interpretação literal, que se dá para adequá-la à finalidade da norma. Nessa operação, o intérprete identifica uma lacuna oculta[40] (ou axiológica) e a corrige mediante a

---

[37] Riccardo Guastini, *Estudios sobre la interpretación jurídica*. Trad. Marina Gascón, Miguel Carbonell, 1999, p. 31-34.

[38] Karl Larenz, *Metodologia da ciência do direito*, 1997, p.535.

[39] Riccardo Guastini, *Estudios sobre la interpretación jurídica*. Trad. Marina Gascón, Miguel Carbonell, 1999, p. 43.

[40] Segundo Larenz, "Existe uma lacuna 'patente' quando a lei não contém regra alguma para um determinado grupo de casos, que lhes seja aplicável – se bem que, segundo a sua própria teleologia, devesse conter tal regra. Falamos de uma lacuna 'oculta' quando a lei contém precisamente uma regra aplicável a casos desta espécie, mas que, segundo o seu sentido e

inclusão de uma exceção não explícita no enunciado normativo, mas extraída de sua própria teleologia. Como resultado, a norma passa a se aplicar apenas a parte dos fatos por ela regulados. A extração de "cláusulas de exceção" implícitas serve, assim, para concretizar o fim e o sentido da norma e do sistema normativo em geral[41].

34. Essa técnica não constitui nenhuma novidade para o STF, que já realizou, em diversas hipóteses, a interpretação restritiva das competências previstas na Constituição por meio da inclusão de cláusulas de exceção que reduzem o seu alcance. Nesse sentido, a jurisprudência do Tribunal tem enfatizado *"a possibilidade de o Supremo Tribunal Federal, atuando na condição de intérprete final da Constituição, proceder à construção exegética do alcance e do significado das cláusulas constitucionais que definem a própria competência originária desta Corte"* (ADI 2797). Em verdade, quase nenhuma competência jurisdicional prevista na Constituição permanece imune a interpretações que limitem a abrangência que, *prima facie*, parecem ter. Por exemplo, a Carta Magna prevê que compete ao Supremo processar e julgar *"a ação direta de inconstitucionalidade de lei ou ato normativo federal ou estadual"* (art. 102, I, "a"). Embora o dispositivo não traga qualquer restrição temporal, o STF consagrou entendimento de que não cabe ação direta contra lei anterior à Constituição, porque, ocorrendo incompatibilidade entre ato normativo infraconstitucional e a Constituição superveniente, fica ele revogado (ADI 521, Rel. Min. Paulo Brossard, j. 07.02.1992).

35. Do mesmo modo, o Supremo definiu que a competência para julgar *"as causas e os conflitos entre a União e os Estados"* (CF, art. 102, I, "f") não abarca todo e qualquer conflito entre entes federados, mas apenas aqueles capazes de afetar o pacto federativo (ACO 359-QO; ACO 1048-QO; ACO 1295-AgR-Segundo). Veja-se a respeito trecho da ementa de julgamento da ACO 597-AgR (Rel. Min. Celso de Mello, j. 03.10.2002): *"a jurisprudência da Corte traduz uma audaciosa redução do alcance literal da alínea questionada da sua competência original: cuida-se, porém, de redução teleológica e sistematicamente bem fundamentada, tão-manifesta, em causas como esta, se mostra a ausência dos fatores determinantes da excepcional competência originária do S.T.F. para o deslinde jurisdicional dos conflitos federativos"*.

---

fim, não se ajusta a este determinado grupo de casos, porque não tende à sua especificidade, relevante para a valoração. A lacuna aqui consiste na ausência de uma restrição. Por isso, a lacuna está 'oculta', porque, ao menos à primeira vista, não falta aqui uma regra aplicável". Karl Larenz. *Op. Cit.*, p.535.

[41] Ricardo Guastini, *Interpretare e argomentare*, 2011.

36. A Constituição também atribui a esta Corte a competência para julgar "as *ações* contra o Conselho Nacional de Justiça" (CF, art. 102, I, "r"). *Prima facie,* essa disposição se refere a todas as ações, sem exclusão. No entanto, segundo a jurisprudência do Tribunal, somente estão sujeitas a julgamento perante o STF o mandado de segurança, o mandado de injunção, o *habeas data* e o *habeas corpus,* pois somente nessas situações o CNJ terá legitimidade passiva *ad causam* (AO 1706 AgR). E mais: ainda quando se trate de MS, o Supremo só reconhece sua competência quando a ação se voltar contra *ato positivo* do Conselho Nacional de Justiça (MS 27712; MS 28839 AgR).

37. Há, ainda, previsão constitucional de julgamento pelo Supremo da *"ação em que todos os membros da magistratura sejam direta ou indiretamente interessados, e aquela em que mais da metade dos membros do tribunal de origem estejam impedidos ou sejam direta ou indiretamente interessados"* (art. 102, I, "n"). Em relação à primeira parte do dispositivo, o STF entende que a competência só se aplica quando a matéria versada na causa diz respeito a interesse privativo da magistratura, não envolvendo interesses comuns a outros servidores (AO 468 QO). Em relação à segunda parte do preceito, entende-se que o impedimento e a suspeição que autorizam o julgamento de ação originária pelo STF pressupõem a manifestação expressa dos membros do Tribunal competente, em princípio, para o julgamento da causa (MS 29342).

38. Em todos esses casos (e em muitos outros), entendeu-se possível a redução teleológica do escopo das competências originárias do STF pela via interpretativa. E em nenhum deles a adoção de interpretação mais abrangente implicaria clara ofensa a preceitos fundamentais da Constituição, como ocorre no presente caso. Afinal, se o STF reconhecesse o cabimento de MS perante a Corte contra *ato negativo* do CNJ (como o fez inicialmente), não haveria, de plano, violação a qualquer princípio ou valor constitucional. Diversamente, em relação à competência criminal originária, a adoção de interpretação ampliativa põe em risco os princípios da igualdade e da república. É, no mínimo, incoerente que o Supremo adote um parâmetro geral de interpretação restritiva de suas competências, mas não o aplique justamente para as competências que instituem o foro por prerrogativa de função, que são as que têm maior potencial para ofender princípios estruturantes da ordem constitucional.

39. Portanto, a interpretação restritiva proposta é a interpretação mais adequada da Constituição e está em linha com diversos precedentes do STF.

Parte III
Necessidade de fixação definitiva da competência após o final da instrução processual

40. Além da adoção da interpretação restritiva acima enunciada, esta Corte deve estabelecer um marco temporal a partir do qual a competência para processar e julgar ações penais – seja do STF ou de qualquer outro órgão jurisdicional – não mais seja afetada em razão de o agente público vir a ocupar cargo ou deixar o cargo que ocupava, qualquer que seja o motivo (*e.g.*, renúncia, não reeleição, eleição para cargo diverso). Como visto, as estatísticas demonstram que o foro especial produz, como regra, uma ou mais mudanças de competência ao longo da tramitação do processo.

41. Os frequentes deslocamentos (o "sobe-e-desce" processual) são um dos maiores problemas da prerrogativa, capazes de embaraçar e retardar o processamento dos inquéritos e ações penais, com evidente prejuízo para a eficácia, a racionalidade e a credibilidade do sistema penal. Isso alimenta, ademais, a tentação permanente de manipulação da jurisdição pelos réus. Há os que procuram se eleger para mudar o órgão jurisdicional competente, passando do primeiro grau para o STF; há os que deixam de se candidatar à reeleição, com o mesmo propósito, só que invertido: passar a competência do STF para o órgão de primeiro grau. E há os que renunciam para produzir o efeito de baixa do processo, no momento que mais lhes convém.

42. A esse respeito, veja-se que no caso subjacente a esta QO, toda a instrução processual foi realizada e encerrada perante Juízo eleitoral de 1ª instância, inclusive com a apresentação das alegações finais pela defesa e pelo MP. No entanto, quando o processo estava pronto para julgamento, o réu foi diplomado como Deputado Federal e o Juízo da 256ª Zona Eleitoral/RJ declinou da competência para o Supremo Tribunal Federal, em decisão de 24.04.2015. O processo foi então distribuído nesta Casa e incluído em pauta de julgamento. No entanto, antes da sessão de julgamento, o réu renunciou ao mandato de Deputado Federal para assumir a Prefeitura. Assim, até a presente data, a ação penal não teve o seu mérito julgado, com o risco de gerar a prescrição pela pena provável.

43. Por isso, proponho que a partir do final da instrução processual, com a publicação do despacho de intimação para apresentação de alegações finais, seja prorrogada a competência do juízo para julgar ações penais em todos os graus de jurisdição. Desse modo, mesmo que o agente público venha a ocupar outro cargo ou deixe o cargo que

ocupava, qualquer que seja o motivo, isso não acarretará modificações de competência. Caso esse critério tivesse sido aplicado ao presente processo, por exemplo, o réu teria sido julgado pela 1ª instância e o processo não teria sido deslocado para o STF.

44. É certo que, como regra, não se admite a prorrogação de competências constitucionais, por se encontrarem submetidas a regime de direito estrito (Pet 1.738 AgR). No entanto, a jurisprudência da Corte (e também do STJ[42]) admite a possibilidade excepcional de prorrogação justamente nos casos em que seja necessária para preservar a efetividade e racionalidade da prestação jurisdicional. Há diversos precedentes nesse sentido, inclusive relativos ao próprio foro por prerrogativa de função. O STF já admitiu, por exemplo, a possibilidade de prorrogar a sua competência para conduzir o inquérito ou realizar o julgamento de réus desprovidos da prerrogativa, nos casos em que o desmembramento seja excessivamente prejudicial para a adequada elucidação dos fatos em exame (AP 470 QO, Rel. Min. Joaquim Barbosa, j. 02.08.2002). Esta Corte também definiu que, proferido o primeiro voto em julgamento de apelação criminal por Tribunal de Justiça, o exercício superveniente de mandato parlamentar pelo réu, antes da conclusão do julgamento, não desloca a competência para o STF (AP 634 QO, Rel. Min. Luís Roberto Barroso, j. 06.02.2014).

45. Além disso, não se deve esquecer que até o julgamento da Questão de Ordem no Inquérito 687 (Rel. Min. Sydney Sanches, j. 27.08.1999) e o cancelamento da Súmula 394, o STF admitia a prorrogação de sua competência para julgar ex-exercentes de mandato quando o crime fosse cometido durante o exercício funcional. E mesmo após a consolidação da orientação de que a renúncia de parlamentar teria como efeito extinguir de imediato a competência do Supremo Tribunal Federal, esta Corte já admitiu exceções a essa regra em caso de abuso processual.

46. No julgamento da Ação Penal 396, em que o réu era Natan Donadon (Rel. Min. Cármen Lúcia j. 28.10.2010), a maioria do Tribunal reconheceu que a renúncia, apresentada à Casa Legislativa na véspera

---

[42] O Superior Tribunal de Justiça, na Súmula 122, criou a hipótese de prorrogação da competência da justiça federal quando há conexão probatória entre o crime estadual e federal. E mais, na hipótese de aplicação da súmula 122, ainda que a Justiça Federal absolva o réu pelo crime federal, continuará competente para julgar o crime estadual remanescente (STJ, RHC 70213, Rel. Min. Sebastião Reis Júnior). O mesmo ocorreria se o crime estadual absorvesse o crime federal: a Justiça Federal remanesceria com a competência para o julgamento desta infração estadual pela perpetuatio jurisdictionis, em razão da aplicação analógica do art. 81 do CPP (STJ, HC 353818, Rel. Min. Reynaldo Soares da Fonseca)

do julgamento da presente ação penal pelo Plenário do Supremo, teria sido "*utilizada como subterfúgio para deslocamento de competências constitucionalmente definidas*", de modo a justificar a manutenção da competência para julgamento no STF. Na ocasião, porém, a Corte não firmou uma orientação mais ampla que se aplicasse a todos os casos posteriores. Mais recentemente, no julgamento da AP 606-QO (sob minha relatoria, j. 12.08.2014), a Primeira Turma estabeleceu uma presunção relativa de que a renúncia após o final da instrução processual é abusiva, "*não acarretando a perda de competência do Supremo Tribunal Federal*". Porém, o Plenário deste STF ainda não se pronunciou sobre a definição de um marco temporal uniforme e objetivo de *perpetuatio jurisdictionis* que se aplique a todos os casos de investidura ou desinvestidura de cargo com foro privilegiado, independentemente de abuso processual.

47. Esta é uma excelente oportunidade de fazê-lo. Em todos os exemplos acima, o fundamento para a prorrogação excepcional da competência foi, precisamente, o interesse em se preservar a eficácia e a racionalidade da prestação jurisdicional. Essa *ratio* é igualmente aplicável ao contexto em análise, tendo em vista a necessidade de resguardar a seriedade da jurisdição, evitando que a prerrogativa de foro se converta em instrumento de retardamento da solução processual e de frustração da prestação jurisdicional, com o risco de prescrição.

48. Além disso, o critério do fim da instrução processual, *i.e.*, a publicação do despacho de intimação para apresentação de alegações finais, parece ser adequado a esses objetivos por três razões. *Primeiro*, trata-se de um marco temporal objetivo, de fácil aferição, e que deixa pouca margem de manipulação para os investigados e réus e afasta a discricionariedade da decisão dos tribunais de declínio de competência. *Segundo*, a definição do encerramento da instrução como marco para a prorrogação da competência privilegia, em maior extensão, o princípio da identidade física do juiz, ao valorizar o contato do magistrado julgador com as provas produzidas na ação penal. *Por fim*, esse critério já foi fixado pela Primeira Turma desta Casa na AP 606-QO, sob minha relatoria, ainda que apenas em relação à renúncia parlamentar abusiva.

49. Desse modo, esta Corte deve fixar que a partir do fim da instrução processual, com a publicação do despacho de intimação para apresentação de alegações finais, prorroga-se a competência do juízo para julgar ações penais em todos os graus de jurisdição, sem que a investidura ou desinvestidura de cargo com foro privilegiado produza modificação de competência.

VI. Conclusão

50. Por todo o exposto, resolvo a presente questão de ordem com a fixação das seguintes teses: "*(i) O foro por prerrogativa de função aplica-se apenas aos crimes cometidos durante o exercício do cargo e relacionados às funções desempenhadas; e (ii) Após o final da instrução processual, com a publicação do despacho de intimação para apresentação de alegações finais, a competência para processar e julgar ações penais não será mais afetada em razão de o agente público vir a ocupar outro cargo ou deixar o cargo que ocupava, qualquer que seja o motivo*". Essa nova linha interpretativa deve se aplicar imediatamente aos processos em curso, com a ressalva de todos os atos praticados e decisões proferidas pelo STF e pelos demais juízos com base na jurisprudência anterior, conforme precedente firmado na Questão de Ordem no Inquérito 687 (Rel. Min. Sydney Sanches, j. 25.08.1999).

51. Como resultado, no caso concreto em exame, determino a baixa da ação penal ao Juízo da 256ª Zona Eleitoral do Rio de Janeiro para julgamento. Isso porque (i) os crimes imputados ao réu não foram cometidos no cargo de Deputado Federal ou em razão dele, (ii) o réu renunciou ao cargo para assumir a Prefeitura de Cabo Frio, e (iii) a instrução processual se encerrou perante a 1ª instância, antes do deslocamento de competência para o Supremo Tribunal Federal. Dessa forma, aplicando-se as duas teses fixadas acima, o presente processo deve ser julgado pela 1ª instância.

ABORTO: INCONSTITUCIONALIDADE DA CRIMINALIZAÇÃO ATÉ O TERCEIRO MÊS DE GESTAÇÃO

HABEAS CORPUS 124.306 RIO DE JANEIRO

RELATOR	:	MIN. MARCO AURÉLIO
REDATOR PARA ACÓRDÃO	:	LUÍS ROBERTO BARROSO
PACTE.(S)	:	EDILSON DOS SANTOS
PACTE.(S)	:	ROSEMERE APARECIDA FERREIRA
IMPTE.(S)	:	JAIR LEITE PEREIRA
COATOR(A/S)(ES)	:	SUPERIOR TRIBUNAL DE JUSTIÇA

Ementa: DIREITO PROCESSUAL PENAL. *HABEAS CORPUS*. PRISÃO PREVENTIVA. AUSÊNCIA DOS REQUISITOS PARA SUA DECRETAÇÃO. INCONSTITUCIONALIDADE DA INCIDÊNCIA DO TIPO PENAL DO ABORTO NO CASO DE INTERRUPÇÃO VOLUNTÁRIA DA GESTAÇÃO NO PRIMEIRO TRIMESTRE. ORDEM CONCEDIDA DE OFÍCIO.

1. O *habeas corpus* não *é* cabível na hipótese. Todavia, *é* o caso de concessão da ordem de ofício, para o fim de desconstituir a prisão preventiva, com base em duas ordens de fundamentos.

2. Em *primeiro lugar*, não estão presentes os requisitos que legitimam a prisão cautelar, a saber: risco para a ordem pública, a ordem econômica, a instrução criminal ou a aplicação da lei penal (CPP, art. 312). Os acusados são primários e com bons antecedentes, têm trabalho e residência fixa, têm comparecido aos atos de instrução e cumprirão pena em regime aberto, na hipótese de condenação.

3. Em *segundo lugar*, é preciso conferir interpretação conforme a Constituição aos próprios arts. 124 a 126 do Código

Penal – que tipificam o crime de aborto – para excluir do seu âmbito de incidência a interrupção voluntária da gestação efetivada no primeiro trimestre. A criminalização, nessa hipótese, viola diversos direitos fundamentais da mulher, bem como o princípio da proporcionalidade.

4. A criminalização é incompatível com os seguintes direitos fundamentais: *os direitos sexuais e reprodutivos da mulher*, que não pode ser obrigada pelo Estado a manter uma gestação indesejada; a *autonomia* da mulher, que deve conservar o direito de fazer suas escolhas existenciais; a *integridade física e psíquica* da gestante, que é quem sofre, no seu corpo e no seu psiquismo, os efeitos da gravidez; e a *igualdade* da mulher, já que homens não engravidam e, portanto, a equiparação plena de gênero depende de se respeitar a vontade da mulher nessa matéria.

5. A tudo isto se acrescenta o impacto da criminalização sobre as mulheres pobres. É que o tratamento como crime, dado pela lei penal brasileira, impede que estas mulheres, que não têm acesso a médicos e clínicas privadas, recorram ao sistema público de saúde para se submeterem aos procedimentos cabíveis. Como consequência, multiplicam-se os casos de automutilação, lesões graves e óbitos.

6. A tipificação penal viola, também, o princípio da proporcionalidade por motivos que se cumulam: (i) ela constitui medida de duvidosa adequação para proteger o bem jurídico que pretende tutelar (vida do nascituro), por não produzir impacto relevante sobre o número de abortos praticados no país, apenas impedindo que sejam feitos de modo seguro; (ii) é possível que o Estado evite a ocorrência de abortos por meios mais eficazes e menos lesivos do que a criminalização, tais como educação sexual, distribuição de contraceptivos e amparo à mulher que deseja ter o filho, mas se encontra em condições adversas; (iii) a medida é desproporcional em sentido estrito, por gerar custos sociais (problemas de saúde pública e mortes) superiores aos seus benefícios.

7. Anote-se, por derradeiro, que praticamente nenhum país democrático e desenvolvido do mundo trata a interrupção da gestação durante o primeiro trimestre como crime, aí incluídos Estados Unidos, Alemanha, Reino Unido, Canadá, França, Itália, Espanha, Portugal, Holanda e Austrália.

8. Deferimento da ordem de ofício, para afastar a prisão preventiva dos pacientes, estendendo-se a decisão aos corréus.

VOTO-VISTA[1]

O SENHOR MINISTRO LUÍS ROBERTO BARROSO (REDATOR PARA ACÓRDÃO):

I. SÍNTESE DA DEMANDA

1. Trata-se de *habeas corpus*, com pedido de concessão de medida cautelar, impetrado em face de acórdão da Sexta Turma do Superior Tribunal de Justiça, que não conheceu do HC 290.341/RJ, de relatoria da Ministra Maria Thereza de Assis Moura. Extrai-se dos autos que os pacientes (que mantinham clínica de aborto) foram presos em flagrante, em 14.03.2013, devido à suposta prática dos crimes descritos nos arts. 126[2] (aborto) e 288[3] (formação de quadrilha) do Código Penal, em concurso material por quatro vezes, por terem provocado *"aborto na gestante/denunciada (...) com o consentimento desta"*.

2. Em 21.03.2013, o Juízo da 4ª Vara Criminal da Comarca de Duque de Caxias/RJ concedeu a liberdade provisória aos pacientes[4]. Todavia, em 25.02.2014, a 4ª Câmara Criminal proveu recurso em sentido estrito interposto pelo Ministério Público do Estado do Rio de Janeiro, para decretar a prisão preventiva dos pacientes, com fundamento na garantia da ordem pública e na necessidade de assegurar a aplicação da lei penal. Na sequência, a defesa impetrou HC no STJ, que não foi conhecido pela Corte. O acórdão, porém, examinou o mérito e assentou não ser ilegal o encarceramento na hipótese[5].

3. Neste *habeas corpus*, os impetrantes alegam que não estão presentes os requisitos necessários para a decretação de prisão preventiva, nos termos do art. 312 do Código de Processo Penal. Nesse sentido, sustentam que: (i) os pacientes são primários, com bons antecedentes e têm trabalho e residência fixa no distrito da culpa; (ii) a custódia cautelar é desproporcional, já que eventual condenação poderá ser

---

1 Julgado em 29 de novembro de 2016.

2 Art. 126 - Provocar aborto com o consentimento da gestante: Pena - reclusão, de um a quatro anos.

3 Art. 288. Associarem-se 3 (três) ou mais pessoas, para o fim específico de cometer crimes: Pena - reclusão, de 1 (um) a 3 (três) anos. (Redação dada pela Lei nº 12.850, de 2013)

4 A decisão considerou que "as infrações imputadas são de médio potencial ofensivo, com penas relativamente brandas, permitindo que, em caso de condenação, sejam aplicadas sanções conversíveis em penas restritivas de direitos ou, no máximo, a serem cumpridas em regime aberto".

5 De acordo com o acórdão recorrido, "não é ilegal o encarceramento provisório que se funda em dados concretos a indicar a necessidade da medida cautelar, especialmente em elementos extraídos da conduta perpetrada pelos acusados, quais sejam, a gravidade concreta do delito, demonstrada pela reprovabilidade exacerbada da conduta praticada e tentativa em evadir do local dos fatos".

cumprida em regime aberto; e (iii) não houve qualquer tentativa de fuga dos pacientes durante o flagrante. Daí o pedido de revogação da prisão preventiva, com expedição do alvará de soltura.

4. Em 8.12.2014, o Ministro Marco Aurélio, relator da ação, deferiu a medida cautelar pleiteada, em benefício dos acusados Edilson dos Santos e Rosemere Aparecida Ferreira. Em 27.06.2015, estendeu os efeitos da decisão aos demais corréus, Débora Dias Ferreira, Jadir Messias da Silva e Carlos Eduardo de Souza e Pinto.

5. A Procuradoria-Geral da República, em parecer subscrito pela Dra. Cláudia Sampaio Marques, opinou pelo não conhecimento do pedido e, no mérito, pela denegação da ordem, cassando-se a liminar deferida aos pacientes e estendida aos corréus.

6. Iniciado o julgamento, o Ministro Marco Aurélio votou pela admissão do *habeas corpus* e, no mérito, pelo deferimento da ordem para afastar a custódia provisória, nos termos da liminar anteriormente deferida. Pedi vista antecipada dos autos para uma análise mais detida da matéria.

Solução do caso concreto

I. Descabimento de habeas corpus substitutivo do recurso ordinário constitucional

7. Inicialmente, verifico que se trata de *habeas corpus*, substitutivo do recurso ordinário constitucional, impetrado contra acórdão unânime da Sexta Turma do Superior Tribunal de Justiça que não conheceu do HC 290.341/RJ. Nos termos da jurisprudência majoritária desta Primeira Turma (HC 109.956, Rel. Min. Marco Aurélio; HC 128.256, Rel. Min. Rosa Weber), nessa hipótese, o processo deve ser extinto, sem resolução do mérito, por inadequação da via processual. Nada obstante isso, em razão da excepcional relevância e delicadeza da matéria, passo a examinar a possibilidade de concessão da ordem de ofício.

II. Ausência dos requisitos do art. 312 do CPP para decretação da prisão preventiva

8. Em *primeiro lugar*, entendo que o decreto de prisão preventiva não apontou elementos individualizados que evidenciem a necessidade da custódia cautelar ou mesmo o risco efetivo de reiteração delitiva pelos pacientes e corréus. Em verdade, a decisão limitou-se a invocar genericamente a gravidade abstrata do delito de "provocar o aborto com o consentimento da gestante" imputado, bem como a necessidade de assegurar a aplicação da lei penal ante à suposta tentativa dos pacientes de se evadirem do local dos fatos. No entanto, conforme notou o Ministro Marco Aurélio em seu voto, *"a liberdade dos acusados*

tanto não oferece risco ao processo que a instrução criminal tem transcorrido normalmente, conforme revelou a consulta realizada ao sítio do Tribunal de Justiça, noticiando o comparecimento de todos à última *audiência de instrução e julgamento, ocorrida no dia 17 de agosto de 2015, quando já soltos".*

9. Não se encontram preenchidos, no caso concreto, os requisitos do art. 312 do Código de Processo Penal[6], que exigem, para decretação da prisão preventiva, que estejam presentes riscos para a ordem pública ou para a ordem econômica, conveniência para a instrução criminal ou necessidade de assegurar a aplicação da lei. Note-se que a prisão torna-se ainda menos justificável diante da constatação de que os pacientes: (i) são primários e com bons antecedentes; (ii) têm trabalho e residência fixa; (iii) têm comparecido devidamente aos atos de instrução do processo; e (iv) cumprirão a pena, no máximo, em regime aberto, na hipótese de condenação. Aplicável, portanto, a orientação jurisprudencial do Supremo Tribunal Federal no sentido de que é ilegal a prisão cautelar decretada sem a demonstração, empiricamente motivada, dos requisitos legais (HC 109.449, Rel. Min. Marco Aurélio; e HC 115.623, Rel. Min. Rosa Weber).

10. A ausência de motivação concreta já seria suficiente para afastar a custódia preventiva na hipótese, tornando definitiva a liminar implementada em favor dos pacientes e estendida aos corréus. No entanto, há outra razão que conduz à concessão da ordem.

III. Inconstitucionalidade da criminalização da interrupção voluntária da gestação efetivada no primeiro trimestre

11. Em *segundo lugar*, é preciso examinar a própria constitucionalidade do tipo penal imputado aos pacientes e corréus, já que a existência do crime é pressuposto para a decretação da prisão preventiva, nos termos da parte final do art. 312 do CPP. Para ser compatível com a Constituição, a criminalização de determinada conduta exige que esteja em jogo a proteção de um bem jurídico relevante, que o comportamento incriminado não constitua exercício legítimo de um direito fundamental e que haja proporcionalidade entre a ação praticada e a reação estatal.

12. No caso aqui analisado, está em discussão a tipificação penal do crime de aborto voluntário nos arts. 124 a 126 do Código Penal[7], que

---

[6] CPP, Art. 312: A prisão preventiva poderá ser decretada como garantia da ordem pública, da ordem econômica, por conveniência da instrução criminal, ou para assegurar a aplicação da lei penal, **quando houver prova da existência do crime** e indício suficiente de autoria. (Redação dada pela Lei nº 12.403, de 2011).

[7] Aborto provocado pela gestante ou com seu consentimento - Art. 124 - Provocar aborto em si mesma ou consentir que outrem lho provoque: Pena - detenção, de um a três anos.

punem tanto o aborto provocado pela gestante quanto por terceiros com o consentimento da gestante. O bem jurídico protegido – vida potencial do feto – é evidentemente relevante. Porém, a criminalização do aborto antes de concluído o primeiro trimestre de gestação viola diversos direitos fundamentais da mulher, além de não observar suficientemente o princípio da proporcionalidade. É o que se demonstrará a seguir.

13. Antes de avançar, porém, cumpre estabelecer uma premissa importante para o raciocínio a ser desenvolvido: o aborto é uma prática que se deve procurar evitar, pelas complexidades físicas, psíquicas e morais que envolve. Por isso mesmo, é papel do Estado e da sociedade atuar nesse sentido, mediante oferta de educação sexual, distribuição de meios contraceptivos e amparo à mulher que deseje ter o filho e se encontre em circunstâncias adversas. Portanto, ao se afirmar aqui a incompatibilidade da criminalização com a Constituição, não se está a fazer a defesa da disseminação do procedimento. Pelo contrário, o que ser pretende é que ele seja raro e seguro.

1. Violação a direitos fundamentais das mulheres[8]

14. A relevância e delicadeza da matéria justificam uma brevíssima incursão na teoria geral dos direitos fundamentais. A história da humanidade é a história da afirmação do indivíduo em face do poder

Aborto provocado por terceiro - Art. 126 - Provocar aborto com o consentimento da gestante: Pena - reclusão, de um a quatro anos.

[8] Há diversos trabalhos seminais nessa matéria tanto no Brasil como no exterior. No país, destacam-se os seguintes trabalhos: (i) Debora Diniz; Marcelo Medeiros, "Aborto no Brasil: uma pesquisa domiciliar com técnica de urna", *Ciência e Saúde Coletiva*, v. 15, p. 959-966, 2010; (ii) Debora Diniz, Marilena Corrêa, Flávia Squinca, Kátia Soares Braga, "Aborto: 20 anos de pesquisa no Brasil." *Cadernos de Saúde Pública*, v. 25, n. 4, 2009; (iii) Jacqueline Pitanguy. "O movimento nacional e internacional de saúde e direitos reprodutivos." In Griffin, Karen e Costa, Sarah Hawker (orgs.), *Questões da saúde reprodutiva*, 1999; (iv) Flávia Piovesan, "Os Direitos Reprodutivos como Direitos Humanos". In: Samantha Buglione (org.), *Reprodução e Sexualidade: Uma Questão de Justiça*, 2002, (v) Leila Linhares Barsted, "O movimento feminista e a descriminalização do aborto". *Revista Estudos Feministas*, v. 5, 1997; (vi) Maria Isabel Baltar da Rocha, "A discussão política sobre aborto no Brasil: uma síntese". *Revista Brasileira de Estudos Populacionais*, v. 23, 2006; (vii) Lucila Scavone, "Políticas feministas do aborto". *Revista Estudos Feministas*, v. 16, 2008; (viii) Rede Feminista de Saúde, *Dossiê Aborto: Mortes Previsíveis e Evitáveis*, 2005. Na literatura estrangeira, v. (i) Judith Jarvis Thomson, "A Defense of Abortion". *Philosophy & Public Affairs*, Vol. 1, 1971; (ii) Kristin Luker, *Abortion & the Politics of Motherhood*, 1984; (iii) Ronald Dworkin, *Life's Dominion: An Argument About Abortion, Euthanasia, and Individual Freedom*, 1994; (iv) Robin West, "From Choice to Reproductive Justice: De- Constitutionalizing Abortion Rights". *The Yale Law Journal*, vol. 118, 2009; (v) Ruth Bader Ginsburg, "Some Thoughts on Autonomy and Equality in Relation to Roe v. Wade". *North Carolina Law Review*, vol. 63, 1985; (vi) Catherine Mackinnon, "Reflections on Sex Equality Under Law". *Yale Law Journal*, vol. 100, 1991; (vii) Francis Beckwith, "Personal Bodily Rights, Abortion, and Unplugging the Violinist". *International Philosophical Quarterly*,

político, do poder econômico e do poder religioso, sendo que este último procura conformar a moral social dominante. O produto deste embate milenar são os direitos fundamentais, aqui entendidos como os direitos humanos incorporados ao ordenamento constitucional.

15. Os direitos fundamentais vinculam todos os Poderes estatais, representam uma abertura do sistema jurídico perante o sistema moral[9] e funcionam como uma reserva mínima de justiça assegurada a todas as pessoas[10]. Deles resultam certos deveres abstenção e de atuação por parte do Estado e da sociedade. Após a Segunda Guerra Mundial, os direitos fundamentais passaram a ser tratados como uma emanação da dignidade humana, na linha de uma das proposições do imperativo categórico kantiano: toda pessoa deve ser tratada como um fim em si mesmo, e não um meio para satisfazer interesses de outrem ou interesses coletivos. Dignidade significa, do ponto de vista subjetivo, que todo indivíduo tem valor intrínseco e autonomia.

16. Característica essencial dos direitos fundamentais é que eles são oponíveis às maiorias políticas. Isso significa que eles funcionam como limite ao legislador e até mesmo ao poder constituinte reformador (CF, art. 60, §4º)[11]. Além disso, são eles dotados de aplicabilidade direta e imediata, o que legitima a atuação da jurisdição constitucional para a sua proteção, tanto em caso de ação como de omissão legislativa.

17. Direitos fundamentais estão sujeitos a limites imanentes e a restrições expressas. E podem, eventualmente, entrar em rota de colisão entre si ou com princípios constitucionais ou fins estatais. Tanto nos casos de restrição quanto nos de colisão, a solução das situações concretas deverá valer-se do princípio instrumental da razoabilidade ou proporcionalidade[12].

---

vol. 32, 1992; (viiii) Rebecca Cook, Joanna Erdman, Bernard Dickens, *Abortion Law in Transnational Perspective: Cases and controversies*, 2014; (ix) John Hart Ely, "The Wages of the Crying Woolf: A Coment on Roe v. Wade". *Yale Law Journal*, vol. 82, 1973; (x) Reva Siegel, "Abortion and the 'Woman Question: Forty Years of Debate", *Indiana Law Journal:* Vol. 89, 2014.

[9] Robert Alexy, *Teoria dos direitos fundamentais*, 2008, p. 29.

[10] Luís Roberto Barroso, Grandes transformações do direito contemporâneo e o pensamento de Robert Alexy, 2015. In: http://s.conjur.com.br/dl/palestra-barroso-alexy.pdf, acesso em 28 nov. 2016.

[11] Note-se que embora o dispositivo faça referência aos direitos e garantias *individuais*, o entendimento dominante é no sentido de que a proteção se estende a todos os direitos materialmente fundamentais.

[12] Sobre o tema, v. Robert Alexy, *Teoria e los derechos fundamentales*, 1997, p. 111; Aharon Barak, *Proportionality:* constitutional rights and their limitations; e Luís Roberto Barroso, *Curso de direito constitucional contemporâneo*, 2015, p. 289-295.

18. O princípio da proporcionalidade destina-se a assegurar a razoabilidade substantiva dos atos estatais, seu equilíbrio ou justa medida. Em uma palavra, sua justiça. Conforme entendimento que se tornou clássico pelo mundo afora, a proporcionalidade divide-se em três subprincípios: (i) o da *adequação*, que identifica a idoneidade da medida para atingir o fim visado; (ii) a *necessidade*, que expressa a vedação do excesso; e (iii) a *proporcionalidade em sentido estrito*, que consiste na análise do custo-benefício da providência pretendida, para se determinar se o que se ganha é mais valioso do que aquilo que se perde.

19. A proporcionalidade, irmanada com a ideia de ponderação, não é capaz de oferecer, por si só, a solução material para o problema posto. Mas uma e outra ajudam a estruturar a argumentação de uma maneira racional, permitindo a compreensão do itinerário lógico percorrido e, consequentemente, o controle intersubjetivo das decisões.

20. Passando da teoria à prática, é dominante no mundo democrático e desenvolvido a percepção de que a criminalização da interrupção voluntária da gestação atinge gravemente diversos direitos fundamentais das mulheres, com reflexos inevitáveis sobre a dignidade humana[13]. O pressuposto do argumento aqui apresentado é que a mulher que se encontre diante desta decisão trágica – ninguém em sã consciência suporá que se faça um aborto por prazer ou diletantismo – não precisa que o Estado torne a sua vida ainda pior, processando-a criminalmente. Coerentemente, se a conduta da mulher é legítima, não há sentido em se incriminar o profissional de saúde que a viabiliza.

21. Torna-se importante aqui uma breve anotação sobre o *status* jurídico do embrião durante fase inicial da gestação. Há duas posições antagônicas em relação ao ponto. De um lado, os que sustentam que existe vida desde a concepção, desde que o espermatozoide fecundou o óvulo, dando origem à multiplicação das células. De outro lado, estão os que sustentam que antes da formação do sistema nervoso central e da presença de rudimentos de consciência – o que geralmente se dá após o terceiro mês da gestação – não é possível ainda falar-se em vida em sentido pleno.

22. Não há solução jurídica para esta controvérsia. Ela dependerá sempre de uma escolha religiosa ou filosófica de cada um a respeito da vida. Porém, exista ou não vida a ser protegida, o que é fora de dúvida é que não há qualquer possibilidade de o embrião subsistir fora do útero materno nesta fase de sua formação. Ou seja: ele dependerá

[13] Luís Roberto Barroso, "Aqui, lá e em todo lugar": a dignidade humana no direito contemporâneo e no discurso transnacional, *Revista dos Tribunais 919*:127-196, 2012, p. 183 e s.

integralmente do corpo da mãe. Esta premissa, factualmente incontestável, está subjacente às ideias que se seguem.

23. Confiram-se, a seguir, os direitos fundamentais afetados.

1.1. Violação à autonomia da mulher

24. A criminalização viola, em primeiro lugar, a *autonomia* da mulher, que corresponde ao núcleo essencial da liberdade individual, protegida pelo princípio da dignidade humana (CF/1988, art. 1º, III). A autonomia expressa a autodeterminação das pessoas, isto é, o direito de fazerem suas escolhas existenciais básicas e de tomarem as próprias decisões morais a propósito do rumo de sua vida. Todo indivíduo – homem ou mulher – tem assegurado um espaço legítimo de privacidade dentro do qual lhe caberá viver seus valores, interesses e desejos. Neste espaço, o Estado e a sociedade não têm o direito de interferir.

25. Quando se trate de uma mulher, um aspecto central de sua autonomia é o poder de controlar o próprio corpo e de tomar as decisões a ele relacionadas, inclusive a de cessar ou não uma gravidez. Como pode o Estado – isto é, um delegado de polícia, um promotor de justiça ou um juiz de direito – impor a uma mulher, nas semanas iniciais da gestação, que a leve a termo, como se tratasse de um útero a serviço da sociedade, e não de uma pessoa autônoma, no gozo de plena capacidade de ser, pensar e viver a própria vida?

1.2. Violação do direito à integridade física e psíquica

26. Em segundo lugar, a criminalização afeta a *integridade física e psíquica* da mulher. O direito à integridade psicofísica (CF/1988, art. 5º, *caput* e III) protege os indivíduos contra interferências indevidas e lesões aos seus corpos e mentes, relacionando-se, ainda, ao direito à saúde e à segurança. A integridade física é abalada porque é o corpo da mulher que sofrerá as transformações, riscos e consequências da gestação. Aquilo que pode ser uma bênção quando se cuide de uma gravidez desejada, transmuda-se em tormento quando indesejada. A integridade psíquica, por sua vez, é afetada pela assunção de uma obrigação para toda a vida, exigindo renúncia, dedicação e comprometimento profundo com outro ser. Também aqui, o que seria uma bênção se decorresse de vontade própria, pode se transformar em provação quando decorra de uma imposição heterônoma. Ter um filho por determinação do direito penal constitui grave violação à integridade física e psíquica de uma mulher.

1.3. Violação aos direitos sexuais e reprodutivos da mulher

27. A criminalização viola, também, os *direitos sexuais e reprodutivos* da mulher, que incluem o direito de toda mulher de decidir sobre *se* e

quando deseja ter filhos, sem discriminação, coerção e violência, bem como de obter o maior grau possível de saúde sexual e reprodutiva. A sexualidade feminina, ao lado dos direitos reprodutivos, atravessou milênios de opressão. O direito das mulheres a uma vida sexual ativa e prazerosa, como se reconhece à condição masculina, ainda é objeto de tabus, discriminações e preconceitos. Parte dessas disfunções é fundamentada historicamente no papel que a natureza reservou às mulheres no processo reprodutivo. Mas justamente porque à mulher cabe o ônus da gravidez, sua vontade e seus direitos devem ser protegidos com maior intensidade.

28. O reconhecimento dos direitos sexuais e reprodutivos das mulheres como direitos humanos percorreu uma longa trajetória, que teve como momentos decisivos a Conferência Internacional de População e Desenvolvimento (CIPD), realizada em 1994, conhecida como Conferência do Cairo, e a IV Conferência Mundial sobre a Mulher, realizada em 1995, em Pequim. A partir desses marcos, vem se desenvolvendo a ideia de liberdade sexual feminina em sentido positivo e emancipatório. Para os fins aqui relevantes, cabe destacar que do Relatório da Conferência do Cairo constou, do Capítulo VII, a seguinte definição de direitos reprodutivos:

> "§7.3. Esses direitos se baseiam no reconhecido direito básico de todo casal e de todo indivíduo de decidir livre e responsavelmente sobre o número, o espaçamento e a oportunidade de seus filhos e de ter a informação e os meios de assim o fazer, e o direito de gozar do mais alto padrão de saúde sexual e de reprodução. Inclui também seu direito de tomar decisões sobre a reprodução, livre de discriminação, coerção ou violência, conforme expresso em documentos sobre direitos humanos".

29. O tratamento penal dado ao tema, no Brasil, pelo Código Penal de 1940, afeta a capacidade de autodeterminação reprodutiva da mulher, ao retirar dela a possibilidade de decidir, sem coerção, sobre a maternidade, sendo obrigada pelo Estado a manter uma gestação indesejada. E mais: prejudica sua saúde reprodutiva, aumentando os índices de mortalidade materna e outras complicações relacionadas à falta de acesso à assistência de saúde adequada.

1.4. Violação à igualdade de gênero

29. A norma repressiva traduz-se, ainda, em quebra da *igualdade de gênero*. A igualdade veda a hierarquização dos indivíduos e as desequiparações infundadas, impõe a neutralização das injustiças históricas,

econômicas e sociais, bem como o respeito à diferença. A histórica posição de subordinação das mulheres em relação aos homens institucionalizou a desigualdade socioeconômica entre os gêneros e promoveu visões excludentes, discriminatórias e estereotipadas da identidade feminina e do seu papel social. Há, por exemplo, uma visão idealizada em torno da experiência da maternidade, que, na prática, pode constituir um fardo para algumas mulheres[14]. Na medida em que é a mulher que suporta o ônus integral da gravidez, e que o homem não engravida, somente haverá igualdade plena se a ela for reconhecido o direito de decidir acerca da sua manutenção ou não. A propósito, como bem observou o Ministro Carlos Ayres Britto, valendo-se de frase histórica do movimento feminista, "*se os homens engravidassem, não tenho dúvida em dizer que seguramente o aborto seria descriminalizado de ponta a ponta*"[15].

1.5. Discriminação social e impacto desproporcional sobre mulheres pobres

30. Por fim, a tipificação penal produz também *discriminação social*, já que prejudica, de forma desproporcional, as mulheres pobres, que não têm acesso a médicos e clínicas particulares, nem podem se valer do sistema público de saúde para realizar o procedimento abortivo. Por meio da criminalização, o Estado retira da mulher a possibilidade de submissão a um procedimento médico seguro. Não raro, mulheres pobres precisam recorrer a clínicas clandestinas sem qualquer infraestrutura médica ou a procedimentos precários e primitivos, que lhes oferecem elevados riscos de lesões, mutilações e óbito.

31. Em suma: na linha do que se sustentou no presente capítulo, a criminalização da interrupção da gestação no primeiro trimestre vulnera o núcleo essencial de um conjunto de direitos fundamentais da mulher. Trata-se, portanto, de restrição que ultrapassa os limites constitucionalmente aceitáveis. No próximo capítulo, procede-se, de todo modo, a um teste de proporcionalidade, para demonstrar que, também por esta linha argumentativa, a criminalização não é compatível com a Constituição.

2. Violação ao princípio da proporcionalidade

32. O legislador, com fundamento e nos limites da Constituição, tem liberdade de conformação para definir crimes e penas. Ao fazê-lo,

---

[14] Cristina Telles, Por um constitucionalismo feminista: reflexões sobre o direito à igualdade de gênero, 2016, dissertação defendida no Mestrado em Direito Público da UERJ.

[15] ADPF 54-MC, j. 20.10.2004.

deverá ter em conta dois vetores essenciais: o respeito aos direitos fundamentais dos acusados, tanto no plano material como no processual; e os deveres de proteção para com a sociedade, cabendo-lhe resguardar valores, bens e direitos fundamentais dos seus integrantes. Nesse ambiente, o princípio da razoabilidade-proporcionalidade, além de critério de aferição da validade das restrições a direitos fundamentais, funciona também na dupla dimensão de proibição do excesso e da insuficiência.

33. Cabe acrescentar, ainda, que o Código Penal brasileiro data de 1940. E, a despeito de inúmeras atualizações ao longo dos anos, em relação aos crimes aqui versados – arts. 124 a 128 – ele conserva a mesma redação. Prova da defasagem da legislação em relação aos valores contemporâneos foi a decisão do Supremo Tribunal Federal na ADPF nº 54, descriminalizando a interrupção da gestação na hipótese de fetos anencefálicos. Também a questão do aborto até o terceiro mês de gravidez precisa ser revista à luz dos novos valores constitucionais trazidos pela Constituição de 1988, das transformações dos costumes e de uma perspectiva mais cosmopolita.

34. Feita esta breve introdução, e na linha do que foi exposto acerca dos três subprincípios que dão conteúdo à proporcionalidade, a tipificação penal nesse caso somente estará então justificada se: (i) for adequada à tutela do direito à vida do feto (*adequação*); (ii) não houver outro meio que proteja igualmente esse bem jurídico e que seja menos restritivo dos direitos das mulheres (*necessidade*); e (iii) a tipificação se justificar a partir da análise de seus custos e benefícios (*proporcionalidade em sentido estrito*).

2.1. Subprincípio da adequação

35. Em relação à adequação, é preciso analisar se e em que medida a criminalização protege a vida do feto[16]. É, porém, notório que as taxas de aborto nos países onde esse procedimento é permitido são muito semelhantes àquelas encontradas nos países em que ele é ilegal[17]. Recente estudo do *Guttmacher Institute* e da *Organização Mundial da Saúde* (OMS) demonstra que a criminalização não produz impacto relevante sobre

[16] Verónica Undurraga, "Proportionality in the Constitutional Review of Abortion Law". In: Rebecca Cook, Joanna Erdman, Bernard Dickens (org.), Abortion law in transnational perspective: cases and controversies, 2014.

[17] Sobre o tema, v. Luís Roberto Barroso, "Aqui, lá e em todo lugar": a dignidade humana no direito contemporâneo e no discurso transnacional, *Revista dos Tribunais 919:*127-196, 2012, p. 183 e s.

o número de abortos[18]. Ao contrário, enquanto a taxa anual de abortos em países onde o procedimento pode ser realizado legalmente é de 34 a cada 1 mil mulheres em idade reprodutiva, nos países em que o aborto é criminalizado, a taxa sobe para 37 a cada 1 mil mulheres[19]. E estima-se que 56 milhões de abortos voluntários tenham ocorrido por ano no mundo apenas entre 2010 e 2014[20].

36. Na verdade, o que a criminalização de fato afeta é a quantidade de abortos seguros e, consequentemente, o número de mulheres que têm complicações de saúde ou que morrem devido à realização do procedimento[21]. Trata-se de um grave problema de saúde pública, oficialmente reconhecido[22]. Sem contar que há dificuldade em conferir efetividade à proibição, na medida em que se difundiu o uso de medicamentos para a interrupção da gestação, consumidos privadamente, sem que o Poder Público tenha meios para tomar conhecimento e impedir a sua realização[23].

37. Na prática, portanto, a criminalização do aborto é ineficaz para proteger o direito à vida do feto. Do ponto de vista penal, ela constitui apenas uma reprovação "simbólica" da conduta[24]. Mas, do ponto de vista médico, como assinalado, há um efeito perverso sobre as mulheres pobres, privadas de assistência. Deixe-se bem claro: a reprovação moral do aborto por grupos religiosos ou por quem quer que seja é perfeitamente legítima. Todos têm o direito de se expressar e de defender dogmas, valores e convicções. O que refoge à razão pública é a possibilidade de um dos lados, em um tema eticamente controvertido, criminalizar a posição do outro.

---

[18] Gilda Sedgh et al., Abortion incidence between 1990 and 2014: global, regional, and subregional levels and trends, The Lancet, vol. 388, iss. 10041, 2016.

[19] Disponível em: <https://www.guttmacher.org/infographic/2016/restrictive-laws-do-not-stop-women-having-abortions>

[20] Disponível em: <https://www.guttmacher.org/fact-sheet/induced-abortion-worldwide>

[21] V. Susan A. Cohen, New Data on Abortion Incidence, Safety Illuminate Key Aspects of Worldwide Abortion Debate, *Guttmacher Policy Review*, n. 10, disponível em: <http://www.guttmacher.org/pubs/gpr/10/4/gpr100402.html>.

[22] De acordo com relatório do governo brasileiro, "*4% das mortes de gestantes estão relacionadas a abortos realizados em condições inseguras, situação que configura um problema de saúde pública de significativo impacto no país*". V. Informe do Brasil no contexto do 20º aniversário da aprovação da Declaração e Plataforma de Ação de Pequim, apresentado por ocasião da 59a Sessão da Comissão sobre a Situação das Mulheres, realizada na sede da ONU em Nova York, de 9 a 20/03/2015 (http://www.onumulheres.org.br/pequim20/csw59/),acesso em 29 nov. 2016.

[23] Verónica Undurraga, "Proportionality in the Constitutional Review of Abortion Law". In: Rebecca Cook, Joanna Erdman, Bernard Dickens (org.), Abortion law in transnational perspective: cases and controversies, 2014.

[24] V. Verónica Undurraga, Op. cit. p. 86.

38. Em temas moralmente divisivos, o papel adequado do Estado não é tomar partido e impor uma visão, mas permitir que as mulheres façam sua escolha de forma autônoma. O Estado precisa estar do lado de quem deseja ter o filho. O Estado precisa estar do lado de quem não deseja – geralmente porque não pode – ter o filho. Em suma: por ter o dever de estar dos dois lados, o Estado não pode escolher um.

39. Portanto, a criminalização do aborto não é capaz de evitar a interrupção da gestação e, logo, é medida de duvidosa adequação para a tutela da vida do feto. É preciso reconhecer, como fez o Tribunal Federal Alemão, que, considerando *"o sigilo relativo ao nascituro, sua impotência e sua dependência e ligação* única *com a mãe, as chances do Estado de protegê-lo serão maiores se trabalhar em conjunto com a mãe"*[25], e não tratando a mulher que deseja abortar como uma criminosa.

2.2. Subprincípio da necessidade

40. Em relação à necessidade, é preciso verificar se há meio alternativo à criminalização que proteja igualmente o direito à vida do nascituro, mas que produza menor restrição aos direitos das mulheres. Como visto, a criminalização do aborto viola a autonomia, a integridade física e psíquica e os direitos sexuais e reprodutivos da mulher, a igualdade de gênero, e produz impacto discriminatório sobre as mulheres pobres.

41. Nesse ponto, ainda que se pudesse atribuir uma mínima eficácia ao uso do direito penal como forma de evitar a interrupção da gestação, deve-se reconhecer que há outros instrumentos que são eficazes à proteção dos direitos do feto e, simultaneamente, menos lesivas aos direitos da mulher. Uma política alternativa à criminalização implementada com sucesso em diversos países desenvolvidos do mundo é a descriminalização do aborto em seu estágio inicial (em regra, no primeiro trimestre), desde que se cumpram alguns requisitos procedimentais que permitam que a gestante tome uma decisão refletida. É assim, por exemplo, na Alemanha, em que a grávida que pretenda abortar deve se submeter a uma consulta de aconselhamento e a um período de reflexão prévia de três dias[26]. Procedimentos semelhantes também são previstos em Portugal[27], na França[28] e na Bélgica[29].

---

[25] Alemanha, Tribunal Federal Alemão, 88 BVerfGE 203, note 25, at para. 189.

[26] Alemanha, Tribunal Federal Alemão, 88 BVerfGE 203; Reforma ao Código Penal de 1995.

[27] Portugal, Lei no 16/2007

[28] França, Código de Saúde Pública, Lei nº 2001-588/2001 e Código Penal.

[29] Bélgica, Código Penal de 1867 (reforma de 1990).

42. Além disso, o Estado deve atuar sobre os fatores econômicos e sociais que dão causa à gravidez indesejada ou que pressionam as mulheres a abortar[30]. As duas razões mais comumente invocadas para o aborto são a impossibilidade de custear a criação dos filhos e a drástica mudança na vida da mãe (que a faria, *e.g.*, perder oportunidades de carreira)[31]. Nessas situações, é importante a existência de uma rede de apoio à grávida e à sua família, como o acesso à creche e o direito à assistência social. Ademais, parcela das gestações não programadas está relacionada à falta de informação e de acesso a métodos contraceptivos. Isso pode ser revertido, por exemplo, com programas de planejamento familiar, com a distribuição gratuita de anticoncepcionais e assistência especializada à gestante e educação sexual. Logo, a tutela penal também dificilmente seria aprovada no teste da necessidade.

2.3. Subprincípio da proporcionalidade em sentido estrito

43. Por fim, em relação à proporcionalidade em sentido estrito, é preciso verificar se as restrições aos direitos fundamentais das mulheres decorrentes da criminalização são ou não compensadas pela proteção à vida do feto.

44. De um lado, já se demonstrou amplamente que a tipificação penal do aborto produz um grau elevado de restrição a direitos fundamentais das mulheres. Em verdade, a criminalização confere uma proteção deficiente aos direitos sexuais e reprodutivos, à autonomia, à integridade psíquica e física, e à saúde da mulher, com reflexos sobre a igualdade de gênero e impacto desproporcional sobre as mulheres mais pobres. Além disso, criminalizar a mulher que deseja abortar gera custos sociais e para o sistema de saúde, que decorrem da necessidade de a mulher se submeter a procedimentos inseguros, com aumento da morbidade e da letalidade.

45. De outro lado, também se verificou que a criminalização do aborto promove um grau reduzido (se algum) de proteção dos direitos do feto, uma vez que não tem sido capaz de reduzir o índice de abortos. É preciso reconhecer, porém, que o peso concreto do direito à vida do nascituro varia de acordo com o estágio de seu desenvolvimento na gestação. O grau de proteção constitucional ao feto é, assim, ampliado

---

[30] Kristen Day, "Supporting pregnant women and their families to reduce the abortion rate". In: Robin West, Justin Murray, Meredith Esser (org.), In search of common ground on abortion: From culture war to reproductive justice, 2014; Dorothy Roberts, "Toward Common Ground on Policies Advancing Reproductive Justice". Id.

[31] Kristen Day, Op. cit. p. 144.

na medida em que a gestação avança e que o feto adquire viabilidade extrauterina, adquirindo progressivamente maior peso concreto. Sopesando-se os custos e benefícios da criminalização, torna-se evidente a ilegitimidade constitucional da tipificação penal da interrupção voluntária da gestação, por violar os direitos fundamentais das mulheres e gerar custos sociais (*e.g.*, problema de saúde pública e mortes) muito superiores aos benefícios da criminalização.

46. Tal como a Suprema Corte dos EUA declarou no caso *Roe v. Wade*, o interesse do Estado na proteção da vida pré-natal não supera o direito fundamental da mulher realizar um aborto[32]. No mesmo sentido, a decisão da Corte Suprema de Justiça do Canadá, que declarou a inconstitucionalidade de artigo do Código Penal que criminalizava o aborto no país, por violação à proporcionalidade[33]. De acordo com a Corte canadense, ao impedir que a mulher tome a decisão de interromper a gravidez em todas as suas etapas, o Legislativo teria falhado em estabelecer um *standard* capaz de equilibrar, de forma justa, os interesses do feto e os direitos da mulher. Anote-se, por derradeiro, que praticamente nenhum país democrático e desenvolvido do mundo trata a interrupção da gestação durante a fase inicial da gestação como crime, aí incluídos Estados Unidos, Alemanha, Reino Unido, Canadá, França, Itália, Espanha, Portugal, Holanda e Austrália.

47. Nada obstante isso, para que não se confira uma proteção insuficiente nem aos direitos das mulheres, nem à vida do nascituro, é possível reconhecer a constitucionalidade da tipificação penal da cessação da gravidez que ocorre quando o feto já esteja mais desenvolvido. De acordo com o regime adotado em diversos países (como Alemanha, Bélgica, França, Uruguai e Cidade do México), a interrupção voluntária da gestação não deve ser criminalizada, pelo menos, durante o primeiro trimestre da gestação. Durante esse período, o córtex cerebral – que permite que o feto desenvolva sentimentos e racionalidade – ainda não foi formado, nem há qualquer potencialidade de vida fora do útero materno[34]. Por tudo isso, é preciso conferir interpretação conforme a Constituição ao arts. 124 e 126 do Código Penal, para excluir do seu âmbito de incidência a interrupção voluntária da gestação efetivada no primeiro trimestre.

---

[32] EUA, Suprema Corte dos EUA, *Roe. V. Wade,* 10 U.S. 113 (1973) (assegurando o direito de a mulher realizar um aborto nos dois primeiros trimestres da gravidez).

[33] Canadá, Suprema Corte de Justiça canadesnse, R. v. Morgentaler, [1988] 1 SCR 30.

[34] Daniel Sarmento, Legalização do aborto e Constituição. In: Revista de Direito Administrativo, v. 240, 2005.

48. No caso em exame, como o Código Penal é de 1940 – data bem anterior à Constituição, que é de 1988 – e a jurisprudência do STF não admite a declaração de inconstitucionalidade de lei anterior à Constituição, a hipótese é de não recepção (i.e., de revogação parcial ou, mais tecnicamente, de derrogação) dos dispositivos apontados do Código Penal. Como consequência, em razão da não incidência do tipo penal imputado aos pacientes e corréus à interrupção voluntária da gestação realizada nos três primeiros meses, há dúvida fundada sobre a própria existência do crime, o que afasta a presença de pressuposto indispensável à decretação da prisão preventiva, nos termos da parte final do *caput* do art. 312 do CPP.

III. Conclusão

49. Ante o exposto, concedo de ofício a ordem de *habeas corpus* para afastar a prisão preventiva dos pacientes, estendendo-a aos corréus.

EXECUÇÃO PENAL APÓS A CONDENAÇÃO EM SEGUNDO GRAU: A LUTA CONTRA A CULTURA DA IMPUNIDADE

HABEAS CORPUS 126.292 SÃO PAULO

RELATOR	:	MIN. TEORI ZAVASCKI
PACTE.(S)	:	MARCIO RODRIGUES DANTAS
IMPTE.(S)	:	MARIA CLAUDIA DE SEIXAS
COATOR(A/S)(ES)	:	RELATOR DO HC Nº 313.021 DO SUPERIOR TRIBUNAL DE JUSTIÇA

Ementa: DIREITO CONSTITUCIONAL E PENAL. PRINCÍPIO DA PRESUNÇÃO DE INOCÊNCIA OU DA NÃO CULPABILIDADE. POSSIBILIDADE DE EXECUÇÃO DA PENA APÓS JULGAMENTO DE SEGUNDO GRAU.

1. A execução da pena após a decisão condenatória em segundo grau de jurisdição não ofende o princípio da presunção de inocência ou da não culpabilidade (CF/1988, art. 5º, LVII).

2. A prisão, neste caso, justifica-se pela conjugação de três fundamentos jurídicos:

(i) a Constituição brasileira não condiciona a prisão – mas sim a culpabilidade – ao trânsito em julgado da sentença penal condenatória. O pressuposto para a privação de liberdade é a ordem escrita e fundamentada da autoridade judiciária competente, e não sua irrecorribilidade. Leitura sistemática dos incisos LVII e LXI do art. 5º da Carta de 1988;

(ii) a presunção de inocência é princípio (e não regra) e, como tal, pode ser aplicada com maior ou menor intensidade, quando ponderada com outros princípios ou bens jurídicos constitucionais colidentes. No caso específico da condenação em segundo grau de jurisdição, na medida em que já houve demonstração segura da responsabilidade penal do réu e finalizou-se a apreciação de fatos e provas, o princípio da presunção de inocência adquire menor peso ao ser ponderado com o interesse constitucional na efetividade da lei penal (CF/1988, arts. 5º, *caput* e LXXVIII e 144);

(iii) com o acórdão penal condenatório proferido em grau de apelação esgotam-se as instâncias ordinárias e a execução da pena passa a constituir, em regra, exigência de ordem pública, necessária para assegurar a credibilidade do Poder Judiciário e do sistema penal. A mesma lógica se aplica ao julgamento por órgão colegiado, nos casos de foro por prerrogativa.

3. Há, ainda, três fundamentos pragmáticos que reforçam a opção pela linha interpretativa aqui adotada. De fato, a possibilidade de execução da pena após a condenação em segundo grau:

(i) permite tornar o sistema de justiça criminal mais funcional e equilibrado, na medida em que coíbe a infindável interposição de recursos protelatórios e favorece a valorização da jurisdição criminal ordinária;

(ii) diminui o grau de seletividade do sistema punitivo brasileiro, tornando-o mais republicano e igualitário, bem como reduz os incentivos à criminalidade de colarinho branco, decorrente do mínimo risco de cumprimento efetivo da pena; e

(iii) promove a quebra do paradigma da impunidade do sistema criminal, ao evitar que a necessidade de aguardar o trânsito em julgado do recurso extraordinário e do recurso especial impeça a aplicação da pena (pela prescrição) ou cause enorme distanciamento temporal entre a prática do delito e a punição, sendo certo que tais recursos têm ínfimo índice de acolhimento.

4. Denegação da ordem. Fixação da seguinte tese: *"A execução de decisão penal condenatória proferida em segundo grau de jurisdição, ainda que sujeita a recurso especial ou extraordinário, não viola o princípio constitucional da presunção de inocência ou não-culpabilidade"*

VOTO[1]

O SENHOR MINISTRO LUÍS ROBERTO BARROSO:

---

1 Julgado em 17 de fevereiro de 2016. O mesmo entendimento foi reiterado no julgamento de medida cautelar nas ADCs 43 e 44, julgadas em 5 de outubro de 2016. Posteriormente,

1. O voto que se segue está estruturado em três partes. A Parte I cuida do *delineamento da controvérsia*. A Parte II é dedicada à apresentação dos *fundamentos jurídicos para a possibilidade de execução da condenação penal após a decisão de segundo grau*. Por fim, a Parte III expõe os *fundamentos pragmáticos para o novo entendimento*, preconizado no voto.

Parte I
Delineamento da controvérsia

I. A hipótese

2. Trata-se de *habeas corpus* impetrado em favor de indivíduo condenado pelo crime de *roubo majorado pelo emprego de arma de fogo e concurso de pessoas* (Código Penal, art. 157, §2º, I e II). De acordo com a acusação, o paciente, em 28.06.2003, juntamente com um cúmplice, teria subtraído da vítima, sob a mira de um revólver, a quantia de R$ 2.600,00. Em primeiro grau, o réu foi condenado a uma pena de 5 anos e 4 meses de reclusão. A decisão foi mantida pelo Tribunal de Justiça do Estado de São Paulo, em recurso de apelação, tendo sido determinada a expedição de mandado de prisão.

3. Em *habeas corpus* sucessivos, o paciente questionou, primeiro perante o Superior Tribunal de Justiça e, agora, perante o Supremo Tribunal Federal, a legitimidade de tal determinação. Em síntese, a discussão aqui travada consiste em saber se a Constituição admite ou não a prisão do condenado após a decisão em segundo grau – vale dizer, após a condenação por Tribunal de Justiça ou por Tribunal Regional Federal –, independentemente do trânsito em julgado da decisão, isto é, enquanto ainda cabíveis recursos especial e extraordinário.

II. A oscilação da jurisprudência do STF na matéria

4. A Constituição Federal proclama, em seu art. 5º, LVII, que *"ninguém será considerado culpado até o trânsito em julgado de sentença penal condenatória"*. O dispositivo consagra o princípio da presunção de inocência, ou – no termo mais técnico – o princípio da presunção de não culpabilidade[2]. Desde a promulgação da Carta de 1988 até 2009, vigeu nesta Corte o entendimento de que essa norma não impedia a execução da pena após a confirmação da sentença condenatória em segundo

---

em repercussão geral submetida ao Plenário Virtual, deu-se efeito geral a esta linha jurisprudencial, no julgamento do ARE 964.346, realizado em 11 de novembro de 2016.

[2] Sobre o tema, v. Anthair Edgard de Azevedo Valente e Gonçalvez, *Inciso LVII do art. 5º da CF*: uma presunção à brasileira, mimeografado, 2009.

grau de jurisdição, ainda que pendentes de julgamento os recursos extraordinário (RE) e especial (REsp)[3]. Em linhas gerais, isso se dava pelo fato de que tais recursos não desfrutam de efeito suspensivo nem se prestam a rever condenações (a realizar a justiça do caso concreto), mas tão somente a reconhecer eventual inconstitucionalidade ou ilegalidade dos julgados de instâncias inferiores, sem qualquer reexame de fatos e provas.

5. Em julgamento realizado em 5.02.2009, porém, este entendimento foi alterado em favor de uma leitura mais literal do art. 5º, LVII. De fato, ao apreciar o HC 84.078, sob a relatoria do Ministro Eros Grau, o Supremo Tribunal Federal, por 7 votos a 4, passou a interpretar tal dispositivo como uma regra de caráter absoluto, que impedia a execução provisória da pena com o objetivo proclamado de efetivar as garantias processuais dos réus. Conforme a ementa do julgado, a ampla defesa "*engloba todas as fases processuais, inclusive as recursais de natureza extraordinária*", de modo que "*a execução da sentença após o julgamento do recurso de apelação significa, também, restrição do direito de defesa*"[4]. Esta é a orientação que tem vigorado até a presente data e cuja revisão aqui se defende.

III. A ocorrência de mutação constitucional

6. É pertinente aqui uma brevíssima digressão doutrinária acerca do tema da *mutação constitucional*. Trata-se de mecanismo informal que permite a transformação do sentido e do alcance de normas da Constituição, sem que se opere qualquer modificação do seu texto. A mutação está associada à plasticidade de que devem ser dotadas as normas constitucionais. Este novo sentido ou alcance do mandamento constitucional pode decorrer de uma mudança na realidade fática ou de uma nova percepção do Direito, uma releitura do que deve ser

---

[3] Veja-se, nesse sentido, os seguintes julgados: (i) no Plenário: HC 68.726, Rel. Min. Néri da Silveira, HC 72.061, Rel. Min. Carlos Velloso; (ii) na Primeira Turma: HC 71.723, Rel. Min. Ilmar Galvão; HC 91.675, Rel. Min. Carmen Lúcia; HC 70.662, Rel. Min. Celso de Mello; e (iii) na Segunda Turma: HC 79.814, Rel. Min. Nelson Jobim; HC 80.174, Rel. Min. Maurício Corrêa; RHC 84.846, Rel. Min. Carlos Veloso e RHC 85.024, Rel. Min. Ellen Gracie. Confiram-se, ainda, as Súmulas 716 e 717: Súmula 716 "Admite-se a progressão de regime de cumprimento da pena ou a aplicação imediata de regime menos severo nela determinada, antes do trânsito em julgado da sentença condenatória". Súmula 717: "Não impede a progressão de regime de execução da pena, fixada em sentença não transitada em julgado, o fato de o réu se encontrar em prisão especial".

[4] Votaram com a maioria os Ministros Eros Grau, Celso de Mello, Marco Aurélio, Cezar Peluso, Ayres Britto, Ricardo Lewandowski e Gilmar Mendes. Votaram vencidos, pela manutenção da orientação anterior, Menezes Direito, Joaquim Barbosa, Cármen Lúcia e Ellen Gracie.

considerado ético ou justo. A tensão entre normatividade e facticidade, assim como a incorporação de valores à hermenêutica jurídica, produziu modificações profundas no modo como o Direito contemporâneo é pensado e praticado.

7. O Direito não existe abstratamente, fora da realidade sobre a qual incide. As teorias concretistas da interpretação constitucional enfrentaram e equacionaram este condicionamento recíproco que existe entre norma e realidade[5]. Na linha do que escrevi em trabalho doutrinário[6]:

> "A mutação constitucional por via de interpretação, por sua vez, consiste na mudança de sentido da norma, em contraste com entendimento pré-existente. Como só existe norma interpretada, a mutação constitucional ocorrerá quando se estiver diante da alteração de uma interpretação previamente dada. No caso da interpretação judicial, haverá mutação constitucional quando, por exemplo, o Supremo Tribunal Federal vier a atribuir a determinada norma constitucional sentido diverso do que fixara anteriormente.
> (...) A mutação constitucional em razão de uma nova percepção do Direito ocorrerá quando se alterarem os valores de uma determinada sociedade. A ideia do bem, do justo, do ético varia com o tempo. Um exemplo: a discriminação em razão da idade, que antes era tolerada, deixou de ser.
> (...) A mutação constitucional se dará, também, em razão do impacto de alterações da realidade sobre o sentido, o alcance ou a validade de uma norma. O que antes era legítimo pode deixar de ser. E vice-versa. Um exemplo: a ação afirmativa em favor de determinado grupo social poderá justificar-se em um determinado momento histórico e perder o seu fundamento de validade em outro".

8. Aplicando-se, então, a teoria à realidade. Na matéria aqui versada, houve uma primeira mutação constitucional em 2009, quando o STF alterou seu entendimento original sobre o momento a partir do

---

[5] Sobre o tema, v. o trabalho seminal de Konrad Hesse, A força normativa da Constituição. In: *Escritos de derecho constitucional*, 1983. Um desenvolvimento específico dessa questão foi dado por Friedrich Muller, para quem a norma jurídica deve ser percebida como o produto da fusão entre o programa normativo e o âmbito normativo. O *programa normativo* corresponde ao sentido extraído do texto do dispositivo constitucional pela utilização dos critérios tradicionais de interpretação, que incluem o gramatical, o sistemático, o histórico e o teleológico. O *âmbito normativo*, por sua vez, identifica-se com a porção da realidade social sobre a qual incide o programa normativo, que tanto condiciona a capacidade de a norma produzir efeitos como é o alvo de sua pretensão de efetividade. V. Friedrich Müller, *Métodos de trabalho do direito constitucional*, 2005. Sobre a relevância dos fatos para a interpretação constitucional, v. Jean-Jacques Pardini, *Le juge constitutionnel e le 'fait' en Italie et en France*, 2001.

[6] Luís Roberto Barroso, *Curso de direito constitucional contemporâneo*, 2015.

qual era legítimo o início da execução da pena. Já agora encaminha-se para nova mudança, sob o impacto traumático da própria realidade que se criou após a primeira mudança de orientação.

9. Com efeito, a impossibilidade de execução da pena após o julgamento final pelas instâncias ordinárias produziu três consequências muito negativas para o sistema de justiça criminal. Em *primeiro lugar*, funcionou como um poderoso incentivo à infindável interposição de recursos protelatórios. Tais impugnações movimentam a máquina do Poder Judiciário, com considerável gasto de tempo e de recursos escassos, sem real proveito para a efetivação da justiça ou para o respeito às garantias processuais penais dos réus. No mundo real, o percentual de recursos extraordinários providos em favor do réu é irrisório, inferior a 1,5%[7]. Mais relevante ainda: de 1.01.2009 a 19.04.2016, em 25.707 decisões de mérito proferidas em recursos criminais pelo STF (REs e agravos), as decisões absolutórias não chegam a representar 0,1% do total de decisões[8].

10. Em *segundo lugar*, reforçou a seletividade do sistema penal. A ampla (e quase irrestrita) possibilidade de recorrer em liberdade aproveita sobretudo aos réus abastados, com condições de contratar os melhores advogados para defendê-los em sucessivos recursos[9]. Em

---

[7] Segundo dados oficiais da assessoria de gestão estratégica do STF, referentes ao período de 01.01.2009 até 19.04.2016, o percentual médio de recursos criminais providos (tanto em favor do réu, quanto do MP) é de 2,93%. Já a estimativa dos recursos providos apenas em favor do réu aponta um percentual menor, de 1,12%. Como explicitado no texto, os casos de absolvição são raríssimos. No geral, as decisões favoráveis ao réu consistiram em: provimento dos recursos para remover o óbice à progressão de regime, remover o óbice à substituição da pena privativa de liberdade por restritiva de direitos, remover o óbice à concessão de regime menos severo que o fechado no caso de tráfico, reconhecimento de prescrição e refazimento de dosimetria.

[8] Em verdade, foram identificadas apenas nove decisões absolutórias, representando 0,035% do total de decisões (ARE 857130, ARE 857.130, ARE 675.223, RE 602.561, RE 583.523, RE 755.565, RE 924.885, RE 878.671, RE 607.173, AI 580.458). Deve-se considerar a possibilidade de alguma margem de erro, por se tratar de pesquisa artesanal. Ainda assim, não há risco de impacto relevante quer sobre os números absolutos quer sobre o percentual de absolvições.

[9] Transcrevo aqui observação feita durante o meu voto oral no julgamento: "E aqui eu gostaria de dizer uma coisa que considero muito importante. Eu fui advogado mais de 30 anos. Eu não era advogado criminal, mas sempre tive admiração pela advocacia criminal. E me lembro como se fosse hoje de um comentário feito por um dos maiores advogados criminalistas do país, que era meu amigo e colega na UERJ, o Professor Evaristo de Morais. Ele me disse: 'As pessoas têm imenso preconceito contra os advogados criminais. Elas acham que nunca vão precisar da gente. Mas, no dia em que precisam – porque todo mundo está sujeito a um infortúnio e a um dia precisar – elas nos procuram humildes e devastadas. Aí seria a hora de lembrar a elas o preconceito que tinham contra nós'. Portanto, eu acho que a advocacia criminal merece apreço, merece respeito e desempenha um papel fundamental para a realização da justiça. Mas os advogados criminais não podem ser condenados a, por dever de ofício, interporem um recurso descabido atrás de outro recurso descabido para, ao

regra, os réus mais pobres não têm dinheiro (nem a Defensoria Pública tem estrutura) para bancar a procrastinação. Não por acaso, na prática, torna-se mais fácil prender um jovem de periferia que porta 100g de maconha do que um agente político ou empresário que comete uma fraude milionária.

11. Em *terceiro lugar*, o novo entendimento contribuiu significativamente para agravar o descrédito do sistema de justiça penal junto à sociedade. A necessidade de aguardar o trânsito em julgado do REsp e do RE para iniciar a execução da pena tem conduzido massivamente à prescrição da pretensão punitiva[10] ou ao enorme distanciamento temporal entre a prática do delito e a punição definitiva. Em ambos os casos, produz-se deletéria sensação de impunidade, o que compromete, ainda, os objetivos da pena, de prevenção especial e geral. Um sistema de justiça desmoralizado não serve ao Judiciário, à sociedade, aos réus e tampouco aos advogados.

12. A partir desses três fatores, tornou-se evidente que não se justifica no cenário atual a leitura mais conservadora e extremada do princípio da presunção de inocência, que impede a execução (ainda que provisória) da pena quando já existe pronunciamento jurisdicional de segundo grau (ou de órgão colegiado, no caso de foro por prerrogativa de função) no sentido da culpabilidade do agente. É necessário conferir ao art. 5º, LVII interpretação mais condizente com as exigências da ordem constitucional no sentido de garantir a efetividade da lei penal, em prol dos bens jurídicos que ela visa resguardar, tais como a vida, a integridade psicofísica, a propriedade – todos com *status* constitucional.

13. Trata-se, assim, de típico caso de **mutação constitucional**, em que a alteração na compreensão da realidade social altera o próprio significado do Direito. Ainda que o STF tenha se manifestado em sentido diverso no passado, e mesmo que não tenha havido alteração formal do texto da Constituição de 1988, o sentido que lhe deve ser atribuído inequivocamente se alterou. Fundado nessa premissa, entendo que a Constituição Federal e o sistema penal brasileiro admitem a execução da pena após a condenação em segundo grau de jurisdição, ainda sem

final, colherem uma prescrição e a eventual não punição do seu cliente. Esse é um destino inglório para qualquer profissional. No entanto, é um papel que se cumpre porque o sistema permite, e o advogado se empenha em manter seu cliente fora da prisão. Portanto, não é uma crítica ao advogado. É uma crítica ao sistema".

[10] De acordo com o CNJ, somente nos anos de 2010 e 2011, a Justiça brasileira deixou prescrever 2.918 ações envolvendo crimes de corrupção e lavagem de dinheiro http://www.cnj.jus.br/noticias/cnj/60017-justica-condena-205-por-corrupcao-lavagem-e-improbidade-em-2012

o trânsito em julgado. Há múltiplos fundamentos que legitimam esta compreensão. É o que se passa a demonstrar.

Parte II

Fundamentos jurídicos para a possibilidade de execução da condenação penal após a decisão de segundo grau

I. O pressuposto para a decretação da prisão no direito brasileiro não é o trânsito em julgado da decisão condenatória, mas ordem escrita e fundamentada da autoridade judicial competente

14. Ao contrário do que uma leitura apressada da literalidade do art. 5º, LVII da Constituição poderia sugerir, o princípio da presunção de inocência não interdita a prisão que ocorra anteriormente ao trânsito em julgado da sentença penal condenatória. O pressuposto para a decretação da prisão no direito brasileiro não *é* o esgotamento de qualquer possibilidade de recurso em face da decisão condenatória, mas a **ordem escrita e fundamentada da autoridade judiciária competente**, conforme se extrai do art. 5ª, LXI, da Carta de 1988[11].

15. Para chegar a essa conclusão, basta uma análise conjunta dos dois preceitos *à* luz do princípio da unidade da Constituição. Veja-se que, enquanto o inciso LVII define que "*ninguém será considerado **culpado** até o trânsito em julgado da sentença penal condenatória*", logo abaixo, o inciso LXI prevê que "*ninguém será **preso** senão em flagrante delito ou por ordem escrita e fundamentada de autoridade judiciária competente*". Como se sabe, a Constituição é um conjunto orgânico e integrado de normas, que devem ser interpretadas *sistematicamente* na sua conexão com todas as demais, e não de forma isolada. Assim, considerando-se ambos os incisos, é evidente que a Constituição diferencia o regime da culpabilidade e o da prisão. Tanto isso é verdade que a própria Constituição, em seu art. 5º, LXVI, ao assentar que "*ninguém será levado à prisão ou nela mantido, quando a lei admitir a liberdade provisória, com ou sem fiança*", admite a prisão antes do trânsito em julgado, a ser excepcionada pela concessão de um benefício processual (a liberdade provisória).

16. Para fins de privação de liberdade, portanto, exige-se determinação escrita e fundamentada expedida por autoridade judiciária. Este

---

[11] Apenas no caso de prisão em flagrante, a ordem escrita e fundamentada é dispensada. Porém, desde o advento da Lei nº 12.403/2011, o flagrante deixou de constituir título autônomo e válido para manter a segregação cautelar do indivíduo. Nessa hipótese, a lei passou a exigir que a autoridade judiciária competente examine, com a maior brevidade possível, a necessidade de manutenção ou não da prisão, exigindo-se então ordem escrita e fundamentada.

requisito, por sua vez, está intimamente relacionado ao monopólio da jurisdição, buscando afastar a possibilidade de prisão administrativa (salvo as disciplinares militares). Tal regra constitucional autoriza (i) as prisões processuais típicas, preventiva e temporária, bem como outras prisões, como (ii) a prisão para fins de extradição (decretada pelo STF), (iii) a prisão para fins de expulsão (decretada por juiz de primeiro grau, federal ou estadual com competência para execução penal) e (iv) a prisão para fins de deportação (decretada por juiz federal de primeiro grau).

17. Em todas as hipóteses enunciadas acima, como parece claro, o princípio da presunção de inocência e a inexistência de trânsito em julgado não obstam a prisão. Muito pelo contrário, no sistema processual penal brasileiro, a prisão pode ser justificada mesmo na fase pré-processual, contra meros investigados, ou na fase processual, ainda quando pesar contra o acusado somente indícios de autoria, sem qualquer declaração de culpa. E isso não esvazia a presunção de não culpabilidade: há diversos outros efeitos da condenação criminal que só podem ser produzidos com o trânsito em julgado, como os efeitos extrapenais (indenização do dano causado pelo crime, perda de cargo, função pública ou mandato eletivo, etc.) e os efeitos penais secundários (reincidência, aumento do prazo da prescrição na hipótese de prática de novo crime, etc.). Assim sendo, e por decorrência lógica, do mesmo inciso LXI do artigo 5º deve-se extrair a possibilidade de prisão resultante de acórdão condenatório prolatado pelo Tribunal competente.

II. A presunção de inocência é princípio, e como tal está sujeita a ponderação com outros bens jurídicos constitucionais

II.1. A presunção de inocência ou de não-culpabilidade é um princípio

18. Considerando-se que a Constituição Federal não interdita a prisão anteriormente ao trânsito em julgado da sentença condenatória, é necessário indagar quais os fundamentos constitucionais para impor a privação de liberdade após a confirmação da sentença penal condenatória em segundo grau de jurisdição.

19. Os direitos ou garantias não são absolutos[12], o que significa que não se admite o exercício ilimitado das prerrogativas que lhes são inerentes, principalmente quando veiculados sob a forma de princípios (e não regras), como é o caso da presunção de inocência. As *regras* são

[12] STF, MS 23452, Rel. Min. Celso de Mello: "OS DIREITOS E GARANTIAS INDIVIDUAIS NÃO TÊM CARÁTER ABSOLUTO. Não há, no sistema constitucional brasileiro, direitos ou garantias que se revistam de caráter absoluto."

normalmente relatos objetivos, descritivos de determinadas condutas. Ocorrendo a hipótese prevista no seu relato, a regra deve incidir pelo mecanismo da subsunção: enquadram-se os fatos na previsão abstrata e produz-se uma conclusão. Sua aplicação se opera, assim, na modalidade "tudo ou nada": ou a regra regula a matéria em sua inteireza ou é descumprida[13].

20. Já os *princípios* expressam valores a serem preservados ou fins públicos a serem realizados. Designam "estados ideais"[14]. Uma das particularidades dos princípios é justamente o fato de eles não se aplicarem com base no "tudo ou nada", constituindo antes "mandados de otimização", a serem realizados na medida das possibilidades fáticas e jurídicas[15]. Como resultado, princípios podem ser aplicados com maior ou menor intensidade, sem que isso afete sua validade. Nos casos de colisão de princípios, será, então, necessário empregar a técnica da ponderação[16], tendo como fio condutor o princípio instrumental da *proporcionalidade.*

21. Pois bem. Não há dúvida de que a presunção de inocência ou de não-culpabilidade é um princípio, e não uma regra. Tanto é assim que se admite a prisão cautelar (CPP, art. 312) e outras formas de prisão antes do trânsito em julgado. Enquanto princípio, tal presunção pode ser restringida por outras normas de estatura constitucional (desde que não se atinja o seu núcleo essencial), sendo necessário ponderá-la com os outros objetivos e interesses em jogo[17].

---

[13] O *insight* pioneiro neste tema encontra-se em Ronald Dworkin, *Taking rights seriously*, 1977, p. 24 (onde se reproduz texto anterior, publicado como artigo, sob o título "The model of rules", *University of Chicago Law Review* 35:14, 1967-1968).

[14] Humberto Ávila, *Teoria dos princípios*, 2003, p. 56; e Ana Paula de Barcellos, *Ponderação, racionalidade e atividade jurisdicional*, 2005, p. 173-174.

[15] Robert Alexy, *Teoria de los derechos fundamentales*, 1997, p. 86: "Princípios são normas que ordenam que algo seja realizado na maior medida possível, dentro das possibilidades jurídicas e reais existentes. Por isso, são mandados de otimização, caracterizados pelo fato de que podem ser cumpridos em diferentes graus e que a medida devida de seu cumprimento não só depende das possibilidades reais, mas também das jurídicas. O âmbito do juridicamente possível é determinado pelos princípios e regras opostas." (tradução livre).

[16] De forma simplificada, o processo ponderativo se dá a partir das três etapas. Na *primeira,* cabe ao intérprete detectar no sistema as normas relevantes para a solução do caso, identificando eventuais conflitos entre elas. Na *segunda* etapa, devem-se examinar os fatos, as circunstâncias concretas do caso e sua interação com os elementos normativos. Já na *terceira* etapa, os diferentes grupos de normas e a repercussão dos fatos serão analisados de forma conjunta, de modo a apurar os pesos a serem atribuídos aos diversos elementos em disputa e, ao final, o grupo de normas a preponderar no caso, sempre de modo a preservar o máximo de cada um dos valores em conflito.

[17] Jorge Miranda, *Manual de direito constitucional,* Tomo IV, 2000, p. 338: "a) Nenhuma restrição [a direitos] pode deixar de se fundar na Constituição; pode deixar de fundar-se em preceitos ou princípios constitucionais; pode deixar de se destinar à salvaguarda de direitos ou interesses constitucionalmente protegidos (...)".

22. Essa ponderação de bens jurídicos não é obstaculizada pelo art. 283 do Código de Processo Penal, que prevê que *"ninguém poderá ser preso senão em flagrante delito ou por ordem escrita e fundamentada da autoridade judiciária competente, em decorrência de sentença condenatória transitada em julgado ou, no curso da investigação ou do processo, em virtude de prisão temporária ou prisão preventiva"*. Note-se que este dispositivo admite a *prisão temporária* e a *prisão preventiva*, que podem ser decretadas por fundamentos puramente infraconstitucionais (*e.g.*, "quando imprescindível para as investigações do inquérito policial" - Lei nº 9.760/89 - ou "por conveniência da instrução criminal" - CPP, art. 312). Naturalmente, não serve o art. 283 do CPP para impedir a prisão *após a condenação em segundo grau* - quando já há certeza acerca da materialidade e autoria - por fundamento diretamente constitucional. Acentue-se, porque relevante: interpreta-se a legislação ordinária à luz da Constituição, e não o contrário.

II.2. A normas constitucionais em tensão na hipótese

23. Na discussão específica sobre a execução da pena depois de proferido o acórdão condenatório pelo Tribunal competente, há dois grupos de normas constitucionais colidentes. De um lado, está o princípio da presunção de inocência, extraído do art. 5º, LVII, da Constituição, que, em sua máxima incidência, postula que nenhum efeito da sentença penal condenatória pode ser sentido pelo acusado até a definitiva afirmação de sua responsabilidade criminal. No seu núcleo essencial está a ideia de que a imposição ao réu de medidas restritivas de direitos deve ser excepcional e, por isso, deve haver elementos probatórios a justificar a necessidade, adequação e proporcionalidade em sentido estrito da medida.

24. De outro lado, encontra-se o interesse constitucional na efetividade da lei penal, em prol dos objetivos (prevenção geral e específica) e bens jurídicos (vida, dignidade humana, integridade física e moral, etc.) tutelados pelo direito penal. Tais valores e interesses possuem amplo lastro na Constituição, encontrando previsão, entre outros, nos arts. 5º, *caput* (direitos à vida, à segurança e à propriedade), e inciso LXXVIII (princípio da razoável duração do processo), e 144 (segurança). Esse conjunto de normas postula que o sistema penal deve ser efetivo, sério e dotado de credibilidade. Afinal, a aplicação da pena desempenha uma função social muitíssimo relevante. Imediatamente, ela promove a prevenção especial, desestimulando a reiteração delitiva pelo indivíduo que tenha cometido o crime, e a prevenção geral, desestimulando a prática de atos criminosos por membros da sociedade. Mediatamente,

o que está em jogo é a proteção de interesses constitucionais de elevado valor axiológico, como a vida, a dignidade humana, a integridade física e moral das pessoas, a propriedade e o meio ambiente, entre outros.

II.3. A necessidade de ponderação e sua efetiva concretização

25. Há, desse modo, uma ponderação a ser realizada. Nela, não há dúvida de que o princípio da presunção de inocência ou da não culpabilidade adquire peso gradativamente menor na medida em que o processo avança, em que as provas são produzidas e as condenações ocorrem. Por exemplo, na fase pré-processual, quando há mera apuração da prática de delitos, o peso a ser atribuído à presunção de inocência do investigado deve ser máximo, enquanto o peso dos objetivos e bens jurídicos tutelados pelo direito penal ainda é pequeno. Ao contrário, com a decisão condenatória em segundo grau de jurisdição, há sensível redução do peso do princípio da presunção de inocência e equivalente aumento do peso atribuído à exigência de efetividade do sistema penal. É que, nessa hipótese, já há demonstração segura da responsabilidade penal do réu e necessariamente se tem por finalizada a apreciação de fatos e provas.

26. Como se sabe, nos tribunais superiores, como regra, não se discute autoria ou materialidade, ante a impossibilidade de revolvimento de fatos e provas. Os recursos extraordinário e especial não se prestam a rever as condenações, mas apenas a tutelar a higidez do ordenamento jurídico constitucional e infraconstitucional. Por isso, nos termos da Constituição, a interposição desses recursos pressupõe que a causa esteja decidida. É o que preveem os artigos 102, III, e 105, III, que atribuem competência ao STF e ao STJ para julgar, respectivamente, mediante recurso extraordinário e especial, "*as causas decididas em única ou última instância*". Ademais, tais recursos excepcionais não possuem efeito suspensivo (v. art. 637 do CPP e art. 1.029, §5º, CPC/2015, aplicável subsidiariamente ao processo penal, por força do art. 3º, do CPP).

27. Portanto, o sacrifício que se impõe ao princípio da não culpabilidade – prisão do acusado condenado em segundo grau antes do trânsito em julgado – é superado pelo que se ganha em proteção da efetividade e da credibilidade da Justiça, sobretudo diante da mínima probabilidade de reforma da condenação, como comprovam as estatísticas. Essa conclusão é reforçada pela aplicação do *princípio da proporcionalidade como proibição de proteção deficiente*[18].

[18] Sobre o tema, v. Daniel Sarmento e Cláudio Pereira de Souza Neto, *Direito Constitucional: teoria, história e métodos de trabalho*, 2014, p. 482 e s; Ingo Wolfgang Sarlet, A eficácia dos

28. O princípio da proporcionalidade, tal como é hoje compreendido, não possui apenas uma dimensão negativa, relativa à *vedação do excesso*, que atua como limite às restrições de direitos fundamentais que se mostrem inadequadas, desnecessárias ou desproporcionais em sentido estrito. Ele abrange, ainda, uma dimensão positiva, referente *à vedação à proteção estatal insuficiente* de direitos e princípios constitucionalmente tutelados. A ideia é a de que o Estado também viola a Constituição quando deixa de agir ou quando não atua de modo adequado e satisfatório para proteger bens jurídicos relevantes. Tal princípio tem sido aplicado pela jurisprudência desta Corte em diversas ocasiões para afastar a incidência de normas que impliquem a tutela deficiente de preceitos constitucionais[19].

29. Na presente hipótese, não há dúvida de que a interpretação que interdita a prisão anterior ao trânsito em julgado tem representado uma proteção insatisfatória de direitos fundamentais, como a vida, a dignidade humana e a integridade física e moral das pessoas. Afinal, um direito penal sério e eficaz constitui instrumento para a garantia desses bens jurídicos tão caros à ordem constitucional de 1988[20]. A exigência de uma intervenção eficaz não é, porém, incompatível com a defesa de uma intervenção mínima do direito penal. Um direito penal efetivo, capaz de cumprir os seus objetivos, não precisa de excesso de tipificações, nem de exacerbação de penas. Na clássica, mas ainda atual lição de Cesare Beccaria: *"A perspectiva de um castigo moderado, mas inevitável, causará sempre uma impressão mais forte do que o vago temor de um suplício terrível, em relação ao qual se apresenta alguma esperança de impunidade"*[21].

30. Assim sendo, a partir de uma ponderação entre os princípios constitucionais envolvidos e à luz do mandamento da proporcionalidade como proibição de proteção deficiente, é possível concluir que a execução provisória da pena aplicada a réu já condenado em segundo grau de jurisdição, que esteja aguardando apenas o julgamento de RE e de REsp, não viola a presunção de inocência. Em verdade, a execução

---

direitos fundamentais: uma teoria geral dos direitos fundamentais na perspectiva constitucional, 2015.

19 Nesse sentido, vejam-se: RE 418376. Rel. p/ acórdão Min. Joaquim Barbosa; ADI 3112, Rel. Min. Ricardo Lewandowski; HC 104410, Rel. Min. Gilmar Mendes; e HC 16212, Rel. Min. Marco Aurélio.

20 Luciano Feldens, *A Constituição Penal: a dupla face da proporcionalidade no controle de normas penais*, 2005; Anthair Edgard de Azevedo Valente e Gonçalvez, *Inciso LVII do art. 5º da CF*: uma presunção à brasileira, mimeografado, 2009.

21 Cesare Beccaria, *Dos delitos e das penas*, 1979, p. 78 (a 1ª edição é de 1764).

da pena nesse caso justifica-se pela necessidade de promoção de outros relevantes bens jurídicos constitucionais.

III. Após condenação em 2º grau, a execução da decisão constitui exigência de ordem pública

III.1. Fundamento infraconstitucional legitimador da prisão após a condenação em segundo grau

31. No tópico anterior, foram apresentados fundamentos de **índole** estritamente constitucional que são adequados e suficientes para justificar a posição aqui defendida quanto ao momento de execução da decisão penal condenatória: (i) o direito brasileiro não exige o trânsito em julgado da decisão para que se decrete a prisão, (ii) a presunção de inocência, por ser um princípio, sujeita-se à ponderação com outros valores constitucionais, e (iii) o princípio da proporcionalidade como proibição de proteção deficiente impede que o Estado tutele de forma insuficiente os direitos fundamentais protegidos pelo direito penal. É possível, subsidiariamente, construir outro fundamento, de estatura infraconstitucional: com o acórdão penal condenatório proferido em grau de apelação, a execução provisória da pena passa a constituir, *em regra*, exigência de ordem pública, necessária para assegurar a credibilidade do Poder Judiciário e do sistema penal. Vale dizer: ainda que não houvesse um fundamento constitucional direto para legitimar a prisão após a condenação em segundo grau – e há! –, ela se justificaria nos termos da legislação ordinária. Não é difícil demonstrar o ponto.

32. O artigo 312 do Código de Processo Penal[22] prevê três situações em que a decretação da prisão preventiva é justificada, havendo prova da existência do crime e indício suficiente de autoria: (i) a conveniência da instrução criminal, consistente na necessidade de garantir a colheita de provas, evitar a atuação indevida do acusado sobre testemunhas etc.; (ii) a garantia de aplicação da lei penal, que busca evitar que o acusado se furte ao processo e/ou ao seu resultado, e (iii) a garantia da ordem pública e da ordem econômica. Em relação à garantia da ordem pública, o Supremo Tribunal Federal tem entendido que ela compreende, além da necessidade de resguardar a integridade física do acusado e impedir a reiteração de práticas criminosas, a exigência de assegurar a credibilidade das instituições públicas, notadamente do

[22] CPP. Art. 312. A prisão preventiva poderá ser decretada como garantia da ordem pública, da ordem econômica, por conveniência da instrução criminal, ou para assegurar a aplicação da lei penal, quando houver prova da existência do crime e indício suficiente de autoria. (Redação dada pela Lei nº 12.403, de 2011).

Poder Judiciário[23]. Presentes essas hipóteses, pode o juiz decretar, em qualquer fase da investigação policial ou do processo penal, a prisão, desde que fundamentadamente.

33. Pois bem. No momento em que se dá a condenação do réu em segundo grau de jurisdição, estabelecem-se algumas certezas jurídicas: a materialidade do delito, sua autoria e a impossibilidade de rediscussão de fatos e provas. Neste cenário, retardar infundadamente a prisão do réu condenado estaria em inerente contraste com a preservação da ordem pública, aqui entendida como a eficácia do direito penal exigida para a proteção da vida, da segurança e da integridade das pessoas e de todos os demais fins que justificam o próprio sistema criminal[24]. Estão em jogo aqui a credibilidade do Judiciário – inevitavelmente abalada com a demora da repreensão eficaz do delito –, sem mencionar os deveres de proteção por parte do Estado e o papel preventivo do direito penal. A afronta à ordem pública torna-se ainda mais patente ao se considerar o já mencionado baixíssimo índice de provimento de recursos extraordinários, inferior a 1,5% (em verdade, inferior a 0,1% se considerarmos apenas as decisões absolutórias), sacrificando os diversos valores aqui invocados em nome de um formalismo estéril.

III.2. Uso abusivo e procrastinatório do direito de recorrer

34. Alguns exemplos emblemáticos auxiliam na compreensão do ponto[25]. No conhecido caso "Pimenta Neves", referente a crime de

---

[23] Nesse sentido, confiram-se, exemplificativamente: (i) HC 89.238, Rel. Min. Gilmar Mendes, Segunda Turma, j. 29.05.2007, onde se lavrou: "*Com relação ao tema da garantia da ordem pública, faço menção à manifestação já conhecida desta Segunda Turma em meu voto proferido no HC 88.537/BA e recentemente sistematizado nos HC's 89.090/GO e 89.525/GO acerca da conformação jurisprudencial do requisito dessa garantia. Nesses julgados, pude asseverar que o referido requisito legal envolve, em linhas gerais e sem qualquer pretensão de exaurir todas as possibilidades normativas de sua aplicação judicial, as seguintes circunstâncias principais: i) a necessidade de resguardar a integridade física ou psíquica do paciente ou de terceiros; ii) o objetivo de impedir a reiteração das práticas criminosas, desde que lastreado em elementos concretos expostos fundamentadamente no decreto de custódia cautelar; e iii) para assegurar a credibilidade das instituições públicas, em especial do poder judiciário, no sentido da adoção tempestiva de medidas adequadas, eficazes e fundamentadas quanto à visibilidade e transparência da implementação de políticas públicas de persecução criminal.*"; e (ii) HC 83.868, Rel. Min. Ellen Gracie, j. 10.06.2008, Pleno, de cuja ementa extrai-se que: "*A garantia da ordem pública se revela, ainda, na necessidade de se assegurar a credibilidade das instituições públicas quanto à visibilidade e transparência de políticas públicas de persecução criminal*".

[24] CF/88, art. 144. "A segurança pública, dever do Estado, direito e responsabilidade de todos, é exercida para a preservação da *ordem pública* e da incolumidade das pessoas e do patrimônio, através dos seguintes órgãos: ...". Vê-se, assim, que a ordem pública é, igualmente, um conceito constitucional, associado à segurança pública. O uso abusivo da repressão penal em outras épocas da vivência brasileira não deve impedir o seu uso legítimo, ponderado e eficiente em um Estado democrático.

[25] Esta Corte, é claro, não se mostrou indiferente ao patente abuso do direito de recorrer, determinando, em alguns desses casos, a imediata execução da condenação. Porém, essa possibilidade não é suficiente para corrigir a disfuncionalidade existente no sistema recursal.

homicídio qualificado ocorrido em 20.08.2000, o trânsito em julgado somente ocorreu em 17.11.2011, mais de 11 anos após a prática do fato. Já no caso Natan Donadon, por fatos ocorridos entre 1995 e 1998, o ex-Deputado Federal foi condenado por formação de quadrilha e peculato a 13 anos, 4 meses e 10 dias de reclusão. Porém, a condenação somente transitou em julgado em 21.10.2014, ou seja, mais de 19 anos depois. Em caso igualmente grave, envolvendo o superfaturamento da obra do Fórum Trabalhista de São Paulo, o ex-senador Luiz Estêvão foi condenado em 2006 a 31 anos de reclusão, por crime ocorrido em 1992. Diante da interposição de 34 recursos, a execução da sanção só veio a ocorrer agora em 2016, às vésperas da prescrição, quando já transcorridos mais de 23 anos da data dos fatos.

35. Infelizmente, porém, esses casos não constituem exceção, mas a regra. Tome-se, aleatoriamente, um outro caso incluído na pauta do mesmo dia do presente julgamento. Refiro-me ao AI 394.065-AgR-ED-ED-ED-EDv-AgR-AgR-AgR-ED, de relatoria da Ministra Rosa Weber, relativo a crime de homicídio qualificado cometido em 1991. Proferida a sentença de pronúncia, houve recurso em todos os graus de jurisdição até a sua confirmação definitiva[26]. Posteriormente, deu-se a condenação pelo Tribunal do Júri e foi interposto recurso de apelação. Mantida a decisão condenatória, foram apresentados embargos de declaração (EDs). Ainda inconformada, a defesa interpôs recurso especial. Decidido desfavoravelmente o recurso especial, foram manejados novos EDs. Mantida a decisão embargada, foi ajuizado recurso extraordinário, inadmitido pelo eminente Min. Ilmar Galvão. Contra esta decisão monocrática, foi interposto agravo regimental (AgR). O AgR foi desprovido pela Primeira Turma, e, então, foram apresentados EDs, igualmente desprovidos. Desta decisão, foram oferecidos novos EDs, redistribuídos ao Min. Ayres Britto. Rejeitados os embargos de declaração, foram interpostos embargos de divergência, distribuídos ao Min. Gilmar Mendes. Da decisão do Min. Gilmar Mendes, que inadmitiu os EDiv, foi ajuizado AgR, julgado pela Min. Ellen Gracie. Da decisão da Ministra, foram apresentados EDs, conhecidos como AgR, a que a Segunda Turma negou provimento. Não obstante isso, foram manejados novos EDs, pendentes de julgamento pelo Plenário do STF. Portanto, utilizando-se de mais de uma dúzia de recursos, depois de quase 25 anos, a sentença de homicídio cometido em 1991 não transitou em julgado.

---

[26] Também esta exigência de trânsito em julgado da sentença de pronúncia, previamente à realização do júri, está a exigir urgente reforma.

III.3. A razoável duração do processo como dever do Estado e exigência da sociedade

36. É intuitivo que, quando um crime é cometido e seu autor é condenado em todas as instâncias, mas não é punido ou é punido décadas depois, tanto o condenado quanto a sociedade perdem a necessária confiança na jurisdição penal. O acusado passa a crer que não há reprovação de sua conduta, o que frustra a função de prevenção especial do Direito Penal. Já a sociedade interpreta a situação de duas maneiras: (i) de um lado, os que pensam em cometer algum crime não têm estímulos para não fazê-lo, já que entendem que há grandes chances de o ato manter-se impune – frustrando-se a função de prevenção geral do direito penal; (ii) de outro, os que não pensam em cometer crimes tornam-se incrédulos quanto à capacidade do Estado de proteger os bens jurídicos fundamentais tutelados por este ramo do direito.

37. Tamanha ineficiência do sistema de justiça criminal já motivou inclusive a elaboração, pela Comissão responsável por acompanhar a implementação da Convenção Interamericana contra a Corrupção, de que o país é parte, de recomendação ao Brasil no sentido de *"implementar reformas no sistema de recursos judiciais ou buscar outros mecanismos que permitam agilizar a conclusão dos processos no Poder Judiciário e o início da execução da sentença, a fim de evitar a impunidade dos responsáveis por atos de corrupção"*[27].

38. Aliás, a este propósito, cumpre abrir janelas para o mundo e constatar, como fez a Ministra Ellen Gracie no julgamento do HC 86.886 (j. 6.09.2005), que *"em país nenhum do mundo, depois de observado o duplo grau de jurisdição, a execução de uma condenação fica suspensa, aguardando referendo da Suprema Corte"*. Nos diferentes países, em regra, adota-se como momento do início da execução a decisão de primeiro grau ou a de segundo grau, sem que se exija o prévio esgotamento das instâncias extraordinárias. É o que demonstra estudo cobrindo países como Inglaterra, Estados Unidos, Canadá, Portugal, Espanha e Argentina, citado pelo Ministro Teori Zavascki em seu voto[28].

39. Em suma: o início do cumprimento da pena no momento do esgotamento da jurisdição ordinária impõe-se como uma exigência

---

[27] Mecanismo de acompanhamento da implementação da Convenção Interamericana contra a Corrupção – Vigésima Reunião de Peritos – De 10 a 14 de setembro de 2012. Washington, DC. Fonte: http://www.oas.org/juridico/PDFs/mesicic4_bra_por.pdf, acesso em 6 mai 2016.

[28] Luiza Cristina Fonseca Frischeisen, Mônica Nicida Garcia e Fábio Gusman, "Execução Provisória da Pena. Um contraponto à decisão do Supremo Tribunal Federal no Habeas Corpus n. 84.078", in *Garantismo Penal Integral*, 2013, p. 453-477.

de ordem pública, em nome da necessária eficácia e credibilidade do Poder Judiciário. A superação de um sistema recursal arcaico e procrastinatório já foi objeto até mesmo de manifestação de órgãos de cooperação internacional. Não há porque dar continuidade a um modelo de morosidade, desprestígio para a justiça e impunidade. Isso, é claro, não exclui a possibilidade de que o réu recorra ao STF ou ao STJ para corrigir eventual abuso ou erro das decisões de primeiro e segundo graus, o que continua a poder ser feito pela via do *habeas corpus*. Além de poder requerer, em situações extremas, a concessão de efeito suspensivo no RE ou no REsp. Mas, de novo, à vista do ínfimo índice de provimento de tais recursos, esta deverá ser uma manifesta exceção.

Parte III
Fundamentos pragmáticos para o novo entendimento

40. Os métodos de atuação e argumentação dos órgãos judiciais são essencialmente *jurídicos*, mas a natureza de sua função, notadamente quando envolva a jurisdição constitucional e os chamados *casos difíceis*[29], tem uma inegável dimensão *política*. Assim é devido ao fato de o intérprete desempenhar uma atuação criativa – pela atribuição de sentido a cláusulas abertas e pela realização de escolhas entre soluções alternativas possíveis –, e também em razão das consequências práticas de suas decisões.

41. Como é corrente, desenvolveu-se nos últimos tempos a percepção de que a norma jurídica não é o relato abstrato contido no texto legal, mas o produto da integração entre texto e realidade. Em muitas situações, não será possível determinar a vontade constitucional sem verificar as possibilidades de sentido decorrentes dos fatos subjacentes. Como escrevi em texto doutrinário:

> "A integração de sentido dos conceitos jurídicos indeterminados e dos princípios deve ser feita, em primeiro lugar, com base nos valores éticos mais elevados da sociedade (leitura moral da Constituição). Observada essa premissa inarredável – porque assentada na ideia de justiça e na dignidade da pessoa humana – deve o intérprete atualizar o sentido das normas constitucionais (interpretação evolutiva) **e produzir o melhor resultado possível para a sociedade (interpretação pragmática).**

---

[29] Casos difíceis são aqueles para os quais não existe uma solução pré-pronta no Direito. A solução terá de ser construída argumentativamente, à luz dos elementos do caso concreto, dos parâmetros fixados na norma e de elementos externos ao Direito. Três situações geradoras de casos difíceis são a ambiguidade da linguagem, os desacordos morais e as colisões de normas constitucionais.

A interpretação constitucional, portanto, configura uma atividade *concretizadora* – *i.e.*, uma interação entre o sistema, o intérprete e o problema – e *construtivista*, porque envolve a atribuição de significados aos textos constitucionais que ultrapassam sua dicção expressa"[30]. (grifo acrescentado)

42. O pragmatismo possui duas características que merecem destaque para os fins aqui visados: (i) o *contextualismo*, a significar que a realidade concreta em que situada a questão a ser decidida tem peso destacado na determinação da solução adequada; e (ii) o *consequencialismo*, na medida em que o resultado prático de uma decisão deve merecer consideração especial do intérprete. Dentro dos limites e possibilidades dos textos normativos e respeitados os valores e direitos fundamentais, cabe ao juiz produzir a decisão que traga as melhores consequências possíveis para a sociedade como um todo.

43. Pois bem: o pragmatismo jurídico, que opera dentro dos sentidos possíveis da norma jurídica, oferece três argumentos que reforçam a necessidade de revisão da atual jurisprudência do STF quanto **à** impossibilidade de execução provisória da pena. Como já afirmado no início deste voto, a alteração, em 2009, da compreensão tradicional do STF sobre o tema, que vigia desde a promulgação da Constituição de 1988, produziu três efeitos negativos: o incentivo à interposição de recursos protelatórios, o reforço à seletividade do sistema penal e o agravamento do descrédito do sistema de justiça penal junto à sociedade. A reversão desse entendimento jurisprudencial pode, assim, contribuir para remediar tais efeitos perversos, promovendo (i) a garantia de equilíbrio e funcionalidade do sistema de justiça criminal, (ii) a redução da seletividade do sistema penal, e (iii) a quebra do paradigma de impunidade.

I. Equilíbrio e funcionalidade do sistema de justiça criminal

44. A execução provisória de acórdão penal condenatório proferido em grau de apelação pode contribuir para um maior equilíbrio e funcionalidade do sistema de justiça criminal. Em primeiro lugar, com esta nova orientação, reduz-se o estímulo **à** infindável interposição de recursos inadmissíveis. Impedir que condenações proferidas em grau de apelação produzam qualquer consequência, conferindo aos recursos aos tribunais superiores efeito suspensivo que eles não têm por força de lei, fomenta a utilização abusiva e protelatória da quase ilimitada gama de recursos existente em nosso sistema penal.

---

[30] Luís Roberto Barroso, *Curso de direito constitucional contemporâneo*, 2015, p. 322.

45. Em segundo lugar, restabelece-se o prestígio e a autoridade das instâncias ordinárias, algo que há muito se perdeu no Brasil. Aqui, o juiz de primeiro grau e o Tribunal de Justiça passaram a ser instâncias de passagem, porque o padrão é que os recursos subam para o Superior Tribunal de Justiça e, depois, para o Supremo Tribunal Federal. Porém, não se pode presumir, ou assumir como regra, que juízes e tribunais brasileiros profiram decisões equivocadas ou viciadas, de modo a atribuir às cortes superiores o monopólio do acerto. Em verdade, não há direito ao triplo ou quádruplo grau de jurisdição: a apreciação pelo STJ e pelo STF não é assegurada pelo princípio do devido processo legal e não constitui direito fundamental. Desse modo, a mudança de orientação prestigia, ao mesmo tempo, a própria Suprema Corte, cujo acesso se deve dar em situações efetivamente extraordinárias, e que, portanto, não pode se transformar em tribunal ordinário de revisão, nem deve ter seu tempo e recursos escassos desperdiçados com a necessidade de proferir decisões em recursos nitidamente inadmissíveis e protelatórios.

II. Diminuição da seletividade do sistema criminal

46. Além disso, a execução provisória da pena permitirá reduzir o grau de seletividade do sistema punitivo brasileiro. Atualmente, como já demonstrado, permite-se que as pessoas com mais recursos financeiros, mesmo que condenadas, não cumpram a pena ou possam procrastinar a sua execução por mais de 20 anos. Como é intuitivo, as pessoas que hoje superlotam as prisões brasileiras (muitas vezes, sem qualquer condenação de primeiro ou segundo graus) não têm condições de manter advogado para interpor um recurso atrás do outro. Boa parte desses indivíduos encontra-se presa preventivamente por força do art. 312 do Código de Processo Penal. A alteração da compreensão do STF acerca do momento de início de cumprimento da pena deverá ter impacto positivo sobre o número de pessoas presas temporariamente – a maior eficiência do sistema diminuirá a tentação de juízes e tribunais de prenderem ainda durante a instrução –, bem como produzirá um efeito republicano e igualitário sobre o sistema.

47. Não se trata de nivelar por baixo, mas de fazer justiça para todos. Note-se, por exemplo, que a dificuldade em dar execução às condenações por crimes que causem lesão ao erário ou à administração pública (*e.g.*, corrupção, peculato, prevaricação) ou crimes de natureza econômica ou tributária (*e.g.*, lavagem, evasão de divisas, sonegação) estimula a criminalidade de colarinho branco e dá incentivo aos piores. Como escrevi em recente texto acadêmico:

> "Outro elemento de fomento à corrupção é a impunidade. As pessoas na vida tomam decisões levando em conta incentivos e riscos. O baixíssimo risco de punição – na verdade, a certeza da impunidade – funcionava como um incentivo imenso à conduta criminosa de agentes públicos e privados. Superar este quadro envolve mudança de atitude, da jurisprudência e da legislação. (...) O enfrentamento da corrupção e da impunidade produzirá uma transformação cultural importante no Brasil: a valorização dos *bons* em lugar dos *espertos*. Quem tiver talento para produzir uma inovação relevante capaz de baixar custos vai ser mais importante do que quem conhece a autoridade administrativa que paga qualquer preço, desde que receba vantagem. Esta talvez seja uma das maiores conquistas que virá de um novo paradigma de decência e seriedade"[31].

III. Quebra do paradigma de impunidade

48. Por fim, a mudança de entendimento também auxiliará na quebra do paradigma da impunidade. Como já se afirmou, no sistema penal brasileiro, a possibilidade de aguardar o trânsito em julgado do REsp e do RE em liberdade para apenas então iniciar a execução da pena tem enfraquecido demasiadamente a tutela dos bens jurídicos resguardados pelo direito penal e a própria confiança da sociedade na Justiça criminal. Ao evitar que a punição penal possa ser retardada por anos e mesmo décadas, restaura-se o sentimento social de eficácia da lei penal. Ainda, iniciando-se a execução da pena desde a decisão condenatória em segundo grau de jurisdição, evita-se que a morosidade processual possa conduzir à prescrição dos delitos. Desse modo, em linha com as legítimas demandas da sociedade por um direito penal sério (ainda que moderado), deve-se buscar privilegiar a interpretação que confira maior – e não menor – efetividade ao sistema processual penal.

49. Em razão dos motivos aqui apresentados, entendo que o princípio da presunção de inocência ou da não culpabilidade não obsta a execução da pena após a decisão condenatória de segundo grau de jurisdição.

III. Conclusão

50. Por todo o exposto, voto no sentido de denegar a ordem de *habeas corpus*, com revogação da liminar concedida, bem como para

---

[31] V. Luís Roberto Barroso, *Brasil: o caminho longo e tortuoso*. Conferência proferida na Universidade de Nova York, em 11 abr. 2016. Disponível em: http://www.luisrobertobarroso.com.br/wp-content/uploads/2016/04/Conferência-NYU-11-abr2016-versão-final-completa2.pdf. Sobre o comentário final da transcrição, denunciando o círculo vicioso que premia os piores, v. Míriam Leitão, *História do futuro*, 2015, p. 177-78.

fixar a seguinte tese de julgamento: "*A execução de decisão penal condenatória proferida em segundo grau de jurisdição, ainda que sujeita a recurso especial ou extraordinário, não viola o princípio constitucional da presunção de inocência ou não-culpabilidade*".

DESCRIMINALIZAÇÃO DA MACONHA: LEGALIZAÇÃO COMO MELHOR FORMA DE ENFRENTAR O PROBLEMA DAS DROGAS

RECURSO EXTRAORDINÁRIO 635.659 SÃO PAULO

RELATOR	:	MIN. GILMAR MENDES
RECTE.(S)	:	FRANCISCO BENEDITO DE SOUZA
PROC.(A/S)(ES)	:	DEFENSOR PÚBLICO-GERAL DO ESTADO DE SÃO PAULO
RECDO.(A/S)	:	MINISTÉRIO PÚBLICO DO ESTADO DE SÃO PAULO
PROC.(A/S)(ES)	:	PROCURADOR-GERAL DE JUSTIÇA DO ESTADO DE SÃO PAULO
AM. CURIAE.	:	VIVA RIO
AM. CURIAE.	:	COMISSÃO BRASILEIRA SOBRE DROGAS E DEMOCRACIA – CBDD
ADV.(A/S)	:	PIERPAOLO CRUZ BOTTINI E OUTRO(A/S)
AM. CURIAE.	:	ASSOCIAÇÃO BRASILEIRA DE ESTUDOS SOCIAIS DO USO DE PSICOATIVOS – ABESUP
ADV.(A/S)	:	BRUNO VINICIUS FERREIRA DA VEIGA
AM. CURIAE.	:	INSTITUTO BRASILEIRO DE CIÊNCIAS CRIMINAIS – IBCCRIM
ADV.(A/S)	:	MARTA CRISTINA CURY SAAD GIMENES E OUTRO(A/S)
AM. CURIAE.	:	INSTITUTO DE DEFESA DO DIREITO DE DEFESA
ADV.(A/S)	:	ARNALDO MALHEIROS FILHO E OUTRO(A/S)
AM. CURIAE.	:	CONECTAS DIREITOS HUMANOS
AM. CURIAE.	:	INSTITUTO SOU DA PAZ
AM. CURIAE.	:	INSTITUTO TERRA, TRABALHO E CIDADANIA
AM. CURIAE.	:	PASTORAL CARCERÁRIA
ADV.(A/S)	:	RAFAEL CARLSSON CUSTÓDIO E OUTRO(A/S)

O Senhor Ministro Luís Roberto Barroso:

VOTO[1]

Ementa: Direito Penal. Recurso Extraordinário com repercussão geral. Criminalização do porte e do plantio de drogas para consumo pessoal. Art. 28, caput e §1º da Lei nº 11.343/2006. Inconstitucionalidade.

1. É inconstitucional o *caput* do art. 28 da Lei nº 11.343/2006, ao criminalizar o porte de drogas para consumo pessoal. O dispositivo viola: (i) o direito de privacidade (CF, art. 5º, X), por invadir espaço da vida que deve ser preservado de interferências externas, inclusive do Estado; (ii) a autonomia individual (CF, art. 5º, II), que assegura a cada pessoa o direito de autodeterminação para fazer escolhas existenciais de acordo com a sua própria concepção do bem e do bom; (iii) o princípio da proporcionalidade, não apenas pela restrição irrazoável dos direitos referidos acima, como também por punir conduta que não ofende bem jurídico de terceiro.

2. Pelos mesmos fundamentos, é inconstitucional o §1º do artigo 28 da Lei nº 11.343/2006, que submete às mesmas penas quem semeia, cultiva ou colhe, para consumo pessoal, plantas com substância que possa causar dependência.

3. Fica estabelecido como quantidade de referência para diferenciar consumo pessoal e tráfico a posse de até 40 gramas ou o plantio de até 10 plantas fêmeas de *cannabis*. Tal critério é meramente indicativo, não impedindo que o juiz do caso concreto considere atípicas condutas que envolvam quantidades superiores ou, ao revés, constate tratar-se de tráfico, mesmo quando envolvidas quantidades inferiores. Neste último caso, porém, o ônus argumentativo será redobrado.

4. Provimento do recurso extraordinário e absolvição do recorrente, nos termos do art. 386, III, do Código de Processo Penal, por não constituir o fato infração penal. Afirmação, em repercussão geral, da seguinte tese: "*São inconstitucionais o caput e o §1º do artigo 28 da Lei nº 11.343/2006, que criminalizam o porte ou plantio de drogas para consumo pessoal. Para distinção entre tráfico e consumo pessoal, fica estabelecido como critério de referência indicativo a posse de até 40 gramas ou o plantio de até 10 plantas fêmeas de* cannabis".

---

[1] Julgamento iniciado em 10 de setembro de 2015 e ainda não concluído. O voto, portanto, não é definitivo e pode ser reajustado em razão dos debates supervenientes.

I. Breve Resumo do Caso

1. Trata-se de recurso extraordinário, com repercussão geral reconhecida, interposto pela Defensoria Pública do Estado de São Paulo, no qual se discute a constitucionalidade do art. 28 da Lei de Drogas (Lei nº 11.343, de 23.08.2006), que tipifica criminalmente o porte de drogas para consumo pessoal. O artigo tem a seguinte dicção:

> "Art. 28. Quem adquirir, guardar, tiver em depósito, transportar ou trouxer consigo, para consumo pessoal, drogas sem autorização ou em desacordo com determinação legal ou regulamentar será submetido às seguintes penas: I - advertência sobre os efeitos das drogas; II - prestação de serviços à comunidade; III - medida educativa de comparecimento a programa ou curso educativo.
> §1º Às mesmas medidas submete-se quem, para seu consumo pessoal, semeia, cultiva ou colhe plantas destinadas à preparação de pequena quantidade de substância ou produto capaz de causar dependência física ou psíquica.
> §2º Para determinar se a droga destinava-se a consumo pessoal, o juiz atenderá à natureza e à quantidade da substância apreendida, ao local e às condições em que se desenvolveu a ação, às circunstâncias sociais e pessoais, bem como à conduta e aos antecedentes do agente.
> §3º As penas previstas nos incisos II e III do caput deste artigo serão aplicadas pelo prazo máximo de 5 (cinco) meses.
> §4º Em caso de reincidência, as penas previstas nos incisos II e III do caput deste artigo serão aplicadas pelo prazo máximo de 10 (dez) meses.
> §5º A prestação de serviços à comunidade será cumprida em programas comunitários, entidades educacionais ou assistenciais, hospitais, estabelecimentos congêneres, públicos ou privados sem fins lucrativos, que se ocupem, preferencialmente, da prevenção do consumo ou da recuperação de usuários e dependentes de drogas.
> §6º Para garantia do cumprimento das medidas educativas a que se refere o caput, nos incisos I, II e III, a que injustificadamente se recuse o agente, poderá o juiz submetê-lo, sucessivamente a: I - admoestação verbal; II - multa.
> §7º O juiz determinará ao Poder Público que coloque à disposição do infrator, gratuitamente, estabelecimento de saúde, preferencialmente ambulatorial, para tratamento especializado."

2. O caso concreto subjacente à discussão envolve réu que cumpria pena em estabelecimento prisional por outros delitos e veio a ser flagrado em sua cela portando 3 gramas de maconha para consumo próprio. Em razão disso, respondeu a ação penal proposta pelo Ministério Público do Estado de São Paulo, na qual veio a ser condenado à pena de 2 meses de prestação de serviços gratuitos à comunidade ou entidade pública, como incurso no art. 28, caput, da Lei de Drogas, transcrito acima.

3. Em recurso de apelação, o Colégio Recursal, por unanimidade, manteve a condenação e afirmou a constitucionalidade do art. 28, que havia sido questionada pela defesa. Contra este acórdão foi interposto o presente recurso extraordinário, em que se alega violação dos direitos à intimidade e à vida privada, previstos no art. 5º, X, da Constituição Federal. A Procuradoria-Geral da República manifestou-se pelo desprovimento do recurso, ao fundamento de que o art. 28 da Lei de Drogas tutela o bem jurídico "saúde pública". Nessa linha, de acordo com o Ministério Público, *"a conduta daquele que traz consigo droga de uso próprio, por si só, contribui para a propagação do vício no meio social"* Assim, "o *uso de entorpecentes não afeta apenas o usuário em particular, mas também a sociedade como um todo"*, e isso independentemente do uso ou da quantidade apreendida.

4. Foram admitidos como *amici curiae* as seguintes entidades: Conectas Direitos Humanos, Instituto Sou da Paz, Instituto Terra, Trabalho e Cidadania (ITTC), Pastoral Carcerária, Instituto de Defesa do Direito de Defesa (IDDD), Viva Rio, Comissão Brasileira Sobre Drogas e Democracia (CBDD), Associação Brasileira de Estudos Sociais do Uso de Psicoativos (ABESUP), Instituto Brasileiro de Ciências Criminais (IBCCRIM), a Associação dos Delegados de Polícia do Brasil – ADEPOL/Brasil, e Associação Brasileira de Lésbicas, Gays, Bissexuais, Travestis e Transexuais – ABGLT.

5. Com exceção da ADEPOL, todos os *amici curiae* admitidos no processo ratificaram a tese da Defensoria Pública do Estado de São Paulo e requereram a declaração de inconstitucionalidade do art. 28 da Lei nº 11.343/2006. Destacaram, ainda, a necessidade de se estabelecerem critérios objetivos para distinguir as figuras do usuário (art. 28) e do traficante (art. 33)[2]. A ADEPOL/Brasil, por sua vez, sustentou a consti-

[2] Lei de Drogas, Art. 33. Importar, exportar, remeter, preparar, produzir, fabricar, adquirir, vender, expor à venda, oferecer, ter em depósito, transportar, trazer consigo, guardar, prescrever, ministrar, entregar a consumo ou fornecer drogas, ainda que gratuitamente, sem autorização ou em desacordo com determinação legal ou regulamentar: Pena - reclusão de 5 (cinco) a 15 (quinze) anos e pagamento de 500 (quinhentos) a 1.500 (mil e quinhentos) dias-multa. §1º Nas mesmas penas incorre quem: I - importa, exporta, remete, produz, fabrica, adquire, vende, expõe à venda, oferece, fornece, tem em depósito, transporta, traz consigo ou guarda, ainda que gratuitamente, sem autorização ou em desacordo com determinação legal ou regulamentar, matéria-prima, insumo ou produto químico destinado à preparação de drogas; II - semeia, cultiva ou faz a colheita, sem autorização ou em desacordo com determinação legal ou regulamentar, de plantas que se constituam em matéria-prima para a preparação de drogas; III - utiliza local ou bem de qualquer natureza de que tem a propriedade, posse, administração, guarda ou vigilância, ou consente que outrem dele se utilize, ainda que gratuitamente, sem autorização ou em desacordo com determinação legal ou regulamentar, para o tráfico ilícito de drogas.

tucionalidade do dispositivo, ao fundamento de que o interesse coletivo de proteção à saúde pública se sobreporia ao direito à intimidade, e de que a descriminalização do consumo teria um efeito perverso sobre a segurança pública.

II. Esclarecimento preliminar

6. Não há solução juridicamente simples nem moralmente barata para o problema das drogas. Trata-se de um domínio em que são inevitáveis algumas *escolhas trágicas*[3]. Todas têm alto custo. Porém, virar as costas para um problema não faz com que ele vá embora. Por isso, em boa hora o Supremo Tribunal Federal está debatendo essa gravíssima questão. Em uma democracia, nenhum tema é tabu. Tudo pode e deve ser discutido à luz do dia. O caso concreto em discussão envolve o porte de *maconha* para consumo pessoal. A droga em questão, portanto, é a maconha. Como meu voto, mais do que a inconstitucionalidade do art. 28 da Lei de Drogas, defende uma política de legalização progressiva, minhas reflexões se concentram nesta droga específica. Isso não significa, porém, que as mesmas ideias não possam, eventualmente, aplicar-se a outras drogas.

7. Para melhor compreensão do tema, uma breve nota sobre a unificação da terminologia é conveniente. *Descriminalizar* significa deixar de tratar como crime. *Despenalizar* significa deixar de punir com pena de prisão, mas punir com outras medidas. Este é o sistema em vigor atualmente. *Legalizar* significa que o direito irá regular a matéria sem prever sanções, mesmo que de natureza administrativa. Esta é a posição defendida pelo autor deste voto, pelas razões que serão expostas. No presente recurso, todavia, o máximo que se pode alcançar é a descriminalização do porte e do plantio para uso pessoal.

Parte I
Panorama do tratamento jurídico das drogas no mundo

I. A política internacional de combate às drogas

8. O regime aplicável ao usuário de drogas no Brasil[4], previsto no art. 28 da Lei 11.343/2006, está inserido no contexto da política inter-

---

[3] *Tragic choices* é o título de um livro clássico escrito por Guido Calabresi e Philip Bobbit, publicado em 1978, no qual os autores discutem os choques de valores e as escolhas morais e econômicas que uma sociedade precisa fazer diante de questões divisivas.

[4] A Lei 11.343/2006 estabelece, para seus fins, que "consideram-se como drogas as substâncias ou os produtos capazes de causar dependência, assim especificados em lei ou relacionados em listas atualizadas periodicamente pelo Poder Executivo da União" (art. 1º, parágrafo único).

nacional proibicionista, atualmente patrocinada pelas Nações Unidas, e fortemente influenciada pelos esforços empreendidos pelos Estados Unidos na chamada "Guerra às Drogas". A estratégia global, resumida pelo slogan "Um mundo livre de drogas"[5], tem sido historicamente a de repressão e eliminação tanto da cadeia de produção, distribuição e fornecimento, quanto do consumo de substâncias ilícitas.

9. Ao contrário do que se imagina, porém, o paradigma da proibição do comércio e de controle do consumo de drogas é relativamente recente. O uso de substâncias psicotrópicas sempre esteve presente na história da humanidade[6] e, até o final do século XIX, o livre-comércio do ópio e de outras drogas era a regra no mundo ocidental. Foi apenas com a Conferência Internacional sobre o Ópio de Xangai, de 1909, que se iniciou o tratamento repressivo do comércio de drogas, centrado nas metas de diminuir e controlar a oferta (*supply control*) e de abafar o consumo[7-8]. Tais linhas de ação foram consolidadas posteriormente na Convenção da Haia de 1912, o primeiro tratado internacional a dispor sobre a fabricação, comércio e uso da cocaína, ópio e seus derivados[9], e foram mantidas, com poucas alterações relevantes, até a atualidade.

10. O regime de combate ao narcotráfico no plano internacional é disciplinado hoje, primordialmente, por três convenções da ONU: (i) a Convenção Única sobre Entorpecentes, de 1961 (emendada em 1972); (ii) a Convenção sobre Substâncias Psicotrópicas, de 1971; e (iii)

---

5 Cf. Assembleia Geral da ONU, de 1998, Nova York.

6 ACSELRAD, Gilberta. Estado do conhecimento sobre o consumo de bebidas alcoólicas no Brasil. *In* Consumo do Álcool no Brasil. ACSELRAD, Gilberta (Org). Rio de Janeiro: FLACSO/BRASIL, 2014. V 12 (Cadernos). Disponível em: <http://flacso.org.br/files/2014/12/N12-GilbertaAcserlrad.pdf.> Acesso em 07 jul., 2015.

7 A Conferência congregou a Comissão do Ópio formada pela Grã-Bretanha, França, Alemanha, Japão, Holanda, Portugal, Rússia, China, Sião, Pérsia, Itália, Áustria-Hungria, Turquia e EUA, países que, em sua maioria, possuíam interesses ou possessões territoriais no Extremo Oriente. Apesar de não ter produzido documento vinculante para os países participantes, a Conferência foi um marco na política de controle internacional de drogas e veio a pautar a forma de enfrentamento da matéria no âmbito da Liga das Nações e, futuramente, na Organização das Nações Unidas (ONU), tornando os controles do comércio de drogas mais estritos.

8 Antes da Comissão do Ópio em Xangai, há registro de acordos bilaterais sobre o tráfico de ópio, firmados entre, de um lado, os Estados Unidos da América e, de outro, o Reino de Sião (1833), a China (1844) e o Japão (1858).

9 O paradigma do controle e proibição das drogas que foi estabelecido nesse momento histórico foi fruto de uma conjugação de fatores, os quais, por sua complexidade, apenas menciono para referência: (i) interesse da classe médica em monopolizar a prescrição de determinadas substâncias; (ii) preocupações de saúde pública decorrentes do reconhecimento dos efeitos deletérios do consumo do ópio; (iii) problemas de ordem social relacionados ao consumo de ópio pelas classes menos favorecidas e; (iv) dinâmica geopolítica e econômica que envolvia os países europeus e os Estados Unidos no comércio com o Oriente.

a Convenção sobre o Tráfico Ilícito de Entorpecentes e Substâncias Psicotrópicas, de 1988. Todas foram ratificadas pelo Brasil[10].

11. O objetivo do sistema instituído pelas Nações Unidas, conforme declarado nos próprios textos das convenções, é o de garantir a saúde e o bem-estar da humanidade, que seriam ameaçados pelo abuso de substâncias psicotrópicas. Esse sistema global se estrutura em razão do fato da transnacionalidade do mercado de drogas, o qual impõe a cooperação entre os países e a fixação de pautas conjuntas de ação, e é baseado no princípio da responsabilidade compartilhada, por meio do qual os países produtores e consumidores são instados a repartir os ônus da expansão do tráfico e do consumo de drogas e os encargos para sua contenção.

12. Para solucionar os problemas causados pelo consumo ilícito de drogas, o modelo instituído pelas Convenções da ONU impõe aos Estados-Membros duas diretrizes básicas. A primeira, que se encontra no centro das preocupações, é o forte controle e combate de toda a cadeia de suprimento das drogas, desde a produção até o tráfico ilícito. A segunda é a da proibição do uso de drogas pelos nacionais. Em relação à segunda diretriz, que se relaciona diretamente ao objeto deste processo, tais convenções buscam restringir o acesso a substâncias psicoativas consideradas danosas à saúde e determinam a punição, em algum grau, da posse não autorizada dessas substâncias. Confira-se, nesse sentido, o artigo 36 da Convenção Única sobre Entorpecentes (cf. emendada em 1972):

"1. a) Ressalvadas suas limitações constitucionais, cada Parte se obriga a adotar as medidas necessárias a fim de que o cultivo, a produção, a fabricação, extração, preparação, <u>posse</u>, ofertas em geral, ofertas de venda, distribuição, compra, venda, entrega a qualquer título, corretagem, despacho, despacho em trânsito, transporte, importação e exportação de entorpecentes, feitos em desacordo com a presente Convenção, ou quaisquer outros atos, em sua opinião contrários a mesma, sejam considerados como delituosos, se cometidos intencionalmente, e que as infrações graves sejam puníveis de forma adequada, especialmente com pena de prisão ou outras penas de privação de liberdade.

b) Não obstante o que estabelece a alínea precedente, quando tais delitos houverem sido cometidos, as Partes poderão, como uma alternativa à condenação ou punição ou como um acréscimo à condenação

[10] V. Decretos nº 54.216/1964, nº 79.388/1977 e nº 154/1991, respectivamente.

ou punição, determinar que os infratores sejam submetidos a medidas de tratamento, de educação, e acompanhamento médico posterior ao tratamento, de reabilitação e de reintegração social em conformidade com o parágrafo 1 do artigo 38".

13. Veja-se, assim, que as convenções internacionais sobre drogas obrigam os Estados-Membros a considerar a posse de entorpecentes como delituosa, mas (i) ressalvam expressamente as limitações constitucionais, e (ii) contemplam a possibilidade de aplicação de medidas de tratamento, educação, reabilitação e reintegração social como uma alternativa à condenação ou à punição[11].

14. Em verdade, esta política vigente no plano internacional foi significativamente influenciada pela atuação dos Estados Unidos. Em primeiro lugar, a vertente proibicionista refletida nas Convenções da ONU é, em grande medida, resultado da internacionalização dos padrões utilizados domesticamente naquele país. Mesmo antes da realização da Conferência de Xangai, os EUA já adotavam uma política interna repressiva em relação às drogas. Em 1909, o Congresso norte-americano editou o *Opium Exclusion Act*, que vedou a importação de ópio para fumo. Esta foi a primeira lei nacional de proibição de drogas. Anos depois, em 1914, o Congresso aprovou o *Harrison Narcotics Tax Act*, uma legislação mais gravosa, que regulava e taxava a produção, importação e distribuição de ópio, morfina e cocaína e proibia todo uso não medicinal dessas substâncias. Nas décadas que se seguiram, os Estados Unidos continuaram a editar extensa legislação recrudescendo a punição de infrações relacionadas às drogas.

15. A falta de eficácia dessas normas e a explosão do consumo de drogas nas décadas de 60 e 70, ligada ao movimento de contracultura, levaram o então Presidente Richard Nixon a eleger, em 1971, o tráfico e o consumo de substâncias ilícitas como o inimigo público nº 1 do país e a declarar "guerra às drogas". Essa política se refletiu diretamente no plano internacional, já que os Estados Unidos fizeram forte *lobby* para a realização de nova conferência da ONU sobre o tema, que veio a ocorrer em 1972. Nessa ocasião, aprovou-se a adoção de Protocolo que emendou a Convenção Única sobre Entorpecentes, tornando a

---

[11] Inclusive, segundo o relatório do European Monitoring Centre for Drugs and Drug Addiction (2015), "Alternatives to punishment for drug-using offenders", as medidas alternativas têm recebido maior atenção nos últimos 20 anos, na medida em que as evidências apontam maior efetividade na abordagem da questão do usuário sob a perspectiva da saúde, afastando-o do estigma do desviante (EMCDDA Papers, Publication Office of the European Union, Luxembourg).

política de repressão às drogas ainda mais proibitiva, sobretudo em relação ao usuário.

16. Após o governo de Nixon, praticamente todos os presidentes norte-americanos que se sucederam empreenderam grandes esforços na cruzada antidrogas, a partir de recrudescimento da legislação, da alocação de recursos cada vez mais abundantes para o combate dessas substâncias e do aumento exponencial das taxas de encarceramento por delitos não violentos relacionados às drogas. A administração de George H. W. Bush foi especialmente ativa neste setor. Bush criou o Escritório de Política Nacional de Controle de Drogas e formulou um extenso plano para a erradicação do consumo de drogas, também com foco no encarceramento do usuário.

17. Além de ter sido uma peça chave na formulação do regime de combate às drogas vigente no cenário internacional, os Estados Unidos foram responsáveis pela massiva aderência dos países ao regime convencional da ONU. Ao longo do tempo, a diplomacia norte-americana exerceu forte pressão sobre os demais Estados-Membros para atuarem de forma efetiva na guerra declarada às drogas. Um instrumento de grande persuasão foi o *Foreign Assistance Act*, que permitia a suspensão de assistência econômica pelos EUA a países não alinhados como o esforço antidrogas americano. Até os dias atuais, o Presidente norte-americano submete ao Congresso um relatório consolidado que identifica, entre os principais países produtores e com trânsito de drogas ilícitas, aqueles que falharam em demonstrar, nos 12 meses anteriores, esforços substanciais nas obrigações internacionais de combate ao narcotráfico e de adotar as medidas especificadas pela legislação americana. Nessas condições, o país é privado de assistência pelos EUA, além de obter o voto americano desfavorável em seis bancos de desenvolvimento multilaterais[12].

18. O histórico da criminalização da produção, tráfico e uso de drogas é, como intuitivo, muito mais complexo do que o relatado acima. Para fins do julgamento do presente recurso extraordinário, o que é relevante pontuar, contudo, é que a política internacional de controle de drogas fundada na aplicação de leis punitivas se revelou absolutamente ineficaz em todos os países em que adotada, inclusive nos Estados Unidos. Por isso, ela tem sido objeto de reformulação no âmbito interno de diversos Estados-Membros. É o que se abordará a seguir.

---

[12] Confira-se em <http://www.state.gov/j/inl/rls/nrcrpt/2015/vol1/238912.htm>.

II. Uma história de insucesso

19. Apesar de todos os esforços empreendidos, a constatação mais óbvia é a de que a "guerra às drogas", liderada pelos Estados Unidos, fracassou. Transcorridos mais de 50 anos da celebração da Convenção Única sobre Entorpecentes, é evidente que um mundo livre do consumo abusivo de drogas é uma realidade distante, senão inatingível. A criminalização do consumo e a repressão à cadeia produtiva não lograram reduzir o uso de drogas. Pelo contrário, durante todo o tempo, a demanda por narcóticos permaneceu relativamente estável[13]. Pequenos êxitos na eliminação de uma fonte de produção e na redução do consumo de uma dada substância foram sempre compensados pela migração da produção para outras áreas e pelo aumento do consumo de outras substâncias.

20. Tal fracasso é hoje reconhecido por diversos organismos e entidades internacionais. Relatórios elaborados pela Comissão HIV e Direito, pela Organização dos Estados Americanos – OEA e pela Comissão de Combate às Drogas na África Ocidental, apenas para citar alguns, afirmam a necessidade de mudanças no enfrentamento do problema, com foco em políticas de saúde dos consumidores e na repressão dos verdadeiros responsáveis pela traficância, e não nos usuários, mulas e pequenos traficantes[14]. Também a Comissão Global de Políticas sobre Drogas, formada por líderes mundiais e reconhecidos intelectuais, reconhece a falência da estratégia de repressão que vem sendo adotada e a necessidade de uma revisão completa das leis e políticas nos planos nacional e mundial[15]. Até mesmo o Diretor Executivo

---

[13] UNODC, Relatório Mundial Sobre Drogas 2006 (Vienna: United Nations, 2006); UNODC, Relatório Mundial Sobre Drogas 2014 (Vienna: United Nations, 2014). Cerca de 5% da população mundial adulta são consideradas consumidores de tais substâncias, sendo que menos de 1% desse contingente se refere a pessoas com uso problemático e dependência química.

[14] Comissão Global sobre o HIV e Direito. Risco, Direitos e Saúde. Disponível em: <http://www.hivlawcommission.org/resources/report/FinalReport-Risks,Rights&Health-PT.pdf>; Organização dos Estados Americanos. El Problema de Las Drogas em Las Américas, 2013. Disponível em: <http://www.pnsd.msssi.gob.es/novedades/pdf/OEAS_Informe.pdf>; Comissão de Combate às Drogas na África Ocidental. Não Simplesmente em Trânsito: As drogas, o Estado e a sociedade na África Ocidental. Disponível em: < http://www.wacommissionondrugs.org/report/>.

[15] V. Comissão de Combate às Drogas na África Ocidental, Relatório Guerra às Drogas, de junho de 2011. Apenas para citar alguns, os membros da Comissão Global de Política sobre Drogas, Kofi Annan, ex-Secretário-Geral das Nações Unidas, Jorge Sampaio, ex-Presidente de Portugal, Mario Vargas Llosa, Peru, César Gavíria, ex-Presidente da Colômbia, Ernesto Zedillho, ex-Presidente do México, Paul Volcker, ex-Presidente do Banco Central dos Estados Unidos,Ruth Dreifuss, ex- Ministra dos Assuntos Sociais e ex-Presidente da Suíça, George Shultz, ex-Secretário de Estado dos EUA, Fernando Henrique Cardoso, ex-Presidente do

do Escritório das Nações Unidas contra a Droga e o Crime (UN Office on Drugs and Crime – UNODC), Antonio Maria Costa, admitiu, em 2008, em *paper* informal com o balanço da última década de combate às drogas, que o sistema de controle atualmente vigente teria falhado, sendo o responsável por consequências adversas inesperadas[16].

21. Esse diagnóstico, que tem angariado cada vez um número maior de adeptos, aponta os desastrosos resultados da atual política repressiva e proibicionista. Como mencionado pelo pesquisador norte-americano Ted Carpenter, "*a guerra* às *drogas assemelha-se a uma guerra real em um* único *aspecto: causa uma quantidade estupenda de danos colaterais*"[17]. É possível citar pelo menos três danos colaterais especialmente gravosos da "Guerra às Drogas", nos planos internacional e interno.

22. Em primeiro lugar, ao invés de reduzir o comércio dessas substâncias, a política de proibição de drogas produziu um poderoso mercado negro e permitiu o surgimento ou o fortalecimento do crime organizado. O poder do tráfico parece ter aumentado no mundo e a clandestinidade do comércio foi associada ao aumento de outros crimes vinculados à atividade ilícita. A Comissão Global de Política sobre Drogas pontua que a violência é inerente aos mercados ilícitos de drogas e que o combate pelo poder público pode, inclusive, involuntariamente, incrementar esse ambiente violento[18]. O vácuo de poder criado pela prisão dos chefes do tráfico enseja, muitas vezes, lutas que afetam as comunidades do entorno. Além disso, o tráfico ilícito pode também ser meio de fortalecimento de grupos armados que operam à margem da lei, como ocorre nas regiões de produção de ópio, como o Paquistão e o Afeganistão[19].

23. No Brasil, os problemas da criminalidade urbana associada ao narcotráfico são notórios. O comércio internacional e interno de drogas ilícitas está diretamente associado ao tráfico de armas, que são

---

Brasil. Fora desta Comissao, também merecem referência na oposição à atual política de drogas, o ex-Presidente americano Bill Clinton, Luiz Eduardo Soares, ex-secretário de Segurança Pública no Rio de Janeiro e ex-Secretário Nacional de Segurança Pública, Pedro Vieira Abramovay, ex-Secretário Nacional de Justiça, José Mariano Beltrame, Secretário de Segurança do Rio de Janeiro.

16 Adriano Costa, 'Making drug control "fit for purpose": Building on the UNGASS decade', 2008.

17 SILVA, Luiza Lopes da. A questão das drogas nas relações internacionais: uma perspectiva brasileira. Brasília:Fundação Alexandre Gusmão, 2013. p. 120.

18 Comissão Global de Políticas sobre Drogas . Guerra às Drogas: Relatório da Comissão Global de Políticas sobre Drogas 2011. Disponível em: <http://www.globalcommissionondrugs.org/reports/>.

19 Disponível em <http://www.globalcommissionondrugs.org/reports/>. Acesso em 7.6.2015.

utilizadas nas disputas locais por território e nos enfrentamentos com o poder público, afetando em grande escala os índices de criminalidade gerais. Além disso, diversas favelas e comunidades carentes em várias cidades do país, como Rio de Janeiro e São Paulo, sofrem com a ação de facções criminosas dedicadas ao tráfico ilícito de narcóticos e com o domínio que estes grupos exercem sobre as populações locais. A quantidade de dinheiro que a droga faz girar dá aos barões do tráfico o poder de dominar, explorar e oprimir as comunidades mais pobres. Adiante se voltará ao tema.

III. Novos rumos no Mundo e no Brasil

24. Gradualmente, está surgindo no debate global uma nova perspectiva sobre o problema das drogas. Ao lado do reconhecimento da necessidade de algum nível de controle pelos Estados da produção, comércio e consumo de substâncias psicoativas, há também a percepção equilibrada de que a proibição *tout court*, nos moldes em que existe, não atende às necessidades dos povos em termos de saúde e segurança pública. Na última década, as políticas associadas aos usuários – diretamente relacionadas ao objeto deste recurso extraordinário – são as que mais têm avançado.

25. Como se viu acima, as convenções internacionais de referência sobre controle de drogas obrigam os países signatários a criminalizar as condutas de produção ilícita e tráfico de drogas, com especial enfoque para as transações transnacionais. Há, contudo, espaço normativo para que a legislação dos Estados-Membros atribua tratamento diferenciado ao usuário de drogas. Nessa linha, alguns países da Europa, como Portugal, Holanda e Espanha, diversos Estados norte-americanos e países da América Latina, como o Uruguai, a Argentina e a Colômbia, já trilham caminhos diversos para o tratamento da questão das drogas, com especial atenção ao consumidor.

26. Na Europa, alguns Estados têm adotado uma série de medidas de tratamento, educação e reintegração para usuários, alternativas ou adicionais à condenação e punição, com resultados positivos[20]. A

[20] O acompanhamento das diversas espécies de medidas adotadas pelos diferentes países tem sido feito nos últimos 19 (dezenove) anos pelo Observatório Europeu da Droga e Toxicodependência. As avaliações são apontadas como inconclusivas, mas sugerem resultados positivos. A política que norteia essas ações se desenvolve em duas linhas: (i) redução de danos aos usuários e à sociedade causados pelos usuários problemáticos e; (ii) enfrentar o ônus que os usuários não problemáticos geram ao sistema de justiça (European Monitoring Centre for Drugs and Drug Addiction (2015), Alternatives to punishment for drug-using offenders, EMCDDA Papers, Publication Office of the European Union, Luxembourg).

experiência de Portugal, já em vigor por quase 15 anos, tem chamado a atenção da comunidade internacional pela redução dos problemas associados ao consumo e tráfico de substâncias entorpecentes. No ano de 2000, Portugal aprovou a Lei nº 30[21], que entrou em vigor em 1.07.2001, descriminalizando o porte de todas as drogas para consumo pessoal e implementando uma abordagem centrada em saúde e em políticas de redução de danos. Atualmente, a pessoa surpreendida na posse de drogas em quantidade equivalente a até 10 dias de consumo – no caso da maconha, até 25 gramas[22] – em condições que não evidenciem o delito de tráfico, é submetida a procedimento de natureza administrativa, e não mais criminal. Após o balanço de uma década da nova política, constatou-se que (i) o consumo de drogas em geral não disparou – houve até mesmo diminuição do consumo de drogas entre jovens –, (ii) houve aumento do número de toxicodependentes em tratamento, e (iii) houve redução da infecção de usuários de drogas pelo vírus HIV[23].

27. A Holanda também centra suas forças no tráfico ilícito e tem, em relação ao usuário, uma política orientada pelo paradigma da saúde. A legislação distingue dois grupos de drogas, as pesadas e as leves. A posse de até 5 gramas de drogas leves como a maconha, em princípio, não é objeto de punição, e há tolerância para o consumo dessas substâncias em locais especialmente reservados[24]. Há, ainda, uma consistente política de contenção de danos no que concerne a drogas pesadas, por meio de programas oficiais de troca de agulhas e seringas e tratamento com metadona.

28. Já na Espanha, a lei penal não criminaliza o uso de drogas, mas estabelece sanções administrativas para o uso em público. Atualmente, o porte de até 100 gramas de maconha é considerado para uso pessoal,

---

21 "O legislador ordinário não efectivou a despenalização do consumo de drogas. A Lei nº 30/200 é um exemplo da **descriminalização em sentido *técnico* ou *estrito*,** ou seja, **desqualificou a conduta enquanto crime, reduzindo formalmente a competência de intervenção penal quanto à conduta consumo de droga.** A conduta "consumo" de droga deixou de consignar a prática de um crime para passar a ser considerada uma contra-ordenação (art. 2º, nº 1, da Lei nº 30/2000) (...)."VALENTE, Manuel Monteiro Guedes. Consumo de Drogas. Coimbra: Almedida, 2014, p. 53

22 Os quantitativos foram regulamentados pela Portaria nº 94/96, de 26/03, retificada pela Declaração de Rectificação nº 11-H/96. Confira-se em: <http://www.pgdlisboa.pt/leis/lei_mostra_ articulado.php?nid=192&tabela=leis&so_miolo=>

23 V. Glenn Greenwald. *Drug Descriminalization in Portugal*: Lessons for creating fair and successful durg policies, 2009; Cfr: <http://www.dn.pt/inicio/portugal/interior.aspx?content_id=1837101>.

24 Os quantitativos foram regulamentados pela Portaria nº 94/96, de 26/03, retificada pela Declaração de Rectificação nº 11-H/96. Confira-se em: <http://www.pgdlisboa.pt/leis/lei_mostra_ articulado.php?nid=192&tabela=leis&so_miolo=>.

não sujeitando o usuário a sanções penais, mas apenas a multas e à suspensão da carteira de habilitação para dirigir[25-26]. A ausência de sanções penais para o uso privado permitiu também a criação dos chamados clubes de *cannabis*. Estes são espaços, sem fins lucrativos, de consumo e acesso à substância, restrito a limitado número de pessoas maiores de idade[27].

29. Nos Estados Unidos da América, cerca de três dezenas de estados descriminalizaram a posse de *cannabis* para uso medicinal; quase 1 dezena de estados descriminalizou a posse e o plantio de maconha para uso recreativo; e os estados do Colorado, Oregon, Washington-DC e Alasca legalizaram o comércio dessa substância[28]. Muitos desses estados adotaram, como critério objetivo para diferenciar o uso do tráfico de drogas, limites quantitativos (*threshold quantities*) que variam de 14 a 57 gramas (0,5 a 2 oz.). O limite mais comum é, porém, o de 28 g (1 oz.) de maconha. Alguns desses estados também caracterizam como uso o cultivo de até 6 plantas de *cannabis*. De todas essas experiências, merece registro especial a trajetória da legalização da maconha no Alasca, já que conta com decisão da Suprema Corte daquele estado, no caso *Ravin x State*, julgado em 1975, que declarou que o direito constitucional à privacidade previsto na Constituição estadual habilitava os cidadãos

---

[25] Confira-se em: <https://www.boe.es/diario_boe/txt.php?id=BOE-A-2015-3442>.

[26] Disponível em: <http://www.emcdda.europa.eu/html.cfm/index99321EN.html>. Os valores máximos foram fixados por precedentes judiciais e se referem à estimativa de 5 dias de consumo, conforme estabelecido pelo Instituto Nacional de Toxicologia espanhol, em 31.01.2004

[27] A nova *Ley de Seguridad Ciudadana*, que entrou em vigor no dia 01.07.2015, vem sendo considerada, no entanto, uma ofensiva contra o consumo da maconha e um retrocesso no modelo espanhol de tratamento da matéria, seja pelas pesadas multas (que variam de 600 a 30 mil euros), seja pelas restrições à sua substituição pela inclusão em programas de desintoxicação (aplicável apenas a menores).

[28] V. Comissão Global de Políticas sobre Drogas. Sob Controle: caminhos para políticas que funcionam, 2014. Disponível em: < http://www.gcdpsummary2014.com/bem-vindo/#foreword-from-the-chair-pt>. No Colorado, de acordo com a Emenda 64, adultos maiores de 21 anos podem legalmente possuir 28 gramas de maconha. Não residentes do Colorado só podem adquirir 7 gramas por transação. A legislação não permite o consumo aberto e público, que pode configurar infração administrativa. A Medida 91 aprovada no estado do Oregon, em vigor desde 01.07.2015, permite aos residentes o cultivo e posse de pequenas quantidades de maconha, bem como confere autoridade ao poder público para tributar, licenciar e regular o cultivo, venda e comércio do produto. Em Washington-DC a legalização adveio pela aprovação popular da Iniciativa 71, votada nas eleições de novembro de 2014. A legislação permite que maiores de 21 anos cultivem em suas propriedades até 6 plantas de maconha (não mais que 3 maduras) ou tenham a posse de até 56 gramas da substância. O consumo deve ser privado. A aprovação da Medida 2 pelo Alasca igualmente legalizou a posse de até 28 gramas de maconha por maiores de 21 anos naquele estado, bem como o consumo privado. Ainda não há um marco regulatório para o comércio recreativo e subsiste a configuração do delito de tráfico e comércio ilícito da substância.

adultos a possuírem pequenas quantidades da droga para uso pessoal[29]. Para a Corte, não havia prova de que o uso da substância nos limites privados da residência causaria danos ao usuário ou a terceiros, deslegitimando a criminalização.

30. Nas Américas, o Uruguai tornou-se, em 2013, o primeiro país do mundo a legalizar a produção, comércio e consumo da maconha, permitindo que o Estado assuma o total controle da cadeia produtiva da droga. A lei aprovada permite que os indivíduos portem até 40 gramas de maconha, autoriza o cultivo doméstico de até 6 plantas fêmeas de *cannabis*, com produção de até 480 gramas anuais, cria clubes de cultivo de *cannabis*, e prevê a comercialização da droga em farmácias, entre muitos outros aspectos[30].

31. Em alguns países, o Poder Judiciário, e não o Legislativo, foi o responsável pela descriminalização do consumo de substâncias entorpecentes. Na Argentina, a descriminalização do porte de drogas para consumo pessoal foi realizada por decisão de sua corte constitucional em 2009[31]. No caso concreto, 5 corréus haviam sido condenados por portar, cada um, em torno de três cigarros de maconha (com doses entre 0,283 e 5 gramas). Ao analisar a hipótese, a Suprema Corte argentina decidiu que o tipo penal de posse de droga para consumo próprio é inconstitucional, por violação ao artigo 19 da Constituição argentina[32], que protege o direito à vida privada. No caso, a Corte afirmou que o direito à privacidade consiste em limite ao poder punitivo do Estado e considerou o fracasso do efeito dissuasivo da norma incriminadora para fins do enfrentamento do consumo de drogas na sociedade.

32. O caminho de descriminalização por meio da jurisdição constitucional também foi adotado na Colômbia. Já em 1994, a Corte Constitucional colombiana proferiu decisão histórica, declarando a inconstitucionalidade da criminalização do consumo de drogas[33]. No entanto, o Congresso reformou a Constituição em 2009 para proibir

---

[29] Suprema Corte do Alasca, Caso Ravin v. State, 537 P. 2 d494. Disponível em: <http//govt.westlaw.com/akcases/Search/Tem plate/Party>.

[30] Cf. Uruguai, Lei n. 19.172, de 10.12.2013.

[31] Argentina, Suprema Corte de Justiça. Recurso de Hecho A. 891.XLIV n 9080, j. em 25.08.2009. Este ultimo pronunciamento da Corte representa o restabelecimento da jurisprudência firmada em 1986 no designado caso *Bazterrica*. Na ocasião, foi declarada a inconstitucionalidade da antiga lei de tóxicos argentina.

[32] Veja-se a redação do dispositivo constitucional: "*Las acciones privadas de los hombres que de ningun modo ofendan al orden y a la moral publica, ni perjudiquen a un tercero, estan solo reservadas a Dios, y exentas de la autoridad de los magistrados. Ningun habitante de la Nacion sera obligado a hacer lo que no manda la ley, ni privado de lo que ello no prohíbe*".

[33] Colômbia, Corte Constitucional da Colômbia, Sentença C-221, j. em 05.05.1994.

o porte de substâncias psicoativas para consumo pessoal. Então, em sentença de 2012, o plenário da Corte Constitucional reafirmou sua decisão anterior, declarando que o porte de drogas para uso próprio não pode ser criminalizado[34]. O caso analisado dizia respeito a um jovem condenado a 64 meses de prisão pelo porte de 1,3 gramas de cocaína para uso pessoal. A lei penal colombiana fixava, expressamente, a dose pessoal em até 1 grama. A Corte entendeu, porém, que, tendo-se comprovado que dose era para consumo próprio, ficaria afastada a possibilidade de tutela penal.

33. Em linha com a correção de rumos no âmbito interno dos países, a sessão especial da Assembleia Geral sobre drogas da ONU (UNGASS), concluída em abril de 2016, apontou para o reconhecimento da necessidade de novas políticas que promovam um maior equilíbrio entre a repressão ao tráfico e as perspectivas da saúde pública e da centralidade dos direitos humanos[35]. Persiste a expectativa de que o sistema normativo internacional possa ser modificado em um futuro próximo, alterando-se o foco repressivo e proibicionista atualmente em vigor.

Parte II
Fundamentos jurídicos para a declaração de inconstitucionalidade do art. 28 da Lei de Drogas

I. A tipificação penal do Porte de Drogas para uso pessoal

34. O art. 281 do Código Penal, em sua redação original, não contemplava a figura do porte de drogas para consumo pessoal até a alteração legislativa introduzida pelo Decreto-lei nº 385/1968[36]. No idos de 1965, ainda na vigência original do dispositivo, o Ministro Aliomar Baleeiro, relator do HC 47.950-SP afirmava:

---

[34] Colômbia, Corte Constitucional da Colômbia, Sentença C-491/12, j. em 28.06.2012.

[35] V. Paula Ferreira e Sergio Matsuura, "Nações Unidas aprovam nova política de drogas". *O Globo*, 20 abr. 2016 (https://oglobo.globo.com/sociedade/nacoes-unidas-aprovam-nova-politica-de-drogas-19129673). Documento da 13ª Sessão Especial da Assembleia Geral da ONU, intitulado "Our joint commitment to effective addressing and countering the world drug problem". Disponível em: https://www.unodc.org/documents/postungass2016/outcome/V1603301-E.pdf.

[36] Art. 281. Importar ou exportar, preparar, produzir, vender, expor a venda, fornecer ainda que gratuitamente, ter em depósito, transportar, trazer consigo, guardar, ministrar ou entregar, de qualquer forma, a consumo substância entorpecente, ou que determine dependência física ou psíquica, sem autorização ou de desacôrdo com determinação legal ou regulamentar (Comércio, posse ou facilitação destinadas à entorpecentes ou substância que determine dependência física: Pena – reclusão, de um a cinco anos, e multa de 10 a 50 vêzes o maior salário mínimo vigente no país. (Redação introduzida pelo Decreto-Lei 385/1968).

"[O] Paciente foi surpreendido quando transmitia a outro encarcerado um cigarro de maconha. Em poder dele foram encontrados 30 centigramas dessa substância, – menos de 1/3 de cigarro. O fato ocorreu em 1965, antes da alteração do art. 281 do Código Penal. II. Em harmonia com caudalosa jurisprudência do Supremo Tribunal Federal, concedo o habeas corpus, porque a ínfima quantidade presume a finalidade do uso de viciados. Aliás, é notório que, no Brasil, o fumo da maconha, sobretudo, vício dos presos na luta contra o tédio e a ociosidade carcerária".

35. Passados 50 anos daquele julgado, esta Corte é confrontada com situação fática quase idêntica. Conforme os fatos assentados pelas instâncias precedentes, o recorrente, encarcerado no estado de São Paulo, foi surpreendido na posse de 3 gramas de maconha na cela em que cumpria pena. Não há nos autos qualquer prova ou indício de comércio ou de fornecimento gratuito a terceiros.

36. No cenário atual, porém, a Lei nº 11.343/2006 criminaliza o porte de drogas, ainda que para uso próprio[37]. Seu artigo 28, inserido no capítulo "Dos crimes e das penas", tipifica as condutas de "*adquirir, guardar, ter em depósito, transportar ou trazer consigo, para consumo pessoal, drogas sem autorização ou em desacordo com determinação legal ou regulamentar*", e comina as penas de advertência, prestação de serviços à comunidade e comparecimento a programa ou curso educativo. Como se vê, não há previsão de pena privativa de liberdade. Esta lei estabeleceu um regime mais benéfico em relação àquele instituído pela Lei nº 6.386/76 (Lei de Entorpecentes), anteriormente vigente, que punia com prisão de 6 meses a 2 anos o porte de drogas para consumo pessoal[38].

37. O fato de a Lei de Drogas não ter cominado pena privativa de liberdade pela prática das condutas descritas no art. 28 ensejou alguma perplexidade acerca da natureza penal do ilícito descrito. Isto em razão do art. 1º da Lei de Introdução ao Código Penal, que dispõe ser considerado crime "*a infração penal que a lei comina pena de reclusão ou de detenção, quer isoladamente, quer alternativa ou cumulativamente com*

---

[37] A partir da alteração do art. 281 do CP, em 1968, que agravou o trato dispensado ao usuário de drogas, quase uma década se passou para que o legislador alterasse o vetor da política dispensada ao consumidor de drogas. Em 1976, editou-se a Lei nº 6.386/76, que manteve a criminalização e punição com privação de liberdade do porte para consumo, mas estabeleceu tratamento mais benéfico para a conduta, comparativamente à disciplina então vigente no Código Penal.

[38] Art. 16. Adquirir, guardar ou trazer consigo, para o uso próprio, substância entorpecente ou que determine dependência física ou psíquica, sem autorização ou em desacordo com determinação legal ou regulamentar: Pena - Detenção, de 6 (seis) meses a 2 (dois) anos, e pagamento de (vinte) a 50 (cinqüenta) dias-multa.

a pena de multa". A questão, no entanto, foi dirimida pelo Supremo Tribunal Federal por ocasião do julgamento do RE 430.105 QO, de relatoria do Ministro Sepúlveda Pertence. Neste julgamento, a Corte considerou que a lei brasileira apenas "despenalizou" a conduta de posse de droga para consumo pessoal, de modo que, a despeito da definição da Lei de Introdução ao Código Penal, tal conduta permanece ostentando a natureza jurídica de crime. Veja-se o seguinte trecho da ementa deste julgado:

> "I. Posse de droga para consumo pessoal: (art. 28 da L. 11.343/06 - nova lei de drogas): natureza jurídica de crime. 1. O art. 1º da LICP – que se limita a estabelecer um critério que permite distinguir quando se está diante de um crime ou de uma contravenção – não obsta a que lei ordinária superveniente adote outros critérios gerais de distinção, ou estabeleça para determinado crime – como o fez o art. 28 da L. 11.343/06 – pena diversa da privação ou restrição da liberdade, a qual constitui somente uma das opções constitucionais passíveis de adoção pela lei incriminadora (CF/88, art. 5º, XLVI e XLVII). 2. Não se pode, na interpretação da L. 11.343/06, partir de um pressuposto desapreço do legislador pelo "rigor técnico", que o teria levado inadvertidamente a incluir as infrações relativas ao usuário de drogas em um capítulo denominado "Dos Crimes e das Penas", só a ele referentes. (L. 11.343/06, Título III, Capítulo III, arts. 27/30). (...) 6. Ocorrência, pois, de "despenalização", entendida como exclusão, para o tipo, das penas privativas de liberdade. 7. Questão de ordem resolvida no sentido de que a L. 11.343/06 não implicou abolitio criminis (C. Penal, art. 107). (...)."

38. Em verdade, o tipo penal previsto no artigo 28 da Lei de Drogas torna mais brandas as consequências penais impostas aos usuários de drogas, afastando a possibilidade de que sejam condenados a pena privativa de liberdade. No entanto, neste regime, subsistem tanto a natureza delitiva da conduta, como o caráter estigmatizante da tutela penal do comportamento. Como destacado pela instituição Viva Rio, admitida como *amicus curiae* neste feito, *"a Lei em comento prevê, dentre as sanções para o usuário de drogas, a prestação de serviços à comunidade, pena restritiva de direitos destinada a crimes com pena privativa de liberdade superior a seis meses (CP, art. 46), fato que distancia o comportamento – mesmo na seara material – de uma mera infração administrativa, no que concerne* às *consequências jurídicas do ato"*.

39. Remanesce, portanto, a necessidade de pronunciamento desta Corte a respeito da constitucionalidade do tratamento penal da conduta de posse de drogas para consumo pessoal.

II. Violação aos Direitos à Intimidade, à Vida Privada e à Autonomia

40. A questão submetida a esta Corte diz respeito à legitimidade da criminalização das condutas de adquirir, guardar, ter em depósito, transportar ou trazer consigo drogas para consumo pessoal, à luz da Constituição Federal. A tese central do recorrente é de que a tipificação de tais condutas descritas no art. 28 da Lei nº 11.348/2006 viola os direitos à intimidade e à vida privada, previstos no artigo 5º, inciso X, da Constituição[39]. É necessário, assim, definir o conteúdo e alcance desses direitos, para que se possa estabelecer se houve ou não excesso por parte do legislador no exercício do poder/dever de criminalizar condutas para a proteção de bens jurídicos relevantes.

41. De forma geral, os direitos à intimidade e à vida privada, compreendidos no conceito mais amplo do direito à privacidade, protegem as pessoas na sua individualidade e resguardam o direito de estarem sós[40]. O direito à privacidade possui, entre outras, uma dimensão decisional, que se refere ao reconhecimento de espaços de liberdade no foro íntimo dos indivíduos, para que possam eleger seus modos de ser e viver e realizar plenamente as concepções de vida eleitas, independentemente dos juízos éticos ou morais formulados pela sociedade circundante. Um aspecto central desses direitos é, assim, a reserva de uma esfera intangível à intromissão de terceiros ou do Estado, a qual se identifica com o exercício da sua autonomia privada.

42. A autonomia, por sua vez, é uma das principais dimensões do princípio da dignidade da pessoa humana, eleito como um dos fundamentos da República, nos termos do art. 1º, III, da Constituição. Ela corresponde justamente ao livre arbítrio dos indivíduos, que lhes permite buscar, da sua própria maneira, o ideal de viver bem e de ter uma vida boa. A noção central da autonomia é a capacidade de autodeterminação, isto é, o direito de as pessoas definirem, elas próprias, os rumos de suas vidas e de desenvolver livremente a própria personalidade. Significa, assim, o poder de realizar as escolhas morais relevantes, assumindo a responsabilidade pelas decisões tomadas.

43. A proteção constitucional dos direitos à privacidade e à autonomia individual impõe ao Estado a adoção de uma postura de neutralidade em relação a diferentes concepções de vida boa coexistentes em uma sociedade plural e democrática, como a brasileira. Há

---

[39] Constituição Federal, art. 5º: "X - São invioláveis a intimidade, a vida privada, a honra e a imagem das pessoas, assegurado o direito a indenização pelo dano material ou moral decorrente de sua violação"

[40] Samuel D. Warren e Louis D. Brandeis. The right to privacy. *Harvard Law Review* 4:193, 1890.

decisões que o Estado pode tomar legitimamente, em nome de interesses e direitos diversos. Mas decisões sobre escolhas existenciais e outras opções personalíssimas que não violem direitos de terceiros não podem ser subtraídas do indivíduo, sob pena de se violar sua privacidade, sua autonomia e sua dignidade. Rejeitam-se, assim, intervenções estatais paternalistas ou moralistas, que imponham ao indivíduo determinados padrões de conduta e preferências, ao pressuposto de que ele não tem capacidade para escolher o que é melhor para si ou de que suas escolhas são moralmente equivocadas, com base em um determinado padrão moral majoritário.

44. Estabelecida a premissa de que o indivíduo possui uma esfera de autonomia e privacidade que deve ser preservada da ingerência estatal, é preciso definir se o consumo de drogas está sob o espectro dessa proteção. Entendo que, ainda que parte da população considere este comportamento danoso, perigoso, errado, inaceitável ou mesmo imoral, ele representa uma decisão pessoal, circunscrita à esfera íntima do usuário, e que não afeta, por si só, as escolhas e modos de vida de terceiros. Está, assim, incluído no âmbito de proteção dos direitos à intimidade e à vida privada e da autonomia. Disso resulta que a criminalização do porte de drogas para uso próprio, nos termos do art. 28 da Lei nº 11.343/2006, importa necessariamente uma restrição a esses direitos constitucionais.

45. No caso dos autos, poder-se-ia questionar se o uso de drogas pelo acusado na cela em que cumpria pena por outros delitos está sob o amparo da proteção à privacidade e à autonomia. Não nego que, ao ingressar no sistema prisional, o preso tem sua autonomia e privacidade mitigadas e que não lhe é dado consumir drogas ou ingerir bebidas alcoólicas dentro do estabelecimento penal, o que é ínsito à inserção em uma instituição disciplinar total[41]. Isto não significa, é claro, que ele seja despido de sua condição humana e dos direitos e garantias a ela inerentes. É evidente que, ainda que com as limitações próprias da condenação, o preso mantém os direitos à privacidade e intimidade. Porém, a questão que se coloca neste processo não é de saber se o preso pode ou não consumir drogas em um presídio. O que se afirma apenas é que as condutas exclusivamente direcionadas ao uso não podem ser criminalizadas. Isso não torna, de maneira nenhuma, o consumo de drogas lícito ou permitido nos estabelecimentos penais. Caberá,

---

41 Michel Foucault, Vigiar e Punir: nascimento da prisão.; tradução de Raquel Ramalhete. Petrópolis: Vozes, 1987

porém, ao Estado garantir que a substância ilícita não ingresse nesses estabelecimentos e sancionar o preso administrativamente quando este for encontrado em posse de drogas, impondo-lhe punição disciplinar, com todos os seus consectários legais. Portanto, o caso concreto em nada contamina a tese que se adota neste processo: a de que a decisão de consumir drogas, por mais reprovável que seja, está inserida no âmbito da autonomia individual e da privacidade.

46. Eventual alegação de que a criminalização não atinge o uso de drogas propriamente dito, mas apenas a aquisição, a guarda, o depósito, o transporte e o porte dessas substâncias, não valeria para afastá-las da esfera privada do indivíduo. É inquestionável que todas as condutas incriminadas pela norma estão direcionadas, exclusivamente, a viabilizar a decisão do consumo pessoal. E mais: veja-se que o próprio tipo penal do art. 28 da Lei de Drogas circunscreve as condutas ao âmbito individual do usuário da substância, já que contém em sua descrição o elemento subjetivo especial do injusto "para consumo pessoal". A ausência desse elemento descaracteriza por completo o ilícito penal[42]. Nesse sentido, a conduta criminalizada somente se aperfeiçoa se estiver limitada à esfera privada. Portanto, não há dúvida de que o art. 28 da Lei de Drogas atinge diretamente os direitos à privacidade e à autonomia[43].

47. Por óbvio, isso não significa que a intimidade, a vida privada e a autonomia sejam direitos absolutos, insuscetíveis de restrição. Ao contrário, admite-se a imposição de limitações a esses direitos. Sua validade constitucional estará, porém, condicionada à observância de determinados limites (os "limites dos limites"), entre os quais se destacam: (i) o objetivo de proteção de outros interesses e valores constitucionais relevantes, de elevado valor axiológico, e (ii) a observância do princípio da proporcionalidade, em sua tríplice dimensão (art. 5º, LIV, CRFB).

48. Tais requisitos projetam-se no campo do direito penal a partir de dois princípios: a lesividade e a subsidiariedade. O princípio da lesividade, também conhecido como princípio da ofensividade ou da alteridade, prescreve que somente pode ser considerada criminosa a

---

[42] Como leciona Jorge de Figueiredo Dias, "o elemento questionado pertence ao tipo de ilícito se ele serve ainda a definição de uma certa espécie de delito e se refere, por esta via, ao bem jurídico protegido, ou se visa ainda caracterizar o objecto da acção, a forma da sua lesão ou qualquer tendência relevante para o ilícito." (Direito Geral. Parte Geral. Tomo I: Questões Fundamentais. A Doutrina Geral do Crime. Coimbra: Coimbra Editora, 2012, p. 380).

[43] Sobre os limites do direito de punir do Estado e sua relação com a autonomia, cf. FEINBERG, Joel. Harm to self. Nova Iorque: Oxford, 1986.

conduta que lesione bens jurídicos alheios. Desse modo, se a conduta não extravasa o âmbito individual, o Estado não pode atuar pela via da criminalização. Já o princípio da subsidiariedade, também denominado princípio da intervenção mínima do direito penal, determina que a imposição de uma penalidade criminal somente possa se efetivar como *ultima ratio, i.e.*, quando não houver outro modo menos gravoso para tutelar os bens jurídicos alheios invocados como justificativa para a restrição.

49. Portanto, a criminalização não estará justificada quando: (i) não seja adequada à tutela do bem jurídico alheio eleito (*adequação*); (ii) haja outro meio igualmente idôneo e menos gravoso para a tutela desse bem jurídico (*necessidade ou vedação do excesso*); e (iii) a tipificação não se justifique a partir da análise de uma relação de custo-benefício (*proporcionalidade em sentido estrito*). No caso da intromissão estatal na esfera privada, com a repressão penal de escolhas individuais, o controle desses requisitos deve ser ainda mais rigoroso, já que a intervenção exercida pelo direito penal é a expressão mais drástica e gravosa do poder estatal. A compatibilidade entre a criminalização de uma conduta e o princípio da intervenção mínima não deve, porém, ocorrer apenas na análise de casos concretos, sendo possível também verificar se existe ou não essa correspondência em tese, isto é, em sede de controle abstrato.

50. Passo então a verificar se as restrições aos direitos à intimidade, à vida privada e à autonomia, promovidas pelo tipo do artigo 28 da Lei de Drogas, esbarram ou não nos limites impostos pelo princípio da proporcionalidade, refletido no direito penal a partir dos princípios da lesividade e da subsidiariedade.

III. O Princípio da Proporcionalidade e a Violação aos Princípios da Lesividade e da Subsidiariedade

51. Conforme se afirmou, o princípio da lesividade, alteridade ou ofensividade é tradução do dogma segundo o qual não há crime sem ofensa (*nullum crimen sine injuria*). No entanto, a conduta que importa ao Estado regular criminalmente é aquela que transcende a esfera do indivíduo, lesionando bens jurídicos alheios. Comportamentos adstritos ao âmbito privado e de autodeterminação pessoal, sem repercussões diretas sobre terceiros, devem ficar de fora da tutela penal. É preciso indagar, assim, quais os bens jurídicos relevantes tutelados pela norma incriminadora do artigo 28 da Lei nº 11.343/2006.

52. Em primeiro lugar, parece certo afirmar que o consumo de drogas tem, ao menos potencialmente, a possibilidade de afetar a saúde

do usuário, configurando autolesão[44]. No entanto, o bem jurídico "saúde individual" não tem a alteridade exigida para a legitimação da atuação penal do Estado. A criminalização da vítima ofende a própria lógica do sistema criminal, em que o dano a terceiros, potencial ou realizado, é imprescindível para justificar a criminalização.

53. Esse fato é comprovado pela análise da própria legislação penal. Com exceção do artigo 28 da Lei de Drogas, todos os tipos que contemplam a autolesão punem apenas a conduta dos terceiros que colaboram para a lesão ou a autolesão que afeta terceiros. Nesse sentido, o Código Penal criminaliza o induzimento, a instigação ou o auxílio ao suicídio, mas não a tentativa de suicídio em si (art. 122). Igualmente, pune o favorecimento da prostituição, a manutenção de estabelecimento para esse fim e o rufianismo, mas não a prostituição (arts. 228, 229 e 230). Tipifica também a ofensa à integridade corporal ou à saúde de outrem, mas não a autolesão (art. 129). Na verdade, quem lesa o próprio corpo ou saúde somente comete crime quando a autolesão se tratar de fraude para recebimento de indenização ou valor de seguro, em que o intuito de fraudar terceiro é elementar do tipo (art. 171, §2º, III).[45] As condutas do art. 28 da Lei de Drogas são, assim, as únicas no sistema penal brasileiro direcionadas a punir o próprio lesado.

54. Não ignoro que há quem sustente, sob a perspectiva do paternalismo penal, que seria possível legitimar a incriminação de condutas relativas ao consumo de drogas com o objetivo de proteger o usuário da diminuição de sua própria autonomia que seria potencialmente causada pela substância proscrita. Há, é certo, algumas drogas com significativo potencial para inibir as próprias condições de autodeterminação individual, como o *crack*. No entanto, a possibilidade de uso heterônomo da sanção criminal para a proteção do próprio indivíduo está proscrita no direito penal brasileiro. Ela encontra óbice tanto no

[44] Por certo, não é todo consumo de drogas que dará ensejo à autolesão, dependendo da substância escolhida, das quantidades ingeridas, e da frequência do uso. Segundo pesquisas do EMCDDA, apenas uma pequena fração de usuários classifica-se como de alto risco no âmbito da Europa (usuários recorrentes de drogas que se colocam em situação de risco e geram problemas sociais) European Monitoring Centre for Drugs and Drug Addiction (2015), Alternatives to punishment for drug-using offenders, EMCDDA Papers, Publication Office of the European Union, Luxembourg

[45] Veja-se, ainda, o furto de coisa comum de que trata o art. 156, §2º, em que a lesão a terceiro é pressuposto necessário e indispensável de punibilidade; o art. 272, §1º-A, que cuida da falsificação, corrupção, adulteração ou alteração de substância ou produtos alimentícios e apenas contempla a conduta manter em depósito para venda, não para consumo próprio, e os arts. 273 a 276, que dispõem sobre falsificação, corrupção e adulteração de produtos alimentícios, terapêuticos ou medicinais.

princípio da alteridade, quanto no princípio da intervenção mínima. Certamente, há outros meios menos gravosos e até mais idôneos que a criminalização para a proteção da saúde do usuário, e, consequentemente, de sua autonomia, como a oferta de tratamento, políticas de redução dos danos e programas de informação e prevenção.

55. Não sendo a proteção da saúde individual um bem jurídico apto a justificar a tutela penal, tem se sustentado que o artigo 28 da Lei de Drogas encontraria fundamento na proteção da "saúde pública". De acordo com o argumento, a inibição do consumo de substâncias entorpecentes pela via penal permitiria a repressão ao tráfico ilícito. Afinal, não há tráfico sem demanda, sem mercado consumidor. O raciocínio está estruturado da seguinte maneira: muito embora o porte de drogas não cause lesão a terceiros, ele é objeto da tutela penal porque estimula outros sujeitos (*e.g.*, o traficante) a adotar comportamentos capazes de causar lesão a terceiros (*e.g.*, a venda de drogas ou a prática de outros crimes). Nesse cenário, o tipo penal do art. 28 constituiria crime de perigo abstrato, que se configura pelo risco potencial que o consumo de drogas oferece à saúde da coletividade.

56. Há, porém, dois principais problemas nessa abordagem. Em primeiro lugar, criminalizar o consumidor para coibir o tráfico e punir o traficante significa responsabilizá-lo por condutas de terceiros, sobre as quais ele não tem qualquer controle. Nesse caso, fere-se tanto o princípio da responsabilidade penal pessoal, quanto o próprio princípio da dignidade humana. Como já tive oportunidade de afirmar, na sua expressão mais essencial, a dignidade exige que toda pessoa seja tratada como um fim em si mesma, não podendo ser instrumentalizada ou funcionalizada em prol dos interesses da coletividade.

57. Em segundo lugar, e com maior relevo, a tipificação do porte de drogas para consumo pessoal não é meio adequado ou necessário para a tutela do bem jurídico "saúde pública", violando, assim, o princípio da proporcionalidade e, por consequência, tanto a lesividade, quanto a subsidiariedade. Nesse particular, cabe esclarecer que não me filio ao seguimento da doutrina que defende que apenas condutas direcionadas a lesões concretas ou a um risco efetivo de lesão atenderiam ao princípio da ofensividade, de modo que os crimes de perigo abstrato seriam, por natureza, inconstitucionais[46]. Considero que o princípio da lesividade não impede que o legislador antecipe a tutela penal nos casos de risco

---

[46] Por todos que seguem essa linha de argumentação, menciono a posição de Cezar Roberto Bittencourt, *Tratado de Direito Penal. Parte Geral 1*, 17ª ed., São Paulo: Saraiva, 2011).

efetivo a bens jurídicos relevantes[47]. No entanto, como este Tribunal já assentou, essa forma de estruturar o delito encontra limite no princípio da proporcionalidade (RE 583.523, Rel. Min. Gilmar Mendes)[48]. Portanto, para que a ferramenta seja legítima, a tipificação deve constituir meio adequado, necessário e proporcional em sentido estrito para viabilizar a proteção ao bem jurídico pretensamente tutelado[49].

58. Nesse sentido, não parece questionável que o legislador ordinário possa lançar mão do direito penal como instrumento para proteger o bem jurídico saúde pública e que possa fazê-lo antecipando a proibição de condutas por meio de crimes de perigo abstrato. Qualquer sociedade civilizada impõe sanções cíveis e criminais para salvaguardar os direitos e a dignidade de terceiros. Exemplo do que se afirma é a conduta descrita pelo art. 306 do Código de Trânsito Brasileiro, que tipifica a condução de veículo automotor com capacidade psicomotora alterada em razão da influência de álcool ou de outra substância psicoativa que determine dependência[50]. Não há dúvida, portanto, que

---

[47] Sobre o debate acerca da constitucionalidade dos crimes de perigo abstrato, faço referência às considerações dogmáticas de Luis Greco, que sintetizam alguns relevantes aspectos envolvidos nessa especial forma de estruturação do delito. Modernização do direito penal, bens jurídicos coletivos e crimes de perigo abstrato. (Com um adendo: Princípio da ofensividade e crimes de perigo abstrato). Rio de Janeiro: Lumen Juris, 2011.

[48] No caso, o Supremo Tribunal Federal reconheceu a não recepção, pela Constituição de 1988, do art. 25 da Lei de Contravenções (Decreto-Lei no 3.688/1941), que tipifica a conduta de "Ter alguém em seu poder, depois de condenado, por crime de furto ou roubo, ou enquanto sujeito à liberdade vigiada ou quando conhecido como vadio ou mendigo, gazuas, chaves falsas ou alteradas ou instrumentos empregados usualmente na prática de crime de furto, desde que não prove destinação legítima". Nesse julgado, o Tribunal concluiu que o tipo representava ofensa aos princípios da dignidade humana, da isonomia e da presunção de inocência, à luz do princípio da proporcionalidade, afirmando que controle de constitucionalidade das infrações de perigo abstrato deve ser feito com extremo rigor, especialmente no que se refere "ao controle de adequação e a necessidade da medida, aferindo-se se o propósito almejado pela lei realmente pode ser obtido com a providência proposta."

[49] No mesmo sentido, Claus Roxin afirma que "a vinculação do Direito penal à proteção de bens jurídicos não exige só que haja punibilidade de lesão de bens jurídicos. É suficiente uma colocação em perigo de bens jurídicos, que em delitos de perigo concreto (p. ex. o §315 c: colocação em perigo do tráfego viário) o próprio tipo converte em requisito de punibilidade, enquanto que nos delitos de perigo abstrato (p. ex. o §316: condução sob influencia de bebidas) os bens jurídicos protegidos (aqui: vida, integridade corporal, valores patrimoniais) não se mencionam no tipo, mas que constituem só o motivo para a criação do preceito penal. (...) Somente está vedada a proteção de valores da ação e da atitude interna "flutuante", cuja lesão não tenha referencia alguma a um bem jurídico." Trad. Livre. (Derecho Penal. Parte General. Tomo I. Fundamentos. La Estructura de La Teoría Del Delito. Trad. Diego-Manuel Luzón Peña, Miguel Conlledo e Jarvier de Vicente Remensal. Madrid: Civitas, 1997. p. 60).

[50] Código Brasileiro de Trânsito, Art. 306. Conduzir veículo automotor com capacidade psicomotora alterada em razão da influência de álcool ou de outra substância psicoativa que determine dependência: Penas - detenção, de seis meses a três anos, multa e suspensão ou proibição de se obter a permissão ou a habilitação para dirigir veículo automotor.

a autonomia pessoal pode ser restringida para impedir comportamentos nocivos. O problema do artigo 28 da Lei de Drogas está precisamente na idoneidade do tipo penal para produzir o fim anunciado.

59. Como já se disse, as condutas tipificadas no art. 28 estão circunscritas à esfera do usuário, em razão do especial elemento subjetivo do injusto. Para que tais condutas relacionadas ao consumo pessoal pudessem ser limitadas em nome da saúde da coletividade, seria necessário apontar uma relação de adequação direta entre elas e o risco de lesão a terceiros. Porém, o uso da substância, por si só, não apresenta qualquer perigo à coletividade. Quando muito, pode configurar autolesão, o que somente afetaria o bem "saúde pública" de forma muito remota, deslegitimando a incidência da norma penal.

60. Mais do que isso, a estratégia de enfrentar as condutas relacionadas ao consumo de drogas por meio da criminalização (paradigma de repressão) inibe e limita o acesso dos usuários ao sistema de saúde (paradigma da saúde). Isso porque a possibilidade de enfrentar um processo penal e de sofrer condenação desestimula o toxicômano a procurar tratamento e auxílio. Ou seja, ao invés de promover a saúde pública, a criminalização produz o efeito reverso, excluindo e marginalizando os usuários de droga, sem atacar eventual dependência química. A vulnerabilidade dos usuários de drogas injetáveis aos vírus de HIV e Hepatite C é um dos aspectos que ilustram esse problema. Conforme dados do UNODC de 2014, estima-se que 13,1% do total desse grupo no mundo viva com o vírus HIV[51]. Desse modo, por todos os ângulos, a criminalização do porte de drogas para consumo pessoal é meio *inadequado* para o alcance da finalidade de tutela da saúde pública.

61. Ainda que se entendesse que a repressão penal ao consumo de drogas fosse meio idôneo a promover o bem "saúde pública", de modo a passar pelo teste da lesividade, não seria possível justificar a medida sob o prisma da subsidiariedade. Como se afirmou, o direito penal constitui o último e mais drástico instrumento de que se pode valer o Estado. Daí porque o legislador não é livre para tipificar penalmente toda e qualquer conduta em nome da saúde da coletividade, exigindo-se, ainda, que a tutela penal seja também um meio *necessário*, ou seja, que inexistam outros meios menos gravosos e igualmente idôneos para a proteção do bem jurídico em questão. Porém, no caso do porte de drogas para consumo pessoal, há relativo consenso entre os estudiosos

[51] United Nations Office on Drugs and Crime, *World Drug Report 2014* (United Nations publications, Sales Nº E.14.XI.7).

do assunto sobre a maior eficácia da criação de políticas públicas de saúde, em relação à repressão criminal do usuário.

62. Como já se viu, na última década, tornou-se cada vez mais evidente no cenário internacional que os males produzidos pela Guerra às Drogas, centrada em uma concepção proibicionista, têm superado largamente os seus benefícios. A forte repressão penal a essas substâncias e a criminalização do consumo produziram consequências mais negativas sobre as comunidades dominadas pelas organizações criminosas e sobre a sociedade em geral, do que aquelas produzidas pela droga sobre os usuários e sobre a saúde da coletividade em geral. Essa política tem importado em criminalização da pobreza, em aumento do poder do tráfico e em superlotação dos presídios, sem gerar benefícios reais para a redução da criminalidade, para o aumento da segurança e para a saúde pública. Portanto, além de meio inadequado, a tipificação das condutas relacionadas ao consumo pessoal de drogas é também desnecessário, violando o princípio da intervenção mínima do direito penal.

63. Por tudo isso, concluo que é inconstitucional a criminalização das condutas de adquirir, guardar, ter em depósito, transportar ou trazer consigo drogas para consumo pessoal, descritas no art. 28 da Lei nº 11.348/2006. A tipificação dessas condutas viola os direitos à intimidade e à vida privada (artigo 5º, X, CRFB) e o direito à autonomia privada, extraído do princípio da dignidade da pessoa humana (art. 1º, III, CRFB), assim como o princípio da proporcionalidade (art. 5º, LIV, CRFB). Independentemente de juízos éticos ou morais sobre o consumo de drogas, o artigo 28 da Lei de Drogas interfere diretamente sobre as escolhas pessoais dos indivíduos e atua no âmbito de sua esfera privada, em razão do especial elemento subjetivo do injusto contido na expressão "para consumo pessoal", sem que tal intromissão seja idônea e necessária para tutelar outro bem jurídico alheio relevante, notadamente a saúde pública.

64. Pelos mesmos fundamentos, declaro a inconstitucionalidade, por arrastamento, do §1º do artigo 28 da Lei nº 11.343/2006, dispositivo pelo qual se submete às mesmas penas do *caput,* "quem, para seu consumo pessoal, semeia, cultiva ou colhe plantas destinadas à preparação de pequena quantidade de substância ou produto capaz de causar dependência física ou psíquica". A criminalização da semeadura, cultivo e colheita para consumo pessoal, à semelhança das condutas descritas no *caput,* não atende aos princípios da lesividade e da subsidiariedade, violando, indevidamente, os direitos à intimidade, à vida privada e à autonomia e o princípio da proporcionalidade.

IV. A necessária distinção entre as condutas do Porte para Consumo Pessoal e para o Tráfico

65. Assentada a inconstitucionalidade da criminalização de todas as condutas que envolvem o tipo variado misto relacionado ao consumo pessoal de drogas, é preciso estabelecer critérios objetivos mínimos para distingui-las daquelas descritas no art. 33 da lei, relativas ao crime de tráfico, sob pena de tornar inócua a decisão deste Tribunal.

66. Como se sabe, a Lei de Drogas brasileira adotou o sistema da quantificação judicial para diferenciar, de um lado, as condutas relacionadas ao consumo de drogas descritas no art. 28, e, de outro, as práticas definidas como tráfico no art. 33. De acordo com o estabelecido no §2º, do art. 28, para determinar se a droga destinava-se a consumo pessoal, o juiz deve atender "*à natureza e à quantidade da substância apreendida, ao local e às condições em que se desenvolveu a ação, às circunstâncias sociais e pessoais, bem como à conduta e aos antecedentes do agente*". Portanto, a eficácia da declaração de inconstitucionalidade do artigo 28 da Lei nº 11.348/2006 e o efeito vinculante decorrente do reconhecimento da repercussão geral deste processo estão intrinsicamente vinculados à definição de critérios objetivos para diferenciar o tráfico do uso.

67. Mais do que viabilizar a efetividade da decisão desta Corte, a definição destes parâmetros atende a uma questão de ordem meta-jurídica especialmente relevante. É que, como se sabe, o sistema penal brasileiro é extremamente seletivo em relação à sua clientela preferencial. Segundo o Depen, quase 60% dos presos são negros e o nível de escolaridade de aproximadamente 70% dos detentos não passa do ensino fundamental. Apenas 0,4% dos presos completou o ensino superior[52]. No que se refere especificamente às drogas, dados demonstram que parte significativa dos presos provisórios ou condenados por tráfico são réus primários, portadores de pequenas quantidades de droga, flagrados em operações de policiamento de rotina, sobretudo em comunidades carentes. Daí decorre que a inexistência de critérios objetivos para diferenciar tráfico e consumo produziria um impacto desproporcional (*disparate impact*) sobre os jovens e populações mais pobres e vulneráveis, que são alvo preferencial das forças de segurança pública, o que se torna ainda mais dramático no caso de moradores de favelas e comunidades dominadas pelo poder do tráfico.

---

52 Disponível em: <http://www.justica.gov.br/seus-direitos/politica-penal/transparenciainstitucional/estatisticas-prisional/anexos-sistema-prisional/total-brasil-junho-2013.pdf>.

68. Como resultado, à falta da especificação de critérios para a caracterização do consumo, a norma estabelecida no §2º do art. 28, embora aparentemente neutra, promove um impacto desproporcional sobre os cidadãos menos favorecidos, de modo a violar o princípio da igualdade perante a lei. Os usuários em geral, e aqueles que compõem os extratos mais vulneráveis da população em particular, não podem ficar à mercê de eventual parcialidade de agentes do aparato estatal de segurança para a tipificação de suas condutas.

69. Para esse problema, o voto do Ministro Gilmar Mendes oferece duas soluções. Em primeiro lugar, ele defende que o ônus de comprovar a finalidade diversa do consumo pessoal tenha que ser da acusação. Em segundo lugar, ele propõe que, nos casos em que a autoridade policial proceder à prisão em flagrante por entender que está caracterizado o tráfico de entorpecentes de que trata o artigo 33 da Lei de Drogas, é imprescindível que a comunicação da prisão seja acompanhada da apresentação do preso ao juiz, em curto prazo, na linha do que definido no art. 7.5 do Pacto de São José da Costa Rica.

70. Estou de acordo com essas proposições. No entanto, entendo que elas não são suficientes para conferir maior segurança na distinção das condutas relacionados ao tráfico e ao uso. Por isso, julgo que cabe ao Supremo Tribunal Federal fixar, desde logo, um limite quantitativo objetivo, o qual seria válido até que o legislador disponha de modo diverso. Equivale dizer, o STF pode estabelecer um limite quantitativo da substância abaixo do qual é razoável presumir que as condutas dirijam-se ao consumo pessoal. A consequência direta desta presunção é o estabelecimento de um ônus argumentativo mais pesado para que se caracterize o tráfico de drogas, previsto no art. 33 da Lei de Drogas. Esse ônus argumentativo deve recair tanto sobre a acusação, quanto sobre os órgãos julgadores.

71. Portanto, a quantidade apreendida não seria o único critério de distinção de tráfico e uso. De um lado, o juiz não está impedido de considerar a atipicidade de condutas que envolvam quantidades superiores de drogas, caso verifique, pelas demais circunstâncias, a destinação para uso próprio. Até mesmo porque o elemento especial do tipo do artigo 28 diz respeito sobretudo à intenção do agente, *i.e.*, à efetiva destinação da droga ao consumo pessoal. De outro lado, mesmo diante do porte de quantidades de droga iguais ou inferiores ao limite fixado, o juiz poderá aferir a presença de outras circunstâncias que caracterizem, de forma inequívoca, o tráfico. Nesse cenário, porém, repito que o ônus argumentativo para a caracterização das condutas previstas no art. 33 deve ser mais robusto.

72. Com base na análise da experiência internacional, na média das apreensões por tráfico do Estado de São Paulo[53] e, ainda, considerando recente estudo multidisciplinar sobre o tema[54], proponho que seja fixado como parâmetro quantitativo para a distinção entre uso e tráfico de maconha – substância discutida no caso concreto subjacente – as quantidades de 40 gramas e até 10 plantas fêmeas de *cannabis*[55].

73. Por fim, ressalto, mais uma vez, que o consumo de drogas proscritas tem efeitos deletérios sobre a saúde física e mental dos usuários. Portanto, a decisão desta Corte não deve ser interpretada como incentivo ao uso ou indicação de que as quantidades consideradas para porte aqui definidas representam aval de consumo seguro dessas substâncias. É, porém, passado o tempo de a sociedade brasileira como um todo avançar no debate sobre uma forma mais eficaz de abordar o problema do consumo de substâncias psicotrópicas, com a adoção de um paradigma orientado à saúde, e não à repressão penal. A este ponto se dedica a reflexão feita a seguir.

Parte III

Razões pragmáticas que justificam uma nova política pública em relação às drogas, começando pela legalização da maconha

I. Nota inicial

74. Como disse no início deste voto, não existe solução fácil nem barata para o problema das drogas, seja do ponto de vista político, jurídico ou social. Mas não é difícil identificar as soluções que não deram certo. Deflagrado o debate sobre o tema, participo da discussão com as reflexões que se seguem, em *obiter dictum* e *de lege ferenda*. Ou seja: com ideias que não constituem decisões e que dependerão de mudanças legislativas. Ao se procurar definir uma política pública, é preciso considerar as *premissas* fáticas e filosóficas que estão sendo levadas em conta, os *fins* visados e os *meios* a serem utilizados. É o que se pretende fazer a seguir.

---

[53] Juliana de Oliveira Carlos, *Drug Policy and incarceration in São Paulo, Brazil*. Londres: International Drug Policy Consortium, 2015. Disponível em: <http://idpc.net/publications/2015/06/idpc-briefing-paper-drug-policy-in-brazil-2015>.

[54] Nota técnica, Critérios objetivos de distinção entre usuários e traficantes de drogas - cenários para o Brasil, Agosto de 2015, coordenado pelo Instituto Igarapé, da qual participaram e apoiam cerca de 45 reconhecidos especialistas. Disponível em: <http://www.igarape.org.br/pt-br/criterios-objetivos-de-distincao-entre-usuarios-e-traficantes-de-drogas-cenarios-para-o-brasil/>.

[55] No meu voto oral na sessão de 10 de setembro de 2015, reajustei esses quantitativos para 25 gramas e 6 plantas fêmeas, na tentativa de construir uma maioria em Plenário.

II. Premissas fáticas e filosóficas para uma política de legalização

75. Há, em primeiro lugar, três premissas fáticas e filosóficas para a política de legalização. Primeira premissa: *Drogas são uma coisa ruim*. O consumo de drogas proscritas tem efeitos deletérios sobre a saúde física e mental dos usuários. Diante disso, o papel da sociedade e do Estado deve ser o de (i) desincentivar o consumo, (ii) tratar os dependentes e (iii) combater o tráfico. Portanto, nenhuma das ideias a seguir veiculadas deve ser interpretada como um estímulo ao consumo. Pelo contrário, o que se está procurando desenvolver é uma forma mais eficaz de se enfrentar o problema, de modo a proteger a saúde pública e diminuir a violência associada ao tráfico. O tratamento do tema, até aqui, como bem registrado por Pedro Abramovay, bem se amolda a uma "marcha da insensatez"[56].

76. Segunda premissa: *A guerra às drogas fracassou*. Como se descreveu anteriormente, desde a década de 70 adotou-se uma política dura de dura repressão à cadeia de produção, distribuição e fornecimento de drogas ilícitas, assim como ao consumo. Foram dispendidos bilhões de dinheiros com o enfrentamento policial e militar das drogas, com dezenas de milhares de mortos e centenas de milhares de pessoas encarceradas. A despeito disso, o consumo só fez aumentar e a violência e a criminalidade associadas ao tráfico explodiram em diferentes partes do mundo, especialmente na América Latina. Insistir no que não funciona, depois de tantas décadas, é uma forma de fugir da realidade. É preciso ceder aos fatos. As certezas equivocadas foram bem retratadas em um belo poema de Bertold Brecht, intitulado "Louvor à dúvida":

> "Não crêem nos fatos, crêem em si mesmos.
> Diante da realidade, são os fatos que devem neles acreditar"

77. Terceira premissa: *A política de repressão total não é capaz de realizar o objetivo de proteção da saúde pública*. Embora este seja o objetivo legitimador do controle de drogas, as preocupações com a saúde pública acabam assumindo uma posição secundária em relação às políticas de segurança pública e à aplicação da lei penal. De fato, a repressão penal exige recursos cada vez mais abundantes, drenando os investimentos em prevenção, educação e tratamentos. E o pior: a criminalização de condutas relacionadas ao consumo de drogas promove a exclusão e

---

[56] Pedro Abramovay, A Política de Drogas e a Marcha da Insensatez. *In* SUR. Revista Internacional de direitos humanos. Rede Universitária de Direitos Humanos. v. 9, n. 16, jun 2012. Pp 198-207. Disponível em <www.revistasur.org.> Acesso em 07.06.2015.

a marginalização dos usuários, dificultando o acesso ao tratamento e potencializando os danos à saúde associados ao consumo de substâncias entorpecentes, como a transmissão de HIV e de Hepatite C no uso de drogas injetáveis de modo inseguro.

78. Em suma, como bem lembrou o economista liberal norte-americano, Milton Friedman, a principal consequência da criminalização é assegurar o monopólio dos traficantes[57].

III. Finalidades visadas com uma política de legalização

79. Há, em segundo lugar, três finalidades pretendidas com a política de legalização. Primeira finalidade: *Quebrar o poder do tráfico.* O tráfico exerce o poder político e econômico em grande parte das comunidades pobres brasileiras, dominando-as, explorando-as e oprimindo-as. O poder do tráfico advém da ilegalidade. Uma das maiores violações a direitos humanos no Brasil é o fato de que o tráfico impede que uma família pobre eduque seus filhos em uma cultura de licitude e honestidade. O tráfico coopta, intimida e exerce uma concorrência desleal com qualquer outra atividade lícita. Sem falar na violência que a disputa por poder e as ações das facções criminosas produzem. Nos Estados Unidos e na Europa, a maior preocupação se dá em relação ao usuário. No Brasil, ela deve recair sobre o poder do tráfico. Ninguém deve ser indiferente à sorte de um jovem de classe média alta que sucumba a uma overdose. Porém, mal ou bem, ele fez uma escolha. Trágica mesmo é a morte de uma criança, por bala perdida, na guerra sem fim que se trava nos morros. Esta é a vítima inocente.

80. Segunda finalidade: *Evitar a inútil superlotação dos presídios, que destrói vidas, prejudica a sociedade e não produz qualquer resultado*. De acordo com dados do Departamento Penitenciário Nacional – DEPEN cerca de 28% da população carcerária brasileira está presa por delitos associados ao tráfico. É algo próximo a 200 mil pessoas. A política de encarceramento atinge, sobretudo, mulas, "aviões", "vapores" e pequenos traficantes, muitas vezes primários e de bons antecedentes. No tocante às mulheres, a tragédia é ainda mais grave: 63% delas estão presas por delitos dessa natureza. Ainda segundo o DEPEN, cada vaga no sistema custa R$ 43.845,00, com um custo mensal de manutenção de R$ 2.000,00 por detento. Na prática, a prisão não traz benefício para a ordem pública, funcionando como verdadeira "escola do crime". Ao

---

[57] Entrevista com Milton Friedman acerca da guerra contra drogas (tradução para o espanhol): <http://www.liberalismo.org/articulo/350/53/entrevista/milton/friedman/acerca/guerra/>.

saírem, estes jovens que não eram violentos ou perigosos estabeleceram conexões com grandes criminosos e com facções. A taxa de reincidência é enorme. E, culminando a insensatez: no dia seguinte de sua prisão, este jovem já foi substituído por outro, na mesma função. Há um exército de reserva. Em suma, a política de encarceramento destrói vidas, custa caro, gera delinquentes mais perigosos e não produz qualquer impacto sobre o tráfico.

81. Terceira finalidade: *Permitir o tratamento dos dependentes pelo sistema público de saúde*. A criminalização, como já assinalado, tem duas consequências gravosas à saúde pública: (i) drena a parte mais substancial dos recursos para a repressão, e não para políticas de prevenção e recuperação; e (ii) afasta os dependentes do tratamento necessário, em razão do estigma e das consequências penais a que ficam sujeitos. Relembre-se que em Portugal, onde se descriminalizou o consumo, houve aumento no número de toxicodependentes em tratamento e houve redução da infecção de usuários de drogas pelo vírus HIV.

IV. Meios a serem utilizados para a política de legalização

82. Por fim, qualquer política pública nessa área deverá ser planejada com cautela e profissionalismo, ser implementada progressivamente e beneficiar-se da experiência de outros países do mundo. A ideia que se propõe seja testada é a da legalização da maconha, o que inclui regular a produção, a distribuição e o consumo. Naturalmente, deverá haver fiscalização e monitoramento estritos, com proibição de venda a menores, restrição drástica à publicidade, recolhimento de tributos (com proporcionalidade, para que não haja estímulo ao tráfico e ao contrabando), cláusulas de advertência, contrapropaganda e ampla circulação de informações. Um tratamento, portanto, análogo ao que é dado ao cigarro. Segundo dados trazidos pelo IBCCRIM, em 1984, 35% dos adultos consumiam cigarros. Em 2013, esse número caíra para 15%. Mais recentemente, dados do Ministério da Saúde apontam que, em 2016, a frequência de adultos fumantes foi de 10,2%[58]. Informação e advertência produzem, a médio prazo, resultados melhores do que a criminalização.

83. Se os resultados forem positivos, será o caso de se considerar a extensão a outras drogas. Não há certeza de que a legalização vá

---

[58] Vigitel Brasil 2016: vigilância de fatores de risco e proteção para doenças crônicas por inquérito telefônico. Brasília: Ministério da Saúde, 2017.

funcionar. No entanto, é fora de dúvida que a guerra às drogas não foi capaz de produzir bons resultados. Na frase frequentemente atribuída a Einstein, "não podemos resolver nossos problemas com as mesmas ideias que adotamos quando os criamos".

Conclusão

84. Por todo o exposto, dou provimento ao recurso extraordinário interposto para declarar a inconstitucionalidade do *caput* e §1º do art. 28 da Lei nº 11.343/2006, por violação aos direitos à intimidade e à vida privada (CF, art. 5º, X), ao direito à autonomia privada, extraído do princípio da dignidade da pessoa humana e da legalidade (CF, art. 1º, III, e art. 5º, II), e ao princípio da proporcionalidade (CF, art. 5º, LIV). Em consequência, voto pela absolvição do recorrente pela atipicidade da conduta, nos termos do art. 386, III, do Código de Processo Penal.

85. De acordo com o raciocínio desenvolvido, proponho a fixação da seguinte tese em sede repercussão geral: "*São inconstitucionais o* caput *e o §1º do artigo 28 da Lei nº 11.343/2006, que criminalizam o porte ou plantio de drogas para consumo pessoal. Para distinção entre tráfico e consumo pessoal, fica estabelecido como critério de referência indicativo a posse de até 40 gramas ou o plantio de até 10 plantas fêmeas de* cannabis."

V

INDULTO JOSÉ DIRCEU: REFLEXÃO CRÍTICA SOBRE O SISTEMA PENAL BRASILEIRO

QUESTÃO DE ORDEM NA EXECUÇÃO PENAL 2 DISTRITO FEDERAL

Relator	:	Min. Roberto Barroso
Polo Pas	:	José Dirceu de Oliveira e Silva
Adv.(a/s)	:	José Luis Mendes de Oliveira Lima

Ementa: EXECUÇÃO PENAL. INDULTO. PRESENÇA DOS REQUISITOS DO DECRETO Nº 8.615/2015. EXTINÇÃO DA PUNIBILIDADE. PERMANÊNCIA DO RÉU EM REGIME PRISIONAL, DEVIDO À CONDENAÇÃO A 23 ANOS E 3 MESES DE PRISÃO EM OUTRO PROCESSO.

1. Exposição sumária do sistema punitivo brasileiro, com suas circunstâncias e deficiências. O necessário debate público sobre o tema.

2. Preenchimento, no caso concreto em exame, dos requisitos objetivos e subjetivos do Decreto nº 8.615/2015. Incidência do art. 107, II, do Código Penal, que determina a extinção da punibilidade por força do indulto.

3. Consoante informação do Juízo da 13ª Vara Federal de Curitiba/PR, os fatos pelos quais o requerente veio a ser condenado por aquele Juízo se deram em data anterior ao início da presente execução penal. Por via de consequência, não constituem falta grave que obstaculize a pretensão aqui veiculada. Incidência do art. 5º do Decreto nº 8.615/2015.

4. Pedido de indulto deferido.

5. O requerente, todavia, permanecerá preso à disposição do Juízo da 13ª Vara Federal de Curitiba/PR, em razão da condenação por aquele Juízo, por fatos diversos, à pena de 23 anos e 3 meses de prisão.

RELATÓRIO

O Senhor Ministro Luís Roberto Barroso (Relator):

1. Trata-se de pedido de indulto formulado por José Dirceu de Oliveira e Silva, em razão da edição do Decreto nº 8.615, de 23.12.2015, pelo qual a Senhora Presidente da República *"concede indulto natalino e comutação de penas e dá outras providências"*. O indulto natalino é prática anual rotineira, que segue determinados padrões usuais e constantes.

2. Rememorando o caso, o requerente foi condenado por este Tribunal, pelo crime de corrupção ativa, à pena de 7 anos e 11 meses de reclusão, no regime semiaberto, além de 260 dias-multa. O sentenciado iniciou o cumprimento da pena no dia **15.11.2013**, tendo pago a integralidade da multa a que foi condenado, no valor de R$ 971.128,92.

3. Em **28.10.2014**, ou seja, pouco menos de um ano após o início do cumprimento da pena em regime semiaberto, o sentenciado adquiriu o direito de progressão de regime prisional, nos termos do art. 112 da Lei de Execução Penal[1]. Passou, assim, do regime semiaberto para o aberto. Considerando que o Distrito Federal não dispõe de estabelecimento prisional próprio para a execução da pena em regime aberto, o Juízo da Vara de Execuções das Penas e Medidas Alternativas do Distrito Federal deferiu ao sentenciado, em 4.11.2014, o regime de prisão domiciliar, fixando as respectivas condições.

4. Em 26.11.2014, revoguei autorização que havia sido concedida pelo juízo da execução penal para que o sentenciado viajasse para São Paulo para "tratar de assuntos administrativos da empresa por ele constituída". Considerei que o réu submetido ao regime de prisão domiciliar está efetivamente preso e, como consequência natural, não pode viajar para cuidar de assuntos particulares. Na ocasião, deixei assentado:

> "A prisão domiciliar constitui uma alternativa humanitária para lidar com o déficit de estabelecimentos adequados e de vagas no sistema penitenciário. (...)
> Contudo, e é este o ponto central aqui, a prisão domiciliar substitutiva do recolhimento em Casa de Albergado não perde a sua natureza de pena privativa de liberdade. (...)

---

[1] Lei nº 7.210, de 11.07.1984, com a redação dada pela Lei nº 10.792/2002: "Art. 112. A pena privativa de liberdade será executada em forma progressiva com a transferência para regime menos rigoroso, a ser determinada pelo juiz, quando o preso tiver cumprido ao menos um sexto da pena no regime anterior e ostentar bom comportamento carcerário, comprovado pelo diretor do estabelecimento, respeitadas as normas que vedam a progressão".

A desmoralização da prisão domiciliar privaria o Poder Judiciário da utilização dessa alternativa humanitária, que pode bem servir à sociedade e aos condenados. Para que não fique despida do seu caráter de sanção – prevenção, retribuição proporcional e ressocialização, – a prisão domiciliar tem de ser séria e efetiva.
À luz de tais premissas, considero que a possibilidade de condenados em prisão domiciliar viajarem livre ou regularmente – mesmo que com autorização judicial – é incompatível com a finalidade da pena".

5. Posteriormente, em 3.08.2015, o sentenciado veio a ter sua prisão preventiva decretada pelo Juízo da 13ª Vara Federal de Curitiba/PR, por fatos diversos, em relação aos quais fora instaurada ação penal própria (Processo nº 5031859-24.2015.404.7000). Diante disso, o requerente foi transferido para o sistema prisional do Paraná.

6. Em razão desse fato, indeferi, em 29.02.2016, anterior pedido de indulto formulado pelo requerente, para aguardar a decisão da 13ª Vara Federal de Curitiba, diante da possibilidade concreta de constatação de que o apenado pudesse ter cometido infração *durante* o cumprimento da pena a que foi condenado pelo STF.

7. Em 19.05.2016, por meio do ofício 700001968953, o Juiz Federal Sérgio Fernando Moro, titular da 13ª Vara Federal de Curitiba, deu conta da superveniência de sentença condenatória do sentenciado pelos crimes de corrupção passiva, lavagem de dinheiro e de organização criminosa a uma pena total de 23 anos e 3 meses de reclusão, em regime inicialmente fechado, mantida a prisão preventiva. Contudo, Sua Excelência esclareceu que *"reputou-se provado que a prática delitiva, dos crimes que constituem objeto desta ação penal,* ***estendeu-se até 13/11/2013****, com recebimentos de vantagem indevida até esta data..."*.

8. Vale dizer: de acordo com a referida decisão, os novos crimes pelos quais o sentenciado veio a ser condenado teriam sido praticados em data anterior ao início do cumprimento da pena nesta Ação Penal nº 470. Diante disso, a defesa de José Dirceu de Oliveira e Silva reitera o pedido de concessão do indulto de que trata o Decreto nº 8.615/2015, em especial por entender que os fatos que justificariam eventual regressão de regime ou mesmo falta disciplinar não ocorreram no curso da execução penal. Como consequência, postula – nos termos do artigo 107, inciso II, do Código Penal – a extinção da punibilidade pelo indulto, tendo em vista que o sentenciado preenche os requisitos objetivos e subjetivos para a respectiva concessão.

9. O Procurador-Geral da República, Dr. Rodrigo Janot Monteiro de Barros, opinou favoravelmente à concessão do indulto, em parecer assim ementado:

"EXECUÇÃO PENAL. PEDIDO DE RECONHECIMENTO DO DIREITO À CONCESSÃO DE INDULTO NATALINO. PREENCHIMENTO DOS REQUISITOS ESTABELECIDOS EM DECRETO PRESIDENCIAL. POSSIBILIDADE."

10. É o relatório. **Passo a decidir.**

VOTO

11. Já antecipo que, diante das informações prestadas pelo Juiz Federal Sergio Moro, da manifestação favorável do Procurador-Geral da República e do preenchimento dos requisitos objetivos e subjetivos previstos na legislação e no decreto específico, a hipótese é de concessão de indulto. Trata-se de decisão vinculada a ser praticada por este relator, nos termos dos precedentes do Plenário, sem margem para discricionariedade ou juízos subjetivos. Nada obstante, diante do caráter emblemático desta Ação Penal nº 470 e deste caso, em particular, pareceu-me próprio expor à sociedade o modo de funcionamento do sistema punitivo no Brasil, com suas circunstâncias, problemas e necessidades de equacionamento e reflexão. Somente a compreensão sistêmica da realidade jurídica e fática poderá propiciar um debate público de qualidade sobre o modelo que temos e as eventuais mudanças que precisam ser feitas.

I. O sistema de persecução penal no Brasil

12. O sistema punitivo ou de persecução penal no Brasil desenrola-se em quatro etapas. A primeira tem início na **Polícia**, onde a investigação criminal é conduzida por meio do *inquérito policial*. A segunda etapa transcorre no **Ministério Público**, que reputando suficientes os elementos colhidos pela autoridade policial, apresenta a *denúncia*. A terceira fase é processada perante o **Poder Judiciário**: o juiz recebe a denúncia, ocasião em que se instaura a *ação penal* contra o réu, e supervisiona a produção da prova. Ao final da instrução, ele proferirá uma *sentença* que, transitada em julgado ou confirmada em segundo grau, será executada. Então, tem início a quarta e última etapa, que é o cumprimento da pena no âmbito do ***sistema de execução penal***. Se se tratar de decisão condenatória a pena privativa de liberdade, a execução penal se dará dentro do sistema penitenciário.

13. A Constituição de 1988 restabeleceu as prerrogativas do Judiciário e fortaleceu significativamente o Ministério Público. Independência judicial e autonomia do Ministério Público, portanto, não são problemas no Brasil contemporâneo. Deixando para outra

ocasião o debate sobre nosso sistema processual arcaico e ineficiente, os problemas do sistema têm se concentrado na porta de entrada – a Polícia – e na porta de saída – o Sistema de Execução Penal. A Polícia, sobretudo nos Estados, é frequentemente mal remunerada, mal treinada e mal equipada. Sem condições de atuação baseada em técnica e inteligência, não é incomum que seja violenta. O número de homicídios no país é um dos mais altos do mundo – 55.000 por ano – e o índice de elucidação é bastante baixo, de 5 a 8% dos casos[2].

14. O sistema penitenciário, em particular, tem sido objeto de sucessivas ações perante o Supremo Tribunal Federal. Faltam metáforas e adjetivos para qualificar as condições das prisões em geral: masmorras medievais, casas de horrores, depósitos de gente são algumas tentativas de verter em palavras imagens chocantes. São mais de 600 mil presos, a maioria em circunstâncias degradantes e violadoras da dignidade humana. É lugar comum dizer-se que no Brasil prende-se muito, e prende-se mal. Há aqui um paradoxo que salta aos olhos: as grandes aflições da sociedade brasileira em relação ao sistema punitivo são a corrupção e a violência. Porém, é irrisório o número de presos por crimes de colarinho branco. Quanto à violência, é igualmente baixo o número de prisões por homicídio. Embora haja um percentual relevante de prisões por roubo, o sistema é ocupado predominantemente por delitos associados a drogas e furtos.

II. O sistema de execução penal

15. Circunstâncias brasileiras como as limitações orçamentárias, a existência de centenas de milhares de mandados de prisão à espera de cumprimento, a sistemática de progressão de regime de cumprimento da pena e a possibilidade de concessão de livramento condicional fazem com que o sistema de execução penal entre nós pareça menos severo do que o de outros países. Algumas dessas circunstâncias, menos do que uma opção filosófica ou uma postura de leniência, constituem uma escolha política feita pelas instâncias representativas da sociedade e materializada na lei.

16. O sistema de concretização das sanções penais estruturou-se em três fases: i) *legislativa*, em que são eleitas as condutas que merecerão a tutela do direito penal; ii) *judicial*, em que o Estado-juiz aplica a

---

2 Disponível em: <http://www.cnmp.mp.br/portal/images/stories/Enasp/relatorio_enasp_FINAL.pdf>.

sanção descrita abstratamente no tipo incriminador ao caso concreto; e iii) *executória*, em que a pena é efetivamente aplicada[3] ao condenado.

17. Na fase executória, o Código Penal (art. 33) e a Lei de Execução Penal (art. 110 e sgs.) preveem e disciplinam três regimes diversos de cumprimento de penas privativas de liberdade: o fechado, o semiaberto e o aberto. Para cada um desses regimes, a legislação definiu estabelecimentos penais próprios, sabido que "*a pena será cumprida em estabelecimentos distintos, de acordo com a natureza do delito, a idade e o sexo do apenado*" (inciso XLVIII do art. 5º da CF/88).

18. Considerando que entre nós se adota o chamado sistema progressivo, condenados primários e com bom comportamento podem, de um modo geral, progredir de um regime mais rigoroso para outro menos severo após o cumprimento de um sexto da pena. Em termos práticos, portanto, alguém que tenha sido condenado a uma pena de 6 anos, em regime semiaberto, depois de completado 1 ano de reprimenda já segue para o regime aberto, a ser resgatado na "Casa de Albergado" (CP, art. 33, §1º, "c"[4]). Caso a respectiva unidade federativa não conte com esse tipo de estabelecimento prisional, o prisioneiro será autorizado a cumprir o restante da reprimenda em sua própria residência, em prisão domiciliar, tendo em vista que a jurisprudência não admite o cumprimento da pena em instituição mais severa do que aquela definida em lei.

19. Esse, portanto, um primeiro exemplo da liberalidade do sistema: embora aplicada uma pena razoavelmente severa (6 anos de reclusão), basta o cumprimento de 1 ano para que o condenado possa retornar à sua residência, fazendo com que a sociedade experimente um sentimento de impunidade e até mesmo uma certa descrença nas

---

[3] Luiz Luisi, Os princípios Constitucionais Penais, 2003, págs. 52, 53 e 55.

[4] "Art. 33 – A pena de reclusão deve ser cumprida em regime fechado, semi-aberto ou aberto. A de detenção, em regime semi-aberto, ou aberto, salvo necessidade de transferência a regime fechado. §1º – Considera-se: a) regime fechado a execução da pena em estabelecimento de segurança máxima ou média; b) regime semi-aberto a execução da pena em colônia agrícola, industrial ou estabelecimento similar; c) regime aberto a execução da pena em casa de albergado ou estabelecimento adequado. §2º – As penas privativas de liberdade deverão ser executadas em forma progressiva, segundo o mérito do condenado, observados os seguintes critérios e ressalvadas as hipóteses de transferência a regime mais rigoroso: a) o condenado a pena superior a 8 (oito) anos deverá começar a cumpri-la em regime fechado; b) o condenado não reincidente, cuja pena seja superior a 4 (quatro) anos e não exceda a 8 (oito), poderá, desde o princípio, cumpri-la em regime semi-aberto; c) o condenado não reincidente, cuja pena seja igual ou inferior a 4 (quatro) anos, poderá, desde o início, cumpri-la em regime aberto. §3º – A determinação do regime inicial de cumprimento da pena far-se-á com observância dos critérios previstos no art. 59 deste Código. §4o O condenado por crime contra a administração pública terá a progressão de regime do cumprimento da pena condicionada à reparação do dano que causou, ou à devolução do produto do ilícito praticado, com os acréscimos legais.

instituições públicas. Há uma sensação difusa de que as instituições não funcionam e que o crime, ao menos em algumas de suas manifestações, termina por compensar.

20. Uma outra opção política que revela alguma perplexidade social decorre do art. 83 do Código Penal[5]. Isto porque, após o cumprimento de 1/3 da reprimenda, o juiz poderá conceder livramento condicional ao condenado, mediante o compromisso de cumprir determinadas condições. De modo que, ainda no exemplo anterior (pena de 6 anos de reclusão), após cumpridos 2 anos de cárcere, o sentenciado que preencher os requisitos legais já poderá voltar para o convívio social.

21. Não é tudo. Após o cumprimento de parcela pouco relevante da sanção penal (algo em torno de 25% da pena), o condenado por delitos não violentos (como são os crimes de "colarinho branco") já estará habilitado a receber do Presidente da República a extinção da punibilidade pelo indulto (CP, art. 107, II)[6]. A depender da situação concreta, portanto, basta o cumprimento de ¼ da pena (ou 25% do total) para que se conceda a denominada "clemência estatal". Tudo isso sem contar que o tempo de trabalho e de estudo (válidas e importantes medidas de reinserção social) durante o cárcere, devidamente comprovados, significam tempo de efetivo cumprimento de pena, que é considerado para o cálculo dos benefícios da execução penal.

22. Há outras disfuncionalidades que certamente ainda merecerão reflexão maior em algum lugar do futuro, tais como:

i) a multiplicidade e o uso abusivo dos recursos criminais, a dificultar a aplicação da lei penal no caso concreto;
ii) as incongruências na sistemática de prescrição penal que, de um lado, autoriza a redução pela metade do lapso prescricional com base na idade do réu (21 anos na data do fato e

---

[5] "Art. 83 – O juiz poderá conceder livramento condicional ao condenado a pena privativa de liberdade igual ou superior a 2 (dois) anos, desde que: I – cumprida mais de um terço da pena se o condenado não for reincidente em crime doloso e tiver bons antecedentes; II – cumprida mais da metade se o condenado for reincidente em crime doloso; III – comprovado comportamento satisfatório durante a execução da pena, bom desempenho no trabalho que lhe foi atribuído e aptidão para prover à própria subsistência mediante trabalho honesto; IV – tenha reparado, salvo efetiva impossibilidade de fazê-lo, o dano causado pela infração; V – cumprido mais de dois terços da pena, nos casos de condenação por crime hediondo, prática da tortura, tráfico ilícito de entorpecentes e drogas afins, e terrorismo, se o apenado não for reincidente específico em crimes dessa natureza. Parágrafo único – Para o condenado por crime doloso, cometido com violência ou grave ameaça à pessoa, a concessão do livramento ficará também subordinada à constatação de condições pessoais que façam presumir que o liberado não voltará a delinqüir"

[6] "Art. 107 – Extingue-se a punibilidade: [...] II – pela anistia, graça ou indulto;"

70 anos na data da sentença); e, de outro, permite o início da contagem da prescrição na modalidade executória quando ainda não é possível a execução do julgado (Código Penal, art. 112, I, do CP;

iii) o expressivo número de casos com repercussão geral reconhecida em matéria penal que, diante da alta taxa de congestionamento do nosso Plenário, acaba prescrevendo na origem; e

iv) a jurisprudência que não admitia a execução provisória da pena após a confirmação da condenação em segundo grau, recentemente superada por decisão majoritária deste Plenário no julgamento do HC 126.292, Rel. Min. Teori Zavascki, e das ADCs 43 e 44, Rel. para acórdão Min. Luiz Edson Fachin.

23. Muito mais do que uma crítica ao importante papel que os benefícios da execução penal exercem na ressocialização dos detentos, as reflexões acima destinam-se a expor à sociedade, de modo transparente, aspectos do sistema e suas agruras. Como é notório, há intensa demanda na sociedade por um endurecimento do direito penal. Tal circunstância suscita duas ordens de considerações.

24. A primeira: há, de fato, inúmeras falhas no sistema que merecem atenção e reparo. Mas não para o fim de multiplicar as tipificações ou exacerbar as penas. Não é este o caminho. O direito penal, em uma sociedade como a brasileira, por motivos diversos, deve ser *moderado*. Porém, deve ser sério na sua interpretação, aplicação e execução de penas. O excesso de leniência privou o direito penal no Brasil de um dos principais papeis que lhe cabe, que é o de prevenção geral. O baixíssimo risco de punição, sobretudo da criminalidade de colarinho branco, funcionou como um incentivo à prática generalizada de determinados delitos.

25. Em segundo lugar, a sociedade brasileira deverá estar ciente de que o aumento da efetividade e da eficiência do sistema punitivo exige o aporte de recursos financeiros substanciais. Isso porque será necessário um conjunto de providências, que vão do aprimoramento da atuação policial a investimentos vultosos no sistema penitenciário. Embora estas sejam pautas institucionais importantes, é preciso explicitar que em momento de escassez geral de verbas, os valores que forem para o sistema punitivo deixarão de ir para outras áreas mais vistosas e populares, desde a educação até obras públicas.

26. Na prática, o sistema de execução penal no Brasil institui quase que um mecanismo de rodízio. O condenado fica preso por um tempo

relativamente curto em cada regime prisional para dar vaga para o próximo condenado ingressar no sistema. Ainda assim, há uma carência de aproximadamente **200 mil vagas** no sistema penitenciário, correspondente ao número de mandados de prisão à espera de cumprimento.

27. As informações e reflexões aqui trazidas destinam-se a permitir um debate público esclarecido sobre o sistema punitivo, assim como sobre as possibilidades e limites do direito penal na sociedade brasileira. Seja como for, o que é fora de dúvida é que o sistema existente há de valer igualitariamente para todos. Não pode o julgador escolher determinados réus, sobretudo os que desfrutam de antipatia social, para tratá-los com rigor discriminatório.

III. O caso concreto em exame

28. Conforme relatado, o requerente foi condenado pelo crime de corrupção ativa à pena de 7 anos e 11 meses de reclusão. Esse quantitativo, considerado o intervalo previsto no artigo 333 do Código Penal (a pena varia de 2 a 12 anos), sequer poderia sofrer a crítica que Guilherme de Souza Nucci tem feito à denominada *"política de pena mínima"*[7], ao se reportar a uma prática generalizada em se aplicar penas sempre muito próximas ao mínimo legal. Ainda assim, fixada a reprimenda em patamar não superior a 8 anos de reclusão, o Plenário do Tribunal fixou o regime prisional semiaberto para o início do cumprimento da pena, atento às balizas do art. 33 , §2º, "b", do Código Penal.

29. Transitada em julgado a condenação, deu-se o início do cumprimento da pena no dia 15.11.2013, com o recolhimento do apenado a estabelecimento compatível com o regime semiaberto. Por autorização do Plenário, o requerente passou a realizar trabalho externo. Em 28.10.2014, após o cumprimento de 1/6 da pena, foi deferida a progressão do sentenciado para o regime aberto. Contudo, considerando que o Distrito Federal não dispõe da chamada "Casa de Albergado", no dia 04 de novembro de 2014, o reeducando foi autorizado pelo Juízo delegatário desta execução penal a cumprir o restante da reprimenda em sua própria residência.

30. Em seguida, sobreveio o decreto de prisão preventiva deste sentenciado em feito criminal diverso. Diante da possibilidade de haver praticado ato definido como crime doloso no curso desta execução penal, indeferi um primeiro pedido de indulto, sem prejuízo de reexame da matéria após a prolação de sentença. Após as informações prestadas

---

[7] Guilherme de Souza Nucci, *Individualização da Pena,* 2005, página 336.

pelo Juiz Federal Sérgio Moro da 13ª Vara Federal de Curitiba/PR, esclarecendo que os atos criminosos praticados pelo sentenciado ocorreram em período anterior ao início desta execução penal, passo a examinar se estão preenchidos os requisitos do indulto.

IV. Dos requisitos do indulto

31. O indulto configura uma espécie de clemência, sendo destinado a um grupo de sentenciados, levando em conta a duração das penas aplicadas. Concedido por decreto presidencial, ele requer o preenchimento de requisitos subjetivos (*e.g.*, réu primário, bom comportamento carcerário) e objetivos (como o cumprimento de parte da pena, a exclusão de determinados tipos de crimes)[8]. A orientação pacífica do Supremo Tribunal Federal é no sentido de que a concessão do indulto está inserida no exercício do poder discricionário do Presidente da República (ADI 2.795-MC, Rel. Min. Maurício Corrêa). Vejam-se, nessa linha, o HC 90.364, Rel. Min. Ricardo Lewandowski; e o HC 84.829/PR, Rel. Min. Ministro Marco Aurélio.

32. Pois bem: no exercício desse poder discricionário conferido pelo art. 84, inciso XII, da CF/88, a Presidenta da República editou, no dia 23.12.2015, o Decreto nº 8.615/2015 em que "*concede indulto natalino e comutação de penas e dá outras providências*". Para o exercício desse poder discricionário, o Presidente da República conta com o auxílio do Conselho Nacional de Política Criminal (órgão colegiado integrante da estrutura do Ministério da Justiça, na forma do Decreto nº 6.061/2007), que tem como uma de suas atribuições propor diretrizes da política criminal e penitenciária do país. Esse órgão é responsável por encaminhar, anualmente, proposta de Decreto Presidencial de Indulto Natalino ao Ministro da Justiça para posterior envio à Presidência da República.

33. No caso de que aqui se trata, o art. 1º, inciso XVI, do o Decreto nº 8.615/2015 estabelece o seguinte:

> "Art. 1º Concede-se o indulto coletivo às pessoas, nacionais e estrangeiras:
> [...]
> XVI – condenadas a pena privativa de liberdade, que estejam em livramento condicional ou **cumprindo pena em regime aberto**, cujas **penas remanescentes, em 25 de dezembro de 2015, não sejam superiores a oito anos, se não reincidentes**, e a seis anos, se reincidentes, **desde que tenham cumprido um quarto da pena, se não reincidentes**, ou um terço, se reincidentes;"

[8] V. Guilherme de Souza Nucci, *Código Penal Comentado*, 2014, p. 601.

34. Tal como consignei em caso análogo, considero próprio registrar que o ato normativo objeto desta questão de ordem segue o padrão usual, praticado de longa data, com pequenas variações, próprias do caráter discricionário inerente à política criminal que justifica a concessão do indulto.

35. Feitos esses esclarecimentos iniciais, entendo que o sentenciado preenche os requisitos objetivos[9] e subjetivos, fixados de modo geral e abstrato pelo ato presidencial, para o gozo do benefício do indulto. Reproduzo, nessa linha, o parecer do Ministério Público Federal:

> "[...]
> De início, cumpre observar que, a despeito das alegações da defesa, o Procurador-Geral da República entende que houve a prática de falta disciplinar de natureza grave durante o período de cumprimento de pena da ação penal n. 470, que poderia ensejar a outrora pleiteada regressão do regime do sentenciado, mesmo considerado o termo final da prática delitiva referente à nova condenação como 13 de novembro de 2013.
> Isso porque o trânsito em julgado definitivo da condenação alcançada na ação penal 470 se deu em 21 de outubro de 2013, conforme consignado na carta de sentença correspondente ao sentenciado.
> A execução dos capítulos do acórdão condenatório relativamente às penas não mais sujeitas a recurso foi discutida pelo Plenário da Suprema Corte no julgamento da 11ª Questão de Ordem na AP 470, em 14 de novembro de 2013, oportunidade em que o Plenário houve por bem determinar a certificação do trânsito em julgado da condenação para determinados sentenciados. No entanto, a decisão da Corte no julgamento mencionada Questão de Ordem tem natureza eminentemente declaratória, porque o efetivo trânsito em julgado, como dito, se dera em 21 de outubro de 2013.
> **De toda sorte, é certo que, para efeito da concessão de indulto, essa prática delitiva não obsta o reconhecimento do direito ao benefício, na medida em que não se deu no período aquisitivo previsto no art. 5º do Decreto n. 8.615/2015. Ausentes outras notícias de prática de falta disciplinar de natureza grave, de se reconhecer o preenchimento do requisito subjetivo ali previsto.**
> No que tange ao requisito objetivo, tem-se que o requerente, então primário, foi condenado a 7 anos e 11 meses de reclusão, mais 260 dias-multa, em regime inicial semiaberto. Conforme certidão emitida em 11 de janeiro de 2016 pela VEPERA/TJDFT, o sentenciado progrediu para

[9] Vejamos: ¼ de 7 anos e 11 meses equivale a pouco menos de 2 anos. Entre 15.11.2013 (início da execução) e 25.12.2015 (marco temporal fixado no decreto), o sentenciado cumpriu 2 anos, 1 mês e 9 dias de pena (não considerados os dias remidos pelo trabalho e estudo). Preenche, assim, o requisito objetivo; sendo certo que a pena remanescente é inferior a 8 anos e não se trata de sentenciado reincidente.

> o regime aberto em 28/10/2014, tendo concedida prisão domiciliar em 4/11/2014, em razão da falta de casa de albergado no Distrito Federal.
> Considerando-se que o início do cumprimento da pena se deu em 15 de novembro de 2013, de fato, em 25 de dezembro de 2015, o sentenciado já havia cumprido mais de um quarto da pena, mesmo não computada remição por trabalho e estudo.
> Assim, incide o disposto no inciso XVI do art. 1º do Decreto, que concede o benefício às pessoas '***condenadas a pena privativa de liberdade,*** *que estejam em livramento condicional ou* ***cumprindo pena em regime aberto, cujas penas remanescentes, em 25 de dezembro de 2015, não sejam superiores a oito anos, se não reincidentes,*** *e a seis anos, se reincidentes, desde que* ***tenham cumprido um quarto da pena, se não reincidentes,*** *ou um terço, se reincidentes'*.
> Demais disso, a jurisprudência do Superior Tribunal de Justiça alinhou-se no sentido de ser dispensável o parecer do Conselho Penitenciário (art. 70, I) nos casos de indulto coletivo. Esse entendimento foi prestigiado pela Suprema Corte no julgamento da Questão de Ordem na Execução Penal n. 1.
> Vê-se, pois, que o sentenciado preenche os requisitos estabelecidos no Decreto nº 8.615/2015..."

34. Com efeito, **iniciada efetivamente a execução da pena no dia 15.11.2015** (data em que o sentenciado se apresentou à carceragem da Polícia Federal em São Paulo), não seria possível considerar como falta disciplinar grave para efeito de regressão de regime atos praticados em momento anterior a esse período. Conforme esclarecido pelo Juiz Federal Sérgio Moro, *"reputou-se provado que a prática delitiva, dos crimes que constituem objeto desta ação penal,* ***estendeu-se até 13/11/2013****, com recebimento de vantagem indevida até esta data..."* Desse modo, os fatos que justificaram a prisão preventiva do sentenciado não poderiam, a esta altura, justificar a sua regressão de regime, menos ainda impedir a concessão do indulto natalino, até mesmo pelo que estabelece o art. 5º do Decreto presidencial:

> "Art. 5º A declaração do indulto e da comutação de penas previstos neste Decreto fica condicionada à inexistência de aplicação de sanção, reconhecida pelo juízo competente, em audiência de justificação, garantido o direito aos princípios do contraditório e da ampla defesa, **por falta disciplinar de natureza grave, prevista na Lei de Execução Penal, cometida nos doze meses de cumprimento da pena, contados retroativamente a 25 de dezembro de 2015.** [...]"

35. Nessas condições, seja porque o condenado não praticou falta disciplinar de natureza grave nos doze meses anteriores contados

retroativamente desde o dia 25.12.2015, seja porque a sentença condenatória superveniente diz respeito a condutas praticadas antes mesmo de iniciado o efetivo início do cumprimento de sua reprimenda, não vejo como negar a concessão do indulto.

36. Ademais, embora dispensável o parecer de que trata o art. 70, I, da LEP (EPs 1 e 2 de minha relatoria)[10], colhe-se dos autos que o Conselho Penitenciário do Distrito Federal opinou favoravelmente ao pleito do sentenciado[11]. De modo que considero preenchido o requisito subjetivo necessário à concessão do indulto, na linha da manifestação da Procuradoria Geral da República. Além disso, os atestados fornecidos pelo Juízo delegatário desta execução penal dão conta de que o sentenciado é portador de bom comportamento e não praticou infração disciplinar de natureza grave.

37. Diante do exposto, acolhendo o parecer do Procurador-Geral da República, resolvo a questão de ordem no sentido de declarar a extinção da punibilidade[12] do sentenciado José Dirceu de Oliveira e Silva, com apoio no art. 107, inciso II, parte final, do Código Penal[13], e nos termos do Decreto nº 8.615/2015.

38. Faço a ressalva, todavia, de que **o sentenciado continuará na prisão em que se encontra**[14], tendo em vista que permanece em vigor decreto de prisão preventiva expedido pelo Juízo da 13ª Vara Federal da Seção Judiciária do Paraná, nos autos do processo nº 5045241-84.2015.4.04.7000/PR. Juízo que deverá ser comunicado desta decisão.

---

[10] "Art. 70. Incumbe ao Conselho Penitenciário: I – emitir parecer sobre livramento condicional, indulto e comutação de pena; **I – emitir parecer sobre indulto e comutação de pena, excetuada a hipótese de pedido de indulto com base no estado de saúde do preso**;[...]"

[11] O Juízo delegatário desta execução penal fez vir aos autos a informação de que o Conselho Penitenciário do Distrito Federal aprovou, por unanimidade, o parecer da Conselheira Anna Paula Coutinho de Barcelos Moreira, cuja parte dispositiva transcrevo: "...Com essas considerações, e somente após apreciado e, porventura, negado o pedido de regressão de regime, meu parecer é pela concessão de indulto ao sentenciado, nos termos do art. 1º, inc. XVI, do Decreto nº 8.615/15..."

[12] Tal como já ficou consignado na jurisprudência deste STF (HC 82.554, Rel. Min. Celso de Mello): "Como se sabe, o indulto constitui, ao lado da anistia e da graça, manifestação formal da indulgentia principis e atua, em nosso sistema, como causa extintiva da punibilidade (CP, art. 107, II). Porém, ao contrário da anistia, que opera efeitos radicais, o indulto e a graça em sentido estrito geram, somente, a extinção da punibilidade. **Não apagam o ilícito nem suprimem as conseqüências de ordem penal, inclusive os efeitos penais secundários da sentença condenatória** (RT 409/304 – RT 466/401 – RT 513/423, v.g.). Atingem, no entanto, as medidas de segurança (CP, art. 96, parágrafo *único*)."

[13] "Art. 107 – Extingue-se a punibilidade: I – pela morte do agente; II – pela anistia, graça ou **indulto**; [...]"

[14] "Art. 685. Cumprida ou extinta a pena, o condenado será posto, imediatamente, em liberdade, mediante alvará do juiz, no qual se ressalvará a hipótese de dever o condenado continuar na prisão por outro motivo legal."

39. Dê-se ciência ao Juízo da Vara de Execuções das Penas e Medidas Alternativas do Distrito Federal para que adote as medidas necessárias ao fiel cumprimento desta deliberação, observado o procedimento geral utilizado para os demais condenados que cumprem pena no Distrito Federal, encaminhando a esta Corte, no prazo de 60 (sessenta) dias, cópia de tudo quanto providenciado.

Esta obra foi composta em fonte Palatino Linotype, corpo 10
e impressa em papel Offset 75g (miolo) e Supremo 250g (capa)
pela Gráfica Formato.